DATE DUE

PRINTED IN U.S.A.

BESTSELLER

Biblioteca

DANIELLE STEEL

La boda

Traducción de
Víctor Pozanco Villalba

DEBOLS!LLO

Título original: *The Wedding*

Primera edición con esta portada: marzo, 2012

© 2000, Danielle Steel
© 2002, Random House Mondadori, S. A.
 Travessera de Gràcia, 47-49. 08021 Barcelona
© 2002, Víctor Pozanco, por la traducción

Printed in Spain – Impreso en España

ISBN: 978-84-9793-645-3 (vol. 245/38)
Depósito legal: B-5622-2012

Fotocomposición: Zero pre impresión, S. L.

Impreso en Liberdúplex, S. L. U.
Sant Llorenç d'Hortons (Barcelona)

P 83645 A

1

El tráfico avanzaba por la autopista de Santa Mónica a paso de tortuga. Allie Steinberg apoyaba la cabeza en el respaldo del asiento de su Mercedes 300 azul marino. A aquella velocidad no iba a llegar nunca. No tenía nada especial que hacer de camino a casa, pero le exasperaba perder el tiempo por culpa del tráfico.

Estiró sus largas piernas, suspiró y puso la radio. Sonrió al oír el éxito más reciente de Bram Morrison, uno de los clientes de su bufete. Hacía más de un año que lo representaba. A sus veintinueve años, Allegra Steinberg tenía muchos clientes importantes y, cuatro años después de licenciarse en derecho por la Universidad de Yale, era uno de los socios más jóvenes del bufete Fisch, Herzog & Freeman, uno de los más importantes de Los Ángeles. Le gustaba el trabajo, porque las cuestiones jurídicas del mundo del espectáculo siempre la habían apasionado.

Desde muy jovencita Allie había querido ser abogada. Sólo durante una breve etapa pensó en que tal vez podría ser actriz (tras tener que empollar dos veranos en New Haven, durante el curso preparatorio y el primero de facultad en Yale). No habría sorprendido a nadie de su familia, aunque tampoco podía estar segura de que les hubiese gustado. Su madre, Blaire Scott, había escrito y producido uno de los seriales de televisión de mayor éxito durante nueve años. Era una comedia, bien aderezada con momentos serios y salpicada de hechos dramáticos de la vida real. Había conseguido uno de los más altos niveles de audiencia; durante siete de los nueve años que estuvo en antena, la comedia fue galardonada con siete premios Emmy.

Su padre, Simon Steinberg, era uno de los más destacados productores cinematográficos, y había producido algunas de las más importantes películas de Hollywood. A lo largo de su carrera había ganado tres Oscars y su reputación de productor «taquillero» era legendaria. Pero, sobre todo, era algo que escaseaba mucho en Hollywood: un hombre bueno, un caballero, una persona muy decente. Él y Blaire figuraban entre los matrimonios más atípicos y respetados del mundillo cinematográfico. Trabajaban mucho y dedicaban el resto de su tiempo a la familia. Allie tenía una hermana de diecisiete años, Samantha, *Sam*, que cursaba el último año del bachillerato y trabajaba como modelo y que, a diferencia de Allie, quería ser actriz. Sólo su hermano Scott, que cursaba primer año en Stanford, parecía haberse desmarcado de la tradición familiar de vincularse al mundo del espectáculo. Se preparaba para ingresar en la facultad de medicina. Tenía verdadera vocación, y Hollywood y su supuesta magia no lo seducían en absoluto. A sus veinte años, Scott ya había visto suficiente del mundo del espectáculo. Pensaba que Allie estaba loca por especializarse en las cuestiones jurídicas de semejante mundillo. No quería pasar el resto de su vida preocupado por el taquillaje, la imagen, la comercialidad, los niveles de audiencia y las cuotas de pantalla. Quería especializarse en medicina deportiva y ser cirujano ortopeda. Era un joven amable, sensato y con los pies en la tierra. Alguien tenía que velar por la salud de los demás. No quería tener los mismos quebraderos de cabeza que el resto de su familia, agobiada por estrellas inestables y caprichosas, actores desleales, arribistas de todo tipo e inversionistas temerarios. Aquel mundillo tenía sus compensaciones y muchos privilegios; y a todos sus «habitantes» parecía entusiasmarles. Su madre disfrutaba de verdad con su show, su padre había producido algunas películas extraordinarias, a su hermana mayor le gustaba ejercer la abogacía para las estrellas, y la pequeña quería ser actriz. Pero a él no le interesaba.

Allie sonrió al pensar en su hermano mientras escuchaba el último éxito de Bram. Incluso Scott se había impresionado cuando le comunicó que Bram era uno de sus clientes. Era un ídolo. Allie nunca decía quiénes eran sus clientes, pero Bram la había mencionado en un programa especial con Barbara Walters. Carmen Connors era también una de sus clientes. Se parecía mucho a Marilyn Monroe y era toda una revelación. Tenía veintitrés años, era de una aldea de Oregón y una ardiente cristiana. Había empezado como cantante. Pero recientemente había intervenido en dos películas casi seguidas, y demostrado unas magníficas dotes de actriz. La Asociación Californiana de Actores le había aconsejado que contratase al bufete en el que trabajaba Allie, y se la asignaron a ella. Simpatizaron enseguida y, aunque a veces tenía que cuidar de ella como si fuese un bebé, no le importaba.

A diferencia de Bram, que tenía casi cuarenta años y llevaba veinte en el mundo de la música, Carmen era todavía una novedad en Hollywood y parecía estar siempre acuciada por problemas. Problemas con sus novios, con hombres que estaban enamorados de ella y a quienes ella aseguraba no conocer apenas, tipos que la acosaban, publicistas, peluqueros, reporteros, *paparazzi* y agentes que aspiraban a representarla. No sabía cómo tratarlos y Allie solía recibir muchas llamadas suyas, de día y de noche. A menudo, la joven belleza tenía terrores nocturnos como los niños, siempre temerosa de que alguien entrase en su casa y la atacase. Allie había conseguido disipar parte de sus temores contratando a una empresa de seguridad que vigilaba su casa a todas horas. Además, había hecho instalar un moderno sistema de alarma y le había comprado dos rottweilers de aspecto temible. Carmen les tenía miedo, pero también se lo tendrían los potenciales asaltantes de su casa, o cualquiera que la acosara. Aun así, Carmen seguía llamando a Allie en plena noche para hablar de problemas que hubiese tenido en un rodaje y, a veces, por no sentirse sola. A Allie no le importaba. Estaba acostumbrada. Pero sus amigos decían que más que de abogada le hacía de niñera. Sin embargo, Allie era consciente de que ese papel era parte de su trabajo como abogada de personajes famosos. Había visto lo que tenían que aguantar sus padres con sus estrellas y ya nada la sorprendía. Pero, pese a todos los inconvenientes, le encantaba ejercer la abogacía en todo lo que afectaba al mundo del espectáculo.

Pensó en Brandon. Pulsó otro botón de la radio y la caravana avanzó un buen trecho. Raro era el día que no tardaba más de una hora en llegar a casa, pese a que el despacho estaba a menos de quince kilómetros de su domicilio. Pero también a eso estaba acostumbrada. Le encantaba vivir en Los Ángeles y casi nunca le importaba el problema del tráfico. Llevaba la capota bajada. Era una calurosa tarde de enero, típica del clima del sur de California. Su larga melena rubia resplandecía con los rayos del sol del invierno. Durante los siete años que pasó en New Haven, primero en la escuela preparatoria y luego en la facultad de Yale, soportando los largos inviernos, había anhelado volver a aquel clima. Después de terminar el bachillerato en el instituto de Beverly Hills, la mayoría de sus amigos había ido a estudiar a Los Ángeles. Pero su padre quiso que ella fuese a Harvard. Allie optó por Yale, pero nunca le tentó seguir en el Este después de licenciarse. Toda su vida estaba ligada a California.

Tras volver a acelerar, pensó en llamar a Brandon al despacho. Pero se dijo que antes era mejor esperar a llegar a casa y relajarse un rato. También él solía tener una intensa jornada de trabajo. Y a veces tanto más febril a última hora, que era cuando solía reunirse con clientes, con los que debía acudir al juzgado al día siguiente, con otros abogados o fiscales. Estaba especializado en delitos de guante blanco, casi siempre graves y relacionados con la banca, la malversación de fondos y el chantaje. Según él, eso era ejercer de verdad el derecho, y no lo que «hacía» ella, le decía en tono desenfadado. Y lo cierto era que su trabajo tenía muy poco que ver con el de Brandon. También su personalidad era muy distinta. Brandon era algo rígido, serio, y tenía un concepto de la vida mucho más profundo. Los Steinberg decían que Brandon Edwards carecía de sentido del humor, algo que para ellos equivalía a un defecto, pues eran todos muy dados a la ironía rayana en el sarcasmo.

Sin embargo, la hija mayor de los Steinberg veía muchos aspectos positivos en Brandon. Lo consideraba una persona sólida y digna de confianza. Además, consideraba una ventaja que fuese un hombre casado. Brandon llevaba diez años de matrimonio con la mujer con que se casó cuando aún estaba en la facultad de derecho, en la Universidad de California en Berkeley. Joanie se quedó embarazada y Brandon se vio obligado a casarse, aseguraba él. Pero, pese a estar resentido por ello, en algunos aspectos Joanie seguía muy ligada a él, después de diez años de matrimonio y de tener dos hijas. Sin embargo, a veces Brandon aún se lamentaba por haber tenido que casarse «de penalty», y de lo atrapado que se sentía (entre otras cosas porque tenían dos hijas pequeñas).

Después de licenciarse en derecho, Brandon empezó a trabajar en el despacho de abogados más conservador de San Francisco. Fue puramente casual que lo trasladasen a Los Ángeles, justo después de que él y Joanie conviniesen en vivir separados una temporada. Brandon había conocido a Allie tres semanas después de llegar a la ciudad, a través de un amigo mutuo, y ya hacía dos años que mantenían relaciones. Se había enamorado de él, y sus hijas le caían bien.

Como a Joanie no le gustaba que sus hijas fuesen a Los Ángeles, era por lo general Brandon quien iba a San Francisco a verlas, y Allie lo acompañaba siempre que podía. El único problema era que Joanie llevaba dos años sin trabajar, porque argumentaba que sería demasiado traumático para las niñas que no estuviese en casa con ellas. De modo que Joanie dependía totalmente de Brandon. Y aún seguían discutiendo acerca de su casa y de su apartamento de Tahoe. De hecho, en dos años apenas habían resuelto nada. Aún no había pedido oficialmente el divorcio, y no habían llegado a concretar los acuerdos económicos. Allie lo tomaba a broma y le decía a Brandon que tenía «miga» que un abogado fuese incapaz de hacer que su esposa firmase un contrato. Pero no quería presionarlo. Por el momento, eso significaba que su relación se mantendría como estaba, cómoda y sin complicaciones. Pues no podría ir más allá hasta que él y Joanie se pusieran de acuerdo en todo.

Al tomar la curva hacia Beverly Hills, Allie se preguntó si estaría de humor para salir a cenar con él. Brandon preparaba un juicio y era muy probable que tuviera que quedarse en el despacho hasta tarde. Pero no estaba en condiciones de quejarse, pues también ella tenía que trabajar muchas noches, aunque por lo general no preparando juicios. Sus clientes eran escritores, productores, directores, actores y actrices, y ella se ocupaba de todos sus asuntos, desde concertar contratos a redactar testamentos, negociar acuerdos, administrar su dinero e intervenir o representarlos en sus divorcios. Lo que de verdad le interesaba era el trabajo jurídico. Pero entendía mejor que la mayoría de los abogados que, con los clientes famosos o, por lo menos, con aquellos que trabajan en el mundo del espectáculo, había que estar dispuesto a intervenir en todos los aspectos de sus complicadas vidas, no sólo en sus contratos. Y había ocasiones en las que Brandon no parecía entenderlo así. El mundo del espectáculo seguía siendo un misterio para él, por más que Allie tratase de explicárselo. Brandon prefería ejercer el derecho para «gente normal», representarla en los juzgados, que era donde se movía como pez en el agua. Aspiraba a ser juez federal algún día, una aspiración que, a sus treinta y seis años, no parecía nada descabellada.

Sonó el teléfono. Ojalá sea Brandon, se dijo Allie. Pero era Alice, su secretaria, que llevaba quince años trabajando en el despacho y era una especie de salvavidas para Allie. Tenía mucho sentido común, una mente brillante y un modo sosegado y maternal de tratar a los clientes más irascibles.

—Hola, Alice, ¿qué hay? —preguntó Allie sin apartar la vista del tráfico.

—Acaba de llamar Carmen Connors. He pensado que te interesaría saberlo. Estaba muy excitada. Ha salido en la portada de *Chatter*.

Era uno de los periódicos sensacionalistas más «amarillos». Llevaba comiéndose viva a Carmen Connors desde hacía meses, a pesar de las reiteradas advertencias y amenazas de Allie. Pero los redactores de *Chatter* sabían hasta dónde podían llegar. Eran maestros en el arte de no pasarse de la raya. Se detenían justo en el límite del libelo.

—¿Y qué ocurre ahora? —preguntó Allie frunciendo el entrecejo.

Ya estaba cerca de la casita que sus padres le ayudaron a pagar cuando se licenció. Allie ya les había devuelto el dinero, y estaba encantada con su chalecito de la zona de Doheny.

—El artículo habla de que estuvo en una orgía con uno de sus médicos, el de cirugía estética, me parece.

La pobre Carmen cometió la torpeza de salir con él una vez. Cenaron en Chasen's y, por lo que le contó a Allie, ni siquiera se habían acostado y, menos aun, participado en una orgía.

—¡Por el amor de Dios! —exclamó Allie al enfilar la rampa de acceso a su garaje con cara de contrariedad—. ¿Tienes la revista en el despacho?

—La compraré de camino a casa. ¿Quieres que te la acerque en un momento?

—No, da igual. Ya la veré mañana. Acabo de llegar a casa. Llamaré a Carmen enseguida. Gracias. ¿Algo más?

—Ha llamado tu madre. Quería saber si podrás cenar con ella el viernes y asegurarse de que vas a ir a los Golden Globes el sábado. Dice que espera que vayas.

—Por supuesto que sí —dijo Allie, que se recostó un momento en el asiento, con el coche ya parado—. Ella sabe que iré.

Aquel año la madre y el padre de Allie estaban nominados, y no pensaba perderse el acto por nada del mundo. Había invitado a Brandon hacía más de un mes, antes de Navidad.

—Creo que sólo ha querido asegurarse de que vas a asistir.

—La llamaré. ¿Más cosas?

—No.

Eran las seis y cuarto. Había salido del despacho a las cinco y media, más temprano de lo habitual. Pero se llevaba trabajo a casa y, si no se veía con Brandon, le daría tiempo a terminarlo.

—Hasta mañana entonces, Alice. Buenas noches.

Allie sacó la llave del contacto, asió el maletín con la mano izquierda y abrió la puerta con la derecha. Bajó, cerró el coche y entró en la casa, oscura y vacía. Al llegar al salón dejó el maletín en el sofá, encendió las luces y fue a la cocina.

La casa, situada en un altozano, tenía una espectacular vista de la ciudad. Ya había oscurecido y las luces brillaban como joyas. La joven abogada se sirvió un vaso de agua mineral y le echó un vistazo al correo: unas cuantas facturas; una carta de Jessica Farnsworth, ex compañera de estudios; un montón de catálogos y hojas publicitarias; y una postal de otra amiga, Nancy Towers, que estaba esquiando en Saint Moritz. Lo tiró a la papelera casi todo y, mientras bebía el agua, reparó en las zapatillas de deporte de Brandon. Sonrió. La casa siempre parecía más viva cuando Brandon dejaba algo por en medio. Brandon tenía apartamento propio pero pasaba mucho tiempo en el de Allie. Le gustaba estar con ella y así se lo había dicho. Aunque tenía igualmente claro que no estaba dispuesto a un compromiso formal. Su experiencia matrimonial ya había sido suficientemente traumática y entorpecedora para él. Tenía miedo de cometer otro error, y esa era acaso la razón de que se prolongase tanto el trámite de divorcio con Joanie. Pero Allie tenía lo que quería. Y así se lo había comentado a su psicóloga y a sus padres. Además, con veintinueve años no tenía ninguna prisa por casarse.

Allie dejó la correspondencia a un lado, se echó la melena atrás y encendió el contestador automático. Luego se sentó en un taburete frente a la repisa de la inmaculada cocina de mármol blanco y granito negro. El suelo era una retícula de baldosas blancas y negras. Allie lo miraba abstraída mientras escuchaba los mensajes. Como era de prever, el primero era de Carmen. Por su tono parecía que hubiese estado llorando. Dijo algo incoherente acerca del artículo, lamentándose de lo injusto que era y de lo mucho que había enojado a su abuela, que la había llamado aquella tarde desde Portland. No sabía si Allie querría querellarse esta vez, pero pensaba que tenían que hablar del asunto. Le pedía a Allie que la llamase en cuanto llegara a casa o tuviese un momento libre. Por lo visto, Carmen nunca se paraba a pensar que Allie tenía vida privada. Carmen la necesitaba y eso era en lo único que pensaba, lo que no significaba que fuese mala persona.

La madre de Allie había vuelto a llamar, para invitarla a cenar el viernes, tal como Alice le había anticipado, y para recordarle lo de la entrega de los premios Golden Globe, aquel fin de semana. Allie escuchó sonriente el mensaje de su madre, que parecía entusiasmada. Probablemente porque también su marido estaba nominado. Decía que Scott y Sam acudirían también, aunque Scott tenía que desplazarse desde Stanford; y que confiaba en que ella asistiese también.

El siguiente mensaje era de un profesor de tenis a quien venía eludiendo desde hacía semanas. Había tomado varias lecciones, pero nunca tenía tiempo de proseguirlas con regularidad. Anotó su nombre y un recordatorio para llamarlo y explicarle que no podía seguir con las clases.

Uno de los mensajes era de un hombre a quien conoció en vacaciones. Era atractivo y trabajaba para unos importantes estudios cinematográficos, pero no jugaba limpio. Lo conoció estando con Brandon. Allie sonrió mientras, con voz ronca, el pretendiente le dejaba su nombre y le decía que confiaba en que lo llamase. Pero ella no tenía la menor intención de hacerlo, ni el menor interés en salir con nadie que no fuese Brandon. Era la tercera relación amorosa importante de su vida. La anterior había durado casi cuatro años, desde el penúltimo curso en la facultad hasta su segundo año en el despacho de abogados de Los Ángeles. Él era también estudiante de derecho en Yale, y en la actualidad tenía un alto cargo. Pero nunca había querido comprometerse a fondo con ella, y había terminado por marcharse a Londres. Aunque le había pedido que fuese con él, Allie estaba por entonces muy atada por su trabajo en el bufete, y no podía plantarlo todo y trasladarse a vivir con él en Inglaterra. O por lo menos eso le dijo. Pensaba que no tenía sentido renunciar a un gran empleo, y seguirlo al otro lado del charco, a conciencia de que él no quería ni oír hablar del futuro. Roger sólo «vivía el presente». Hablaba mucho de karma y de libertad. Y, después de dos años de acudir al psicólogo, Allie se había afirmado en la sensata decisión de no ir con él a Londres. De modo que se quedó en Los Ángeles y, dos meses después, conoció a Brandon.

Antes de empezar a salir con Roger, Allie tuvo relaciones con un profesor de Yale. Fue una relación desbordante de lujuria y pasión. Nunca había conocido a nadie como él. Pero Tom estaba casado. Terminó por pedir un año sabático y se marchó a Nepal con su esposa y su hijo pequeño. Al regreso, su esposa estaba de nuevo encinta, y Allie ya salía con Roger. Pero siempre que se veían la mutua atracción que sentían hacía que terminasen en la cama. En el fondo, fue un alivio para Allie que lo trasladasen a la Northwestern. Tampoco Tom le habló nunca del futuro que, para él, estaba con su esposa Mithra y su hijo Euclid. El profesor de Yale no era ya para Allie más que un vestigio del pasado. Su psicóloga rara vez sacaba a relucir su nombre, salvo para ilustrar el hecho de que Allie nunca había tenido una relación que incluyese una promesa de futuro.

—No estoy muy segura de que a los veintinueve años haya tenido por qué tenerla —le replicó a su psicóloga en una ocasión—. Lo cierto es que nunca *he querido* casarme.

Que esa no era la cuestión, le decía siempre la doctora Green con firmeza.

La psicóloga era neoyorquina. Tenía unos grandes ojos negros que a veces acosaban a Allie después de sus sesiones. Aunque de manera intermitente, llevaba cuatro años viéndola. Allie estaba satisfecha con su vida, aunque se sentía muy presionada, porque tanto su familia como sus jefes esperaban mucho de ella.

—¿Nadie te ha propuesto nunca matrimonio?

La doctora Green había sacado a relucir a menudo aquel tema que, según Allie, era irrelevante.

—¿Y qué importa eso si en definitiva yo no quiero casarme?

—¿Y por qué no? ¿Por qué no querrías casarte aunque te lo pidiera un hombre al que amases? ¿Cuál es la razón? —persistía la doctora.

—Bah... Roger se habría casado conmigo si hubiese ido con él a Londres. Pero yo no quise. Tenía demasiadas cosas que me ataban aquí.

—¿Y por qué estás tan segura de que se habría casado contigo?

La doctora Green era como un huroncillo que se introducía por todos los resquicios, olfateaba todos los rastros, incluso los menos significativos.

—¿Te dijo él que se casaría contigo si lo acompañabas? —insistió Green.

—Nunca hablamos del asunto.

—¿Y eso no te da que pensar, Allie?

—¿Qué importancia tiene? De eso hace ya dos años —dijo la joven Steinberg, irritada y exasperada por la insistencia de la doctora en seguir con el tema.

Allie se consideraba demasiado joven para casarse, demasiado volcada en su profesión para pensar en el matrimonio.

—¿Y qué me dices de Brandon?

A la doctora Green le encantaba hablar de él. Pero Allie detestaba sincerarse con ella sobre su actual relación. No entendía las motivaciones de Brandon, ni hasta qué punto estaba traumatizado por haber tenido que casarse «de penalty».

—¿Cuándo va a pedir formalmente el divorcio?

—En cuanto se pongan de acuerdo sobre la casa y el dinero.

—¿Y por qué no tratan las cuestiones económicas aparte y piden ya el divorcio? Después, pueden tomarse tanto tiempo como quieran para solventar las cuestiones económicas.

—¿Por qué? ¿Qué sentido tiene separar ambas cuestiones? No nos apremia como si *tuviésemos* que casarnos.

—No. Pero ¿quiere él casarse? ¿Quieres casarte tú, Allie? ¿Lo habéis hablado?

—No necesitamos hablarlo. Él y yo nos entendemos perfectamente. Los dos tenemos mucho trabajo. Tenemos ambos profesiones muy exigentes. Además, hace sólo dos años que salimos.

—No seríais los primeros que se casan con mucho menos tiempo de relaciones; ni tampoco los que tardan mucho más, desde luego. —Fijó sus grandes ojos oscuros en los verdes de Allie y añadió—: La cuestión está en saber si no te habrás vuelto a liar con un hombre que no quiere comprometerse.

—Por supuesto que no —repuso Allie, que trataba de eludir la penetrante mirada de la psicóloga sin conseguirlo del todo—. Se trata simplemente de que no es el momento.

La doctora Green terminaba por asentir con la cabeza y aguardaba a lo que Allie tuviese que añadir.

Sus conversaciones eran siempre muy parecidas. Los años que Allie acudía a la consulta eran los mismos que Brandon llevaba separado de su mujer. Sus hijas, Nicole y Stephanie, tenían once y nueve años respectivamente, y Joanie seguía sin encontrar trabajo, según ella. Dependía de Brandon completamente. Y, al igual que él, Allie lo justificaba por el hecho de que Joanie carecía de la formación suficiente para acceder a un buen empleo. Había abandonado los estudios para tener a Nicky.

El siguiente mensaje era de Nicole, para decirle que esperaba que fuese con su padre a verla a San Francisco aquel fin de semana. Que tenía ganas de verla, que esperaba que estuviesen bien y que pudiesen ir a patinar juntos. «Y, por cierto, me encanta la chaqueta que me enviaste por Navidad... Te iba a enviar una carta, pero lo olvidé, y dice mamá...» Se produjo un embarazoso silencio mientras la niña trataba de no ponerse nerviosa. «Te daré la carta que te escribí este fin de semana. Adiós.»

Cuando Nicole colgó, Allie aún sonreía. Enseguida oyó el mensaje de Brandon, que decía que se quedaba a trabajar hasta tarde, que aún estaba en el despacho. Su mensaje era el último.

Allie apuró el vaso de agua mineral y telefoneó al despacho de Brandon. Estaba sentada en el taburete de la cocina, con sus largas piernas cruzadas. Era una mujer estilizada y bonita. Pero, aunque había vivido siempre entre gente muy atractiva y que cultivaba su imagen, ella daba más importancia a la mente que al cuerpo. Su despreocupación por su aspecto la hacía aún más atractiva. No era difícil notar que estaba siempre más pendiente de los demás que de sí misma.

Brandon contestó por su línea privada a la segunda llamada. A juzgar por su tono, estaba muy ocupado y concentrado.

—Diga.

Allie sonrió. Brandon tenía una voz profunda y sensual que a ella le encantaba. Era un hombre alto, rubio, pulcro y jovial. Quizá vestía de un modo un poco anticuado, pero a ella no le importaba. Tenía aspecto de hombre de una pieza, de persona decente.

—Hola, he oído tu mensaje —dijo ella—. ¿Qué tal el trabajo?

—Se eterniza —repuso él.

Allie no le habló del suyo, entre otras cosas porque él no tenía el menor interés en sus clientes. En realidad, consideraba que el trabajo de Allie tenía muy poco que ver con el derecho.

—He de preparar un caso para la semana que viene. Y me absorbe mucho tiempo. Dudo que termine antes de las doce —dijo Brandon en tono agotado.

—¿Quieres que te acerque algo para cenar? —preguntó ella esbozando una sonrisa—. Puedo traerte una pizza.

—Prefiero esperar. Tengo aquí un sándwich, y no quiero interrumpirme. Compraré algo cuando salga, si no es demasiado tarde y aún me esperas.

Allie sonrió al notar la calidez de su tono.

—Siempre te espero. Ven por tarde que sea. Yo también me he traído trabajo a casa —dijo ella, aludiendo a los documentos de la gira de Bram Morrison que llevaba en el maletín—. No me va a faltar en qué ocuparme.

—Bueno. Pues entonces nos vemos luego.

Y de pronto ella lo recordó.

—Ah, por cierto, Brandon, ha llamado Nicky. Ha debido de hacerse un lío con las fechas. Cree que vamos a ir a San Francisco este fin de semana. ¿No era el próximo?

Habían quedado en que Brandon asistiría con ella a la entrega de los Golden Globes y que, el siguiente fin de semana, irían a San Francisco.

—Pues... me temo que fui yo quien se lo dijo. Me pareció que era conveniente ir antes de que empiece el juicio. Porque después no voy a poder ausentarme durante una temporada, o por lo menos no debería.

Brandon sonó algo cohibido al darle la explicación. Allie frunció el entrecejo mientras contemplaba la vista de la ciudad desde la cocina.

—Pero... es que este fin de semana no podemos ir. Mis padres están nominados para los Golden, y también tres de mis clientes, Carmen Connors entre ellos. ¿No te acuerdas?

Allie no podía creer que Brandon hubiese cambiado de planes. Lo tenía hablado desde antes de Navidad.

—Sí, pero es que he pensado... Mira, no tengo tiempo de discutirlo ahora, Allie. No quiero tener que quedarme aquí trabajando toda la noche. ¿Te parece que lo hablemos luego?

Como la respuesta de Brandon no la dejó muy tranquila, no quiso asegurarle nada a su madre cuando habló luego con ella.

Blaire pasaba toda la semana ocupada con el rodaje de su serie, como de costumbre. Llegaba a casa muy cansada, después de pasar horas en el plató. Pero siempre recibía con agrado cualquier llamada de su hija mayor. Se veían con frecuencia, aunque menos desde que Allie tenía relaciones con Brandon.

La madre de Allie le reiteró la invitación para cenar el viernes y le dijo que su hermano Scott también iría. Ir a casa de sus padres era importante para todos ellos. No había nada que le gustase más a Blaire que pasar una velada con sus hijos.

—¿Asistirá también Scott a la entrega de los premios? —preguntó Allie, que siempre se alegraba de ver a su hermano.

—No. Se quedará en casa con Sam. Dice que estas ceremonias se ven mejor por televisión. Que así por lo menos ve a todos los que quiere ver, en lugar de tener que hacinarse con la gente para ver a quién rodean los periodistas.

—Puede que tenga razón —dijo Allie risueña.

Sabía que a Samantha le encantaría ir. Pero a sus padres no les hacía mucha gracia que la viesen en público, y lo evitaban todo lo posible. Sobre todo en ceremonias como la de la entrega de los Golden Globe o la de los Oscars. Porque en tales ocasiones acudía un verdadero ejército de aspirantes a actriz, y hasta el último reportero. La única razón de que hubiesen accedido a su deseo de ser modelo era que, cuando vieron sus fotos, nadie la relacionó con ellos. Utilizaba el nombre profesional de Samantha Scott; o sea, el apellido de soltera de su madre que, pese a ser muy conocida, no lo era tanto como el apellido Steinberg. Todo el mundo sabía en Hollywood quién era Simon Steinberg, y los periodistas se habrían abalanzado literalmente sobre la joven para fotografiarla.

—Iré, mamá, iré —le aseguró Allie.

Lo que ya no pudo asegurarle era que fuese Brandon, pero no se lo comentó así a su madre. Pero Blaire terminó por preguntárselo. Su madre nunca le había ocultado a Allie que Brandon no era santo de su devoción, ni tampoco le caía bien a su padre. Tanto Blaire como Simon estaban algo escamados porque, después de dos años de relaciones, Brandon aún no se hubiese divorciado.

—¿Nos honrará también con su presencia el príncipe Brandon? —preguntó Blaire en un tono aun más irónico que la propia pregunta.

Allie titubeó. No quería enzarzarse en una discusión con su madre, pero la pregunta y su tono le molestaron.

—Aún no lo sé —repuso sin alterarse.

El solo hecho de que aún no lo supiese le pareció a Blaire muy revelador. Allie siempre lo defendía, pero Blaire no se consideraba obligada a hacerlo.

—Está preparando un caso —lo justificó Allie—, y puede que tenga que trabajar todo el fin de semana —añadió, pensando que su madre no tenía por qué saber que acaso Brandon tuviese que ir a San Francisco a ver a sus hijas.

—¿Y no crees que podría hacerse un hueco por una noche? —dijo Blaire en un tono escéptico que a Allie le sonó como si hiciese rechinar las uñas en una pizarra.

—¿Por qué no lo dejamos correr, mamá? Estoy segura de que hará lo que pueda y, si tiene un hueco, irá con nosotros.

—Quizá tendrías que pedirle a alguien que te acompañe. No hay razón para que vayas sola. No es muy divertido.

A Blaire le sentaba fatal que Brandon dejase siempre plantada a su hija cuando tenía otros planes, demasiado trabajo o, simplemente, no estaba de humor. Hacía siempre lo que le convenía. No le parecía bien que su hija lo aceptase tan olímpicamente.

—Lo pasaré bien igualmente —dijo Allie en tono desenfadado—. Sólo quiero asistir para ver cómo os entregan los premios a ti y papá —añadió en tono orgulloso.

—No adelantes acontecimientos, que trae mala suerte —protestó Blaire.

No era probable que Blaire Scott y Simon Steinberg se llevasen una decepción. Ambos habían ganado el Golden Globe varias veces. Era un premio muy prestigioso que, en los últimos años, anticipaba por dónde irían los tiros de los Oscars que se entregaban en abril. Era una noche muy importante para Hollywood y los Steinberg estaban entusiasmados.

—Os lo darán, mamá. Estoy segura.

Los Golden Globe eran premios atípicos, porque se concedían indistintamente a producciones de televisión y cinematográficas, por lo que tanto Blaire Scott como Simon Steinberg podían ganarlo. Allie estaba muy orgullosa de sus padres.

—Gracias por tu confianza —dijo su madre sonriente, muy orgullosa también de su hija. Porque Allie era una chica excepcional. Estaban muy unidas—. ¿Y qué hay de la cena del viernes? Vendrás, ¿no?

—Mañana te lo confirmaré —repuso Allie.

Quería hablarlo antes con Brandon y ver qué pensaba hacer con lo de San Francisco. Si se quedaba, le pediría que fuese también a cenar con ella a casa de sus padres. Pensaba que sería más fácil tratar todo lo del fin de semana de una sola vez.

Allie y su madre siguieron hablando unos minutos, acerca de Scott, de Sam y su padre. Blaire le explicó después que había introducido un nuevo personaje en la serie, y que la idea había sido muy bien acogida por la cadena. A sus cincuenta y cuatro años, Blaire Scott era todavía hermosa y rebosaba de nuevas ideas. Le encantaba su profesión. Era la segunda serie que escribía para la misma cadena. A lo largo de los últimos nueve años había tenido un éxito increíble con su actual serie, *Compañeros*. Pero la audiencia había flojeado un poco aquel año, y nadie dudaba de lo mucho que contribuiría a reanimarla que le concediesen el Golden Globe. En esta ocasión Blaire estaba ansiosa por ganar.

Blaire Scott era casi tan estilizada como su hija. Era pelirroja, y aunque con la edad su cabello había perdido lustre, le bastaba un poco de acondicionador para poder seguir presumiendo de un pelo precioso. Se había hecho un *peeling* para eliminar las patas de gallo y las arrugas del cuello, pero nada de cirugía estética. Era la envidia de todas sus amigas y verla envejecer tan bien animaba a Allie.

—El secreto está en no hacerse demasiadas cosas —les aseguraba siempre a sus hijas, muy convencida.

Allie juraba y perjuraba que ella nunca recurriría a la cirugía estética; que era perder el tiempo tratar de enmendarle la plana a la naturaleza, decía.

—Ya verás como dentro de unos años piensas de otro modo —decía la voz de la experiencia. Porque Blaire había dicho exactamente lo mismo cuando eran joven. Pero, al tener que aparecer en público más de lo esperado, a los cuarenta y tres años se quitó las patas de gallo, y a los cincuenta se arregló el cuello. El resultado era que nadie le echaba más de cuarenta y cinco años.

—Se va todo al garete cuando el público sabe la edad que tienes —decía Blaire risueña cuando hablaba con Allie de estas cosas. Aunque, la verdad era que no tenía verdadero deseo de ocultar su edad. Le bastaba con seguir siendo atractiva para Simon que, a sus sesenta años, aún era un hombre apuesto. Es más, según Blaire, estaba mejor ahora que cuando se casaron.

—Me tomas el pelo —le decía él sonriente.

A Allie le encantaba estar en compañía de sus padres. Eran amables, inteligentes, alegres y creaban buen ambiente dondequiera que estuviesen.

—Quiero un hombre como mi padre —le dijo en una ocasión Allie a la doctora Green. Y enseguida se arrepintió, por temor a que la psicóloga empezase a teorizar estilo Freud. Pero, sorprendentemente, no fue así.

—Pues me parece una aspiración muy acertada, a juzgar por

lo que me has contado del matrimonio de tus padres. ¿Crees que podrías atraer a un hombre como él? —le preguntó la doctora de pronto.

—Pues claro —repuso Allie con desenfado, aunque ambas sabían que no lo decía en serio.

Allie le prometió a su madre llamarla sobre lo de la cena del viernes en cuanto supiese qué iba a hacer. Luego pensó en llamar a Nicky, pero lo dejó correr. Era probable que a Joanie no le gustase. De modo que, mientras se terminaba medio yogur que había sacado del frigorífico, llamó a Carmen Connors.

La joven actriz estaba tan histérica como siempre que la prensa del corazón la relacionaba con algún escándalo. Era increíble que asegurasen que había participado en una orgía en Las Vegas con su «cirujano plástico», como ahora los llamaban. Según *Chatter*, el cirujano en cuestión le había cambiado la cara, la nariz, el mentón, le había hecho implantes en los pechos y una liposucción.

—Pero... ¡cómo iba a hacerme yo todo eso! —exclamó Carmen, que sin duda pecaba de ingenua al sorprenderse de que hubiese alguien capaz de mentir de modo tan descarado.

Al igual que ocurría con todas las celebridades, muchas personas aseguraban haber ido al colegio con ella, ser íntimas amigas suyas, haber viajado con ella y, por supuesto, eran legión los hombres que presumían de haberse acostado con Carmen Connors. No hacía mucho, incluso dos mujeres habían presumido de ello. Carmen no pudo evitar echarse a llorar. Le dolía que hubiese personas capaces de difundir semejantes patrañas.

—Es el precio del éxito —le recordaba Allie amablemente.

A la joven abogada se le hacía cuesta arriba creer que era sólo seis años mayor que Carmen Connors, que en muchos aspectos era completamente ingenua. No parecía consciente de que la maldad alentaba en todas partes, y de que siempre había personas dispuestas a explotarla. Aún quería creer que todo el mundo se acercaba a ella en son de amistad, de que nadie pretendía perjudicarla... salvo a las dos de la madrugada. Pues entonces creía que la mitad de la población de Los Ángeles acechaba su puerta trasera, y que un ejército de desalmados podía irrumpir de un momento a otro para violarla.

Allie había terminado por contratarle una chica fija y le dijo a Carmen que dejase siempre una luz encendida en su dormitorio. Porque a la joven actriz le daba miedo la oscuridad.

—Pero ¿no ves que nadie va a creer que a tu edad te hayas hecho todo eso? —le dijo Allie para tranquilizarla acerca de lo que habían publicado en *Chatter*.

—No estés tan segura. ¡Sólo fui a que me quitase un lunar de la frente! —exclamó Carmen dolida, sonándose la nariz, pensando en todo lo que le había dicho su abuela al llamarla desde Portland escandalizada. Entre otras cosas, le había dicho que era la vergüenza de la familia y que Dios nunca la perdonaría.

—Nadie se lo creerá, Carmen. Puedes estar segura. ¿Has leído la página siguiente?

—No. ¿Por qué? —preguntó Carmen estirándose en el sofá de un modo que realzaba sus atractivas formas mientras hablaba por teléfono con Allie.

—Pues lo más probable es que en la página siguiente digan que una mujer ha dado a luz quintillizos en Marte, y dos páginas más adelante que una mujer ha dado a luz a un mono en un ovni. Si la gente cree esas cosas, ¿qué más da que digan que te has hecho un *lifting* a los veintitrés años? ¡Ni caso! Has de endurecerte un poco, Carmen, o terminarán por volverte loca.

—Es que me están volviendo loca —se lamentó compungida.

Siguieron hablando durante una hora. Finalmente, Allie colgó y fue a darse una ducha. Nada más terminar, mientras se secaba el pelo, el coche de Brandon subió por la rampa de acceso.

Allie salió a la puerta con una bata de felpa. La melena, todavía húmeda, le llegaba casi hasta la cintura. Su cara estaba fresca, sin rastro de maquillaje. En cierto modo, estaba más bonita que cuando iba muy pintada. A él, por lo menos, le gustaba más así, fresca y sensual.

—Hummm —musitó él, y la besó en los labios a la vez que cerraba la puerta con el pie.

Eran las diez y Brandon parecía agotado. Dejó el maletín en el suelo del vestíbulo y la siguió al interior.

—Ha merecido la pena trabajar hasta tan tarde por esta recompensa —dijo él, y la rodeó con los brazos y volvió a besarla. Introdujo una mano bajo la bata y la deslizó por su cuerpo desnudo.

—¿Tienes apetito? —le preguntó ella.

—Feroz —repuso él.

—¿Qué te apetece?

—Tú.

Allie entrelazó las piernas con las suyas con expresión risueña y le quitó la chaqueta.

—Tus pechos... tus muslos... —le susurró él con voz entrecortada.

La besó en la boca y al cabo de unos momentos estaban sentados en la cama. Brandon se desabrochó la camisa y la miró anhelante. Su agotamiento parecía haberse disipado. No necesitaba decírselo. Sólo quería sumergirse en su cuerpo.

Ella lo ayudó a quitarse la camisa y él se quitó los pantalones. Se desprendieron del resto de la ropa e hicieron el amor a media luz, enardecidos.

Al cabo de una hora se dejaron caer boca arriba, exhaustos y satisfechos.

Cuando Allie empezaba a dormitar notó que Brandon se levantaba.

—¿Adónde vas? —le preguntó. Abrió un ojo y contempló su estilizada figura. Tenía una complexión similar a la suya y un cierto parecido que hacía que a veces los tomasen por hermanos.

—Es tarde —dijo él recogiendo su ropa del suelo.

—¿Te marchas? —exclamó ella; se incorporó en la cama y lo miró sorprendida—. ¿Te vas a casa?

Brandon se sintió violento. Apenas habían hablado. No habían hecho más que copular y dormir. Allie no quería que la dejase sola.

—Es que mañana he de empezar muy temprano y no he querido despertarte —se justificó él en tono cohibido, ansioso por marcharse. No era la primera vez que lo hacía.

—¿Qué importa? Yo también he de levantarme temprano —dijo Allie un poco dolida—. Tienes aquí camisas limpias. Me gusta dormir contigo.

Le gustaba y sabía que a él también. Pero él prefería volver siempre a su casa. Quería estar a sus anchas, con sus cosas. Así se lo había dicho muchas veces a lo largo de sus dos años de relaciones: que le gustaba despertarse en su cama. Pero rara vez habían hecho el amor en el apartamento de Brandon, que prefería ir a casa de Allie aunque luego se marchase. Ella se sentía utilizada y desechada. Le deprimía quedarse sola después de haber hecho el amor con él. Y así se lo había comentado a su psicóloga: que se sentía abandonada. Pero Allie no quería suplicar ni presionarlo demasiado.

—Me gustaría que te quedases, Brandon —se limitó a decir.

Él optó al fin por ir a ducharse y volver a la cama, con tal de no discutir.

Allie le sonrió. Puede que hubiese cosas que no estuviesen muy claras en su relación, como las largas que le daba a su divorcio y el hecho de que prefiriese dormir solo. Pero no cabía duda de que la amaba.

—Gracias por quedarte —le susurró ella acurrucada entre sus brazos.

Brandon le acarició la mejilla, la besó y, al cabo de unos momentos, se quedó profundamente dormido.

2

Allie se levantó por la mañana antes de que sonase el despertador a las seis y cuarto. A esa hora tenía que levantarse Brandon, que enseguida fue a lavarse los dientes y afeitarse, mientras ella iba a la cocina, desnuda, a preparar el café.

A las siete menos cuarto ya estaba él sentado a la mesa, totalmente vestido. Allie le sirvió dos bollos de arándanos y una taza de café muy caliente.

—¡Qué buen servicio tienen en este restaurante! —exclamó él risueño—. Y me encanta el uniforme de la camarera —añadió mirando a Allie que, todavía desnuda, se había sentado al otro lado de la mesa.

—Estás muy guapo con ese traje —dijo ella.

Era un terno de color gris oscuro que, como toda su ropa, había comprado en Brooks Brothers. De vez en cuando, Allie lo llevaba a Armani, a ver si lo convencía de que se comprase algo más moderno. Pero no era el estilo de Brandon, que seguía la austera tradición de Wall Street.

—Es increíble que recién levantada estés tan preciosa.

Allie le sonrió a medio bostezo y se sirvió café. Notaba el madrugón, porque se levantaba más tarde. No tenía que estar en el despacho hasta las nueve y media.

—¿Qué vamos a hacer esta noche? —preguntó ella. La habían invitado a un estreno y no sabía si Brandon, que estaba muy enfrascado en la preparación de un caso, podría acompañarla. Lo dudaba. Además, no le apetecía mucho ir.

—He de trabajar. Se me acabó el recreo. Les he dicho a mis compañeros que estaré localizable esta noche hasta las doce —dijo él, aterrado al pensar en la montaña de papeles que lo aguardaba.

La preparación de un caso era siempre muy absorbente. Una de las razones de que Allie estuviese encantada con su trabajo era que no tenía que redactar los escritos y acudir al juzgado, sólo tenía que colaborar con el equipo de litigantes y proporcionarles información. Era una labor mucho más sencilla, creativa y que no exigía tanto esfuerzo como la de Brandon.

—¿Quieres volver aquí cuando hayas terminado? —le preguntó Allie, tratando de que su pregunta no sonase a súplica.

—Me encantaría —dijo él—, pero no puedo. Acabaré agotado. Además, he de estar en casa de vez en cuando.

—Mis padres nos han invitado a cenar el viernes —dijo ella, consciente de que su madre hacía la invitación extensiva a Brandon sólo por complacerla, pues no era santo de su devoción.

—El viernes por la noche voy a ver a las niñas —dijo él terminando uno de los bollos—. Ya te lo dije.

—No creí que hablases en serio —dijo ella sorprendida—. ¿Y qué hay de los Golden Globes? —añadió con ansiedad—. Es importante que vayamos.

Era importante para ella, pero no para él.

—También son importantes Stephanie y Nicky. He de verlas antes de que empiece el juicio —dijo él con firmeza.

—Mira, Brandon, hace meses que te dije lo de los premios. Es algo muy importante para mí y para mis padres. Además, también Carmen Connors está nominada. No puedo plantarlo todo e ir a San Francisco. —Allie lo dijo procurando no alterarse. No quería empezar mal el día.

—Me hago cargo de que no puedas acompañarme.

—Contaba con que estuvieses conmigo —dijo ella con un leve tono de reproche—. Quiero que asistamos juntos, Brandon.

—No es razonable que insistas, Allie. Ya te he dicho que no puedo. No veo por qué hemos de seguir dándole vueltas.

—Porque significa mucho para mí —replicó ella, y respiró hondo para no enfurecerse. Tenía que haber un medio de solucionar el problema a satisfacción de los dos—. Mira, ¿por qué no vamos a la entrega de los Golden y luego volamos a San Francisco para pasar el domingo con tus hijas? ¿Qué te parece? —Allie lo miró convencida de haber encontrado la solución. Incluso le sonrió radiante. Pero él meneó la cabeza mientras apuraba el café.

—No, Allie, lo siento. Necesito estar más de un día con ellas. No puedo hacerlo.

—¿Por qué? —Allie sintió ganas de llorar pero se dominó.

—Porque necesitan estar más tiempo conmigo y, francamente, porque he de hablar con Joanie acerca del apartamento de Squaw. Dice que quiere venderlo.

—¡Qué ridiculez! —exclamó Allie sin poder contener más su indignación—. Podéis hablarlo por teléfono. ¡Por el amor de Dios, Brandon! ¡Llevas más de dos años sin hacer otra cosa que hablar con ella del apartamento, de la casa, de la alfombra, del coche, del perro...! ¡Dos años! Y lo de los Golden es muy importante para nosotros.

Para Brandon, el plural incluía sólo a la familia de Allie, que le tenía sin cuidado. La que le importaba era la suya: su ex esposa y sus hijas.

—No pienso ponerle a Joanie en bandeja a su esposo —le espetó Allie.

—No se trata de eso —dijo él, que le dirigió una tranquilizadora sonrisa y se levantó, dispuesto a no dejarse convencer—. Pero sí se trata de mis hijas.

—Lo entenderán si se lo explicas.

—Lo dudo. Además, ya está decidido.

Allie lo fulminó con la mirada, sin acabar de creer que fuese a dejarla plantada para ir a San Francisco.

—¿Y cuándo piensas volver? —preguntó ella muy dolida.

De nuevo volvía a sentirse abandonada. Un extraña sensación la reconcomía. Pero se esforzaba por restarle importancia. Brandon iba a San Francisco a ver a sus hijas. Y aunque eso la contrariase, en el fondo no podía reprochárselo. Las circunstancias eran las que eran. Pero ¿por qué entonces la exasperaba tanto su decisión? No lo sabía. Tampoco estaba muy segura de si era enojo o tristeza lo que sentía por que no fuese a acompañarla a la ceremonia de los Golden Globes. ¿No estaría sacando las cosas de quicio? ¿Tenía derecho a exigirle algo? ¿Por qué se sentía tan confusa cuando se trataba de lo que a ella le interesaba? ¿No sería, como opinaba la doctora Green, porque no quería reconocer en su interior lo que hacía él en realidad? ¿La rechazaba o simplemente hacía lo que tenía que hacer? ¿Por qué se veía siempre incapaz de contestar a estas preguntas?

—Pues regresaré como siempre, en el último avión del domingo por la noche. Llegaré a las diez y cuarto. Y a las once podría estar aquí —dijo él con tono apaciguador.

Y entonces ella recordó que a esa hora ya no estaría en casa.

—Voy a Nueva York el domingo por la tarde. Y estaré allí toda la semana, hasta el viernes.

—Pues entonces tampoco hubieses podido acompañarme a San Francisco —dijo él.

—¿Por qué no? ¿Acaso no hay vuelos desde San Francisco a Nueva York?

—Es ridículo —dijo él, que hizo un ademán desdeñoso y asió su maletín—. Mira, Allie, tú tienes tu trabajo y yo tengo el mío. Y hemos de comportarnos como personas adultas y responsables.

Se lo dijo cariñoso y sonriente, pero consciente de lo doloroso que resultaba para ambos la perspectiva de estar diez días sin verse, hasta el siguiente fin de semana.

—¿Te quedarás por lo menos esta noche conmigo, ya que vamos a estar tantos días sin vernos?

Allie lo deseaba ardientemente pero, como de costumbre, Brandon se atuvo a sus planes. Rara vez los modificaba.

—No puedo —le dijo—. Cuando termine el trabajo estaré tan agotado que no creo que fuese una buena compañía para ti. No tiene sentido venir para dormir como una marmota.

Pero en eso Brandon se equivocaba. Para Allie sí tenía sentido.

—Claro que lo tiene. Me basta con tenerte a mi lado —dijo ella, y se puso de puntillas, le rodeó el cuello con los brazos y lo besó en la boca.

—Nos vemos la semana que viene, nena —dijo él con frialdad aunque correspondió a su beso—. Te llamaré esta noche, y mañana desde el aeropuerto.

—¿Quieres que cenemos en casa de mi madre antes de que te vayas? —preguntó ella, furiosa consigo misma por insistir tanto. Era consciente de que era muy mala táctica, pero no pudo evitarlo. Quería estar con él.

—Lo más probable es que perdiese el avión, como me ocurrió la última vez, y las niñas se llevarían un disgusto tremendo.

—¿Las niñas? —exclamó ella arqueando una ceja, aunque ordenándose no seguir por aquel camino. Porque podía echarlo todo a rodar—. ¿Las niñas o Joanie?

—Vamos, Allie, no seas así... No puedo hacer otra cosa. He de preparar un juicio; tú tienes que ir a Nueva York y yo tengo dos hijas en San Francisco. Ambos hemos de cumplir con nuestras obligaciones. ¿Por qué no nos limitamos a hacerlo y después disfrutamos de la mutua compañía más tranquilos?

Por más sensato que sonase Allie no acababa de digerirlo. Sentía la misma sensación de abandono que cuando no aparecía o cuando, después de hacer el amor, se marchaba a su apartamento y la dejaba sola. Por lo menos la noche anterior la había pasado con ella. En fin... Allie se dijo que podía darse por satisfecha con eso y dejar de incordiarlo acerca del fin de semana.

—Te quiero —dijo ella, y lo besó al llegar a la puerta, con el cuerpo tras la hoja para que no la viesen desnuda.

—Y yo —correspondió él sonriente—. Pásalo bien en Nueva York. Y no olvides llevar ropa de abrigo. El *Times* dice que va a nevar.

—Maravilloso —dijo ella, entristecida al verlo alejarse hacia su coche.

Aguardó a que Brandon arrancase y luego cerró la puerta. Lo siguió con la mirada a través de la ventana que daba a la rampa de acceso. Se sentía fatal. Quizá fuese un cúmulo de cosas: que él no hubiese querido cambiar de planes, que fuese a ver a Joanie y a las niñas, o simplemente tener que resignarse a asistir sola a la ceremonia de los Golden Globes, y tener que dar explicaciones a sus padres. Puede que lo que más le afectase fuese la perspectiva de no ver a Brandon durante diez días. El caso era que se sentía fatal. Fue al cuarto de baño y abrió la ducha.

Permaneció bajo el agua un largo rato mientras pensaba en él y se preguntaba si conseguiría alguna vez que cambiase. No pensaría pasarse la vida durmiendo solo y casado con Joanie, ¿verdad?

Allie se echó a llorar y sus lágrimas se mezclaron con el agua. Pensaba que era una imbécil por sentirse tan afectada. Pero no podía evitarlo.

Cuando al fin cerró la ducha, media hora después, estaba agotada. Probablemente Brandon ya había llegado al despacho. Se le hacía extraño pensar que él aún estaba en la ciudad, que seguiría allí durante dos días y que, sin embargo, no podría verlo. Pero cuando trataba de explicar esa sensación, de que lo necesitaba o que simplemente deseaba estar con él, Brandon no parecía comprenderlo.

—¿A qué crees que se debe? —le preguntaba siempre la doctora Green.

—¡Y yo qué sé! —contestaba Allie.

—¿No crees que quizá no quiera comprometerse? O puede que no le importes tanto como él a ti. O acaso se deba a que es incapaz de asumir las relaciones como tú quieres.

Era un tema recurrente que exasperaba a Allie. ¿Por qué insinuaba siempre la doctora que Brandon, y los otros hombres que había habido en su vida, le daban demasiado poco? ¿Por qué salía una y otra vez a relucir el mismo tema? ¿Por qué insistía en que era «una constante»? La exasperaba.

Allie tiró lo que quedaba de los bollos. Brandon casi se los había terminado, y además ella no tenía apetito. Se preparó más café y luego fue a vestirse. Miró el reloj. Le sobraba tiempo para salir hacia el trabajo a las ocho y media y vérselas de nuevo con el tráfico. Sabía que su madre habría salido a las cuatro de la madrugada hacia los estudios. Pero llamó para dejarle un mensaje en el contestador y confirmarle que cenaría con ellos el viernes por la noche, aunque sin Brandon. Estaba segura de que cuando llegase sin él daría lugar a comentarios, sobre todo si les decía a dónde había ido Brandon.

Marcó de memoria un número de Beverly Hills por el que la mitad de las norteamericanas habrían dado su brazo derecho. El titular de aquel número mágico era Alan Carr. Eran amigos desde que tenían catorce años; fueron novios durante seis meses en segundo curso de bachillerato en el instituto, y desde entonces íntimos amigos. Alan contestó como siempre a la segunda llamada, y ella sonrió al oír aquella voz que, salvo a ella, a todas parecía el colmo de la sensualidad.

—Soy yo, Alan, no te hagas ilusiones —dijo a modo de saludo.

Siempre sonreía cuando hablaba con él, que era un encanto.

—¿A estas horas? —exclamó Alan horrorizado. Porque solía madrugar. Acababa de terminar el rodaje de una película en Bangkok. Hacía sólo tres semanas que había regresado.

Allie sabía también que acababa de romper con la actriz británica Fiona Harvey. Se lo había contado su representante.

—¡Qué habrás estado haciendo tú esta noche! ¿No te habrán enchironado y querrás que vaya a pagarte la fianza?

—Exacto. Ven a rescatarme a la comisaría de Beverly Hills dentro de veinte minutos.

—Ni lo sueñes. Los abogados ya estáis bien en la cárcel. No pienso moverme de aquí.

Alan tenía treinta años y la cara y el cuerpo de un dios griego. Además, era inteligente y una buena persona. Era uno de los mejores amigos de Allie, y el único a quien se le había ocurrido llamar para que la acompañase a la entrega de los premios Golden Globes. Pensar en el breve noviazgo que tuvo con Alan Carr la hacía sonreír. La mayoría de las mujeres americanas se morían sólo por conocerlo.

—¿Qué haces el sábado? —le preguntó ella sin rodeos. Balanceaba el pie como una colegiala. Trataba de no entristecerse pensando en Brandon.

—¿Y a ti que te importa? —exclamó él con fingido enojo.

—¿Tienes ligue?

—¿Por qué? ¿No irás a endosarme a alguna de tus compañeras? ¡La última vez me la jugaste!

—¡Anda ya! No te la presenté para que te ligase. Necesitabas una experta en derecho peruano, que es su especialidad. Así que no levantes falsos testimonios. Además, por consejos como los que te dio, entre cucharada y cucharada, cobra trescientos dólares. Así que deja de putearme.

—¿Putearte? —exclamó como si le sorprendiese el lenguaje de Allie.

—Sí, porque no has contestado a mi pregunta.

—Pues... tengo una cita con una quinceañera que probablemente acabará por meterme en la cárcel. ¿Por qué?

—Necesito un favor.

Podía decirle cualquier cosa sin rodeos. Para ella era como un hermano.

—¡Menuda novedad! Siempre necesitas algún favor. ¿Quién quiere un autógrafo esta vez?

—Nadie. Necesito tu cuerpo.

—¡Vaya! ¡Esa sí es una oferta tentadora!

En los últimos catorce años, desde su breve romance, más de una vez había pensado en volver a cortejarla. Pero habían llegado a tal amistad que era como una hermana para él y nunca se decidió. Allie era bonita, inteligente, la conocía bien y le gustaba más que cualquier otra de las mujeres de este mundo. Puede que ahí precisamente radicase el problema.

—¿Y qué es lo que quieres exactamente de este vapuleado y derrengado cuerpo?

—Nada agradable, te lo aseguro —contestó ella echándose a reír—. Aunque en realidad tampoco será muy horrible. Incluso será divertido. Necesito acompañante para asistir a la entrega de los Golden Globes. Mis padres y tres de mis clientes (Carmen Connors entre ellos) están nominados. De modo que tengo que ir, y no quiero ir sola. —Fue sincera con él, como siempre. Y eso a él le encantaba.

—¿Qué ha pasado con...? ¿Cómo se llama?

Alan sabía perfectamente cómo se llamaba el novio de Allie. Y le había dicho varias veces que no le gustaba. Lo consideraba un tipo frío y pomposo. Se lo había dicho con tal contundencia que Allie estuvo varias semanas sin hablarle. Pero había terminado por acostumbrarse, porque Alan no perdía ocasión de decirle lo que pensaba. Sin embargo, esta vez se abstuvo de hacer ningún comentario.

—Ha de ir a San Francisco.

—Muy oportuno por su parte, Allie. ¿Qué? ¿A ver a su esposa?

—¡No, tonto! A ver a sus hijas. Tiene un juicio a partir del lunes.

—No veo la relación —dijo Alan.

—Pues es bien sencillo: no podrá ver a sus hijas en las dos semanas siguientes. Así que quiere ir a verlas ahora.

—¿Acaso han cancelado todos los vuelos de San Francisco a Los Ángeles? ¿Por qué no pueden las niñas venir aquí a ver a su papá?

—Su madre no las dejaría.

—Ya. Y eso te deja en la estacada, ¿no?

—Exacto. Y por eso te he llamado. ¿Puedes?

La verdad era que le encantaría ir con él. Siempre era divertido salir con Alan. Era como volver a la infancia. Lo pasaban en grande contándose chistes, riendo por cualquier cosa y alborotando como críos.

—Es un sacrificio, pero si no hay más remedio, puedo cambiar mis planes —dijo con fingida resignación que enseguida transformó en franca risa.

—¡Mentiroso! Seguro que no tienes nada que hacer.

—Pues mira... te equivocas, porque iba a ir a la bolera.

—¿Tú? —exclamó ella echándose a reír—. No durarías ni cinco minutos. Te comerían vivo. ¿Tú en una bolera? ¡Imposible!

—Un día te llevaré para demostrarte que sí.

—Trato hecho. Me encantará.

Allie sonrió. Como de costumbre, la sacaba de apuros. Ya no tendría que ir sola a la ceremonia. Alan Carr era uno de esos amigos con que se podía contar siempre.

—¿A qué hora he de recogerte, Cenicienta? —Alan se alegraba de que le hubiese pedido que la acompañase. Siempre lo pasaba bien con ella.

—Empieza bastante temprano. ¿Qué tal a las seis?

—Allí estaré.

—Eres un sol, Alan —dijo ella de corazón—. Te lo agradezco de veras.

—¡No me des tanto las gracias, joder! Te mereces alguien mejor que yo. Mereces que te acompañe ese imbécil, si es eso lo que quieres. Así que no me des las gracias. Piensa sólo en lo afortunado que soy. En eso tienes que pensar. Lo que necesitas es otra actitud. ¿Desde cuándo eres tan humilde? Eres demasiado bonita e inteligente para ser tan humilde. Me encantaría darle una lección a ese tipo. No sabe la suerte que tiene. A San Francisco... ¡por Dios!

Alan siguió despotricando y Allie no pudo contener la risa. Se sentía mucho mejor.

—He de irme al trabajo. Nos vemos el sábado —dijo—. Ah, hazme un favor: procura estar sobrio.

—No seas impertinente. No me extraña que te planten.

Les encantaba chincharse mutuamente. Alan bebía mucho pero rara vez se emborrachaba, y nunca se comportaba indebidamente.

Allie volvió a sentirse bien mientras iba en su coche al trabajo. Alan había conseguido levantarle la moral, y durante el resto de la jornada lo vio todo con más optimismo que por la mañana.

Allie se reunió con varios de los promotores de la gira de Bram; concretó algunos detalles sobre la seguridad de Carmen Connors y se entrevistó con otra de sus clientes acerca de la custodia de sus hijos. A última hora de la tarde le sorprendió reparar en que había olvidado todo lo relativo al problema con Brandon. Aún seguía molestándola que él no hubiese querido acompañarla a la ceremonia de los Golden Globes, pero ya no se sentía tan abatida como por la mañana. Al recordarlo ahora se dijo que se había comportado como una imbécil. Brandon tenía perfecto derecho a ver a sus hijas. Puede que tuviese razón. Quizá lo más sensato fuera que ambos pensaran en las obligaciones de su profesión, que hiciesen lo que tenían que hacer y a partir de ahí se dedicasen todo el tiempo libre que pudiesen. No era un planteamiento de vida muy romántico, pero quizá fuese el único que de momento podían hacerse. Además, puede que no fuese un plan de vida tan malo. Quizá ella fuera demasiado exigente, como insinuaba Brandon a veces.

—¿Lo crees de verdad? —le preguntó la doctora Green aquella tarde durante su sesión semanal.

—No sé qué pensar —reconoció Allie—. Creo saber lo que quiero. Pero luego, cuando hablo con Brandon, tengo la sensación de no ser razonable, de que le exijo demasiado. No sé. Quizá le doy miedo.

—Esa es una posibilidad interesante —dijo la doctora con frialdad—. ¿Y cuál crees que puede ser la razón?

—Que no está dispuesto a dar todo lo que yo le pido a una relación, ni a dar tanto como yo.

—¿Crees estar dispuesta a dar más? ¿Por qué? —le preguntó la doctora con curiosidad.

—Sí. Creo que me gustaría vivir con él. Pero por lo visto eso lo aterra.

—¿En qué te basas? —preguntó la doctora Green, que empezaba a pensar que Allie progresaba.

—Creo que tiene miedo porque siempre quiere volver a su apartamento por las noches. Si puede evitarlo, no pasa la noche conmigo en casa.

—¿No será que quiere que seas tú la que vayas a su apartamento?, ¿que prefiere estar en sus dominios?

—No sé —contestó Allie meneando la cabeza lentamente—. Según él, necesita su propio espacio. En una ocasión me dijo que cuando despertamos juntos por la mañana, tiene la sensación de que estamos casados, y que como el matrimonio no fue una buena experiencia para él no quiere reincidir.

—Pero alguna vez tendrá que decidirse, si no quiere pasar solo el resto de su vida. Es una decisión que debe adoptar él, pero que afectará a tu vida, Allie.

—Lo sé. Pero no quiero presionarlo. No quiero que se precipite.

—Después de dos años... no creo que sea precipitarse tanto

—dijo la doctora con ceño—. Creo que le ha llegado a él el momento de cambiar un poco las cosas. A menos que a ti te guste dejarlas como están —añadió para dejarle a Allie una puerta abierta, como siempre hacía—. Si es eso lo que quieres, no habría de qué lamentarse, ¿no crees?

—No sé. No lo creo —repuso Allie algo nerviosa—. Yo querría algo más. Detesto que, después de hacer el amor conmigo en mi casa, se marche a su apartamento. Y que vaya a San Francisco sin mí. —Reflexionó sobre algo que la hacía sentirse como una imbécil y añadió—: A veces, me preocupa su ex esposa, que consiga hacerlo volver. Sigue dependiendo mucho de él. Creo que a eso se debe, en parte, que rehuya comprometerse más conmigo.

—Bueno... parece que está en trámites... Podría acelerarlos, ¿no crees, Allie?

—Supongo. Pero no creo que fuese buena táctica plantearle ningún ultimátum.

—¿Por qué no? —repuso la doctora Green incitándola a mostrarse más audaz.

—No le sentaría bien.

—¿Y? —La doctora la presionaba como le hubiese gustado que Allie presionase a Brandon.

—Podría decidir romper si lo presiono demasiado.

—¿Y cuáles serían las consecuencias?

—No lo sé —repuso Allie, interiormente asustada por la perspectiva.

Allie era una mujer fuerte, pero nunca lo suficiente con Brandon, como tampoco lo había sido en sus dos relaciones anteriores. Temía mostrarse demasiado fuerte. Y esa era precisamente la razón de que ya hiciese cuatro años que acudía a la consulta de la psicóloga.

—Si rompieseis quedarías libre para empezar una relación con alguien que estuviese dispuesto a comprometerse. ¿Tan terrible sería eso?

—Puede que no —dijo Allie, que le sonrió con visible ansiedad—. Pero me asusta la idea.

—Claro. Pero lo superarías. Quedarte sentada de brazos cruzados, esperando a que Brandon se decida a decir las palabras mágicas, puede hacerte mucho más daño que el superable temor a empezar una nueva relación, con alguien más dispuesto a amarte sin reservas. ¿No crees que deberías reflexionarlo?

—La doctora se lo preguntó mirándola con fijeza a los ojos. Luego, con su habitual sonrisa, cordial y cálida, dio por finalizada la sesión.

En cierto modo, acudir a la psicóloga era como pedirle a una gitana que le leyese la mano. Al salir, Allie trató de recordar punto por punto todo lo que la doctora Green le había dicho. Pero, como en otras ocasiones, no consiguió recordar muchas cosas. Sin embargo, en conjunto, las sesiones le sentaban bien. A lo largo de aquellos cuatro años habían analizado muy a fondo su tendencia a liarse con hombres que no podían o no querían amarla sin reservas. Era una historia que se repetía una y otra vez. Prefería no pensarlo. Y en realidad también habría preferido no hablarlo. Pese a todo, creía que durante aquellos años algo había mejorado.

Desde la consulta de la doctora, Allie volvió a su despacho para terminar un trabajo atrasado y recibir a Malachi O'Donovan, un nuevo cliente. Era amigo de Bram Morrison, «su» célebre estrella del rock. O'Donovan también era cantante, aunque menos famoso. Era de Liverpool pero había obtenido la nacionalidad estadounidense al casarse con una norteamericana. Su esposa se apellidaba Arcoiris, y tenían dos hijos llamados Golondrina y Ave. Allie estaba acostumbrada. En el mundo del rock casi nada era normal, y ya no se sorprendía de nada.

O'Donovan tenía un feo historial. Había estado en la cárcel por asuntos de drogas y agresiones. Andaba siempre entre abogados y enseguida se sintió atraído por Allie. Se le insinuó sexualmente, pero al ella ignorarlo y limitarse resueltamente a su relación profesional, terminó por aceptarlo y tuvieron una interesante conversación.

Allie creía poder ayudarlo en algunos de sus problemas jurídicos, la mayoría relacionados con la gira mundial que trataba de organizar. Pero estaba atenazado por sus problemas pendientes con la justicia.

—Veremos qué podemos hacer, Malachi. Me pondré en contacto contigo cuando reciba el expediente de tu actual abogado.

—Olvida a mi ex abogado. Es un imbécil —le dijo él con un marcado acento de Liverpool, encogiéndose de hombros.

—Pero necesitaremos su expediente —dijo ella sonriéndole amablemente—. Te llamaré en cuanto sepa algo.

A O'Donovan le había caído muy bien Allie. Morrison no lo

había aconsejado mal. Era inteligente, y de las que iba directa al grano. Eso le gustaba.

—Puedes llamarme a cualquier hora, encanto —dijo él quedamente al salir.

Ella fingió no oírlo y cerró la puerta del despacho.

La abogada se alargó con el trabajo hasta bien entrada la noche. Leyó unos informes y revisó varios contratos de Bram. Carmen Connors acababa de recibir una oferta muy interesante para protagonizar una película que presuntamente podía ser muy positiva para su carrera.

Llegó a casa de muy buen humor. Hasta ese momento no reparó en que no había sabido nada de Brandon en todo el día. Se dijo que acaso estuviese molesto, por haberlo presionado demasiado aquella mañana para que la acompañase a la ceremonia de los Golden Globes.

Le telefoneó al despacho hacia las nueve y él pareció alegrarse. Le dijo que llevaba trece horas trabajando sin parar y que iba a llamarla enseguida.

—¿Has comido algo? —preguntó ella en tono solícito, reprochándose haberse enfadado con él. Pero entonces recordó lo que la doctora Green le había dicho: que tenía derecho a esperar más de lo que él podía o quería darle.

—Nos traen sándwiches de vez en cuando. Pero apenas los tocamos.

—Deberías ir a casa y dormir un poco —dijo ella deseando que fuese a verla. Aunque en esta ocasión no se lo pidió. Tampoco él lo sugirió sino que enseguida sintió el apremio de volver a concentrarse en el trabajo con sus compañeros.

—Te llamaré mañana antes de salir hacia San Francisco.

—Estaré en casa de mis padres —dijo Allie—. Iré allí directamente desde el despacho.

—Pues entonces a lo mejor no llamo —dijo él como si tal cosa.

Ella sintió ganas de echarse a llorar. ¿Por qué rehuía Brandon todo lo que para ella era importante?; ¿y, especialmente, a su familia? Quizá no fuese más que un reflejo de su fobia a comprometerse.

—Te llamaré cuando llegue a San Francisco, a tu casa.

—Como quieras —dijo ella, serenándose.

Allie se alegraba de haber hablado con Janet Green de su situación con Brandon. Así le parecía todo más simple y claro, y menos dramático. En realidad era sencillo. Brandon no estaba dispuesto a entregarse, comprometerse y amarla sin reservas. Y no estaba muy segura de que cambiase. Allie quería casarse con él si de verdad llegaba a divorciarse. En el fondo, Allie creía que terminaría por decidirse, aunque a su aire. Era obvio que lo frenaba tener presente pensar en lo ocurrido entre él y Joanie.

—¿Qué vas a hacer con lo de los Golden Globes? —le preguntó él de pronto.

A Allie le sorprendió que sacase a relucir el tema que había provocado tan agria discusión entre ellos.

—No hay problema. Iré con Alan —repuso con naturalidad.

—¿Con Alan Carr? —exclamó Brandon sorprendido—. Creía que ibas a ir con tu hermano y tus padres, o algo así.

Ella sonrió ante su ingenuidad. La ceremonia de entrega de los premios Golden Globes era uno de los acontecimientos más rutilantes. No era un acto adecuado para ir con un hermano de veinte años, sin pareja.

—Alan está encantado de acompañarme. Es un tipo divertido. Seguro que me hará reír toda la noche. Se pasará el rato diciendo burradas sobre las grandes estrellas. Pero él es así. Y cae bien a todos.

—No contaba con que me encontrases tan buen sustituto —dijo él entre irritado y celoso.

Allie se echó a reír. Quizá fuese bueno darle celos.

—Preferiría ir contigo que con Alan, te lo aseguro —repuso sinceramente.

—Lo interpreto como un gran cumplido, Allie. Nunca se me habría ocurrido compararme a Alan Carr.

—Bueno, pues... que no se te suba a la cabeza —bromeó ella.

Siguieron hablando unos minutos y luego se despidieron. En ningún momento sugirió él pasar la noche juntos. Y Allie volvió a sentirse deprimida al acostarse y pensar en él. Tenía veintinueve años, y un novio que, muchas noches, prefería dormir solo en su propia cama antes que con ella, que la dejaba plantada para ir a ver a su ex esposa y a sus hijas. Por más vueltas que le diese y por más que se dorase la píldora, le dolía. Se sentía sola. Fuesen cuales fuesen sus necesidades, él se cerraba en banda y hacía lo que le convenía.

«Mereces algo mejor.» Las palabras de la doctora Green acudieron una y otra vez a su mente al tratar de quedarse dormida aquella noche. Aunque no estaba segura de que fuesen esas exactamente sus palabras o, simplemente, lo que había querido decir. Casi adormecida imaginó los intensos ojos negros de la psicóloga, que la miraban con fijeza, como si quisiera subrayar su mensaje.

—Merezco algo mejor —susurró—. Algo mejor de lo que tengo.

¿Qué significaba eso? Y de pronto imaginó a Alan riendo... Pero ¿se reía de ella o de Brandon?

3

La casa de los Steinberg en Bel Air era grande, confortable y una de las más bonitas de la zona, pero nada ostentosa. Blaire la había decorado personalmente hacía muchos años, cuando la estrenaron nada más nacer Scott. Se le daba muy bien hacer cambios y renovar las habitaciones. Sus hijos le tomaban el pelo diciéndole que siempre estaba «en obras».

Pero a Blaire le gustaba que todo pareciese nuevo. En todas las estancias dominaban los colores vivos y alegres. El efecto global era el de una casa elegante y cálida, que a sus amigos les encantaba visitar. Desde el salón la vista era espectacular. Blaire llevaba meses hablando de tirar los tabiques de la cocina y sustituirlos por otros de cristal. Pero estaba tan ocupada con su serie de televisión que no tenía tiempo de ocuparse de ello.

Allie fue a casa de sus padres directamente desde el despacho y, como siempre, se sintió arropada por el calor del hogar en el que había crecido y la generosidad de su familia. Su dormitorio estaba casi igual que cuando se marchó a estudiar a la universidad hacía ya once años. El empapelado de la pared, las cortinas y la colcha habían sido cambiados sólo una vez, cuando estaba ya en la facultad de derecho. El actual era de un suave color melocotón, ligeramente tornasolado. Siempre dormía allí cuando iba a visitarlos o a pasar el fin de semana. Ir a casa de sus padres le resultaba agradable y relajante. Su dormitorio estaba en la misma planta que las habitaciones de sus padres: un dormitorio, dos espaciosos cuartos de baño y dos despachos que utilizaban cuando tenían que trabajar en casa, o sea, muy a menudo. En la misma planta había dos habitaciones de invitados, y en la de arriba Sam y Scott tenían sus propios dominios con un amplio salón entre ambos. Compartían un enorme televisor, una pequeña pantalla para proyección de películas, un billar y una fantástica cadena de música que su padre les había regalado por Navidad. El solo hecho de estar allí era el sueño de todo adolescente, y casi siempre había por lo menos media docena de amigas de Sam por allí, charlando de los estudios en el instituto, de sus planes para la universidad y de sus novios.

Sam estaba en la cocina cuando entró Allie. Era difícil no reparar en lo mucho que había cambiado Samantha en un año. Siempre había sido agraciada pero ahora estaba sencillamente preciosa. De pronto, con diecisiete años y medio, se había convertido en una mujercita arrebatadora. Que tenía el talante de una estrella, decían los socios de su padre, aunque a su madre no le hacía ninguna gracia que lo dijesen. La prioridad de Samantha habían sido siempre los estudios. A Blaire no le importaba que hiciese sus pinitos como modelo. Pero no le seducía lo más mínimo que su hija menor se convirtiese en actriz. Era una profesión muy dura, y ver lo que veía a diario en el mundillo le hacía preferir que Sam se mantuviese alejada de la profesión. Pero poco podía decirle a su hija. Blaire había estado toda su vida en contacto con el mundo del espectáculo y, de momento, lo que más deseaba Sam era ser actriz. Había solicitado información a varias universidades —la de California en Los Ángeles, la Northwestern, Yale y la de Nueva York—, sobre el programa de estudios en la especialidad de arte dramático. Dada su excelente media de calificaciones académicas, tenía muchas probabilidades de poder ingresar en cualquiera de ellas. Pero no quería estudiar en el Este, como había hecho Allie diez años antes. Quería quedarse en Los Ángeles e incluso puede que seguir viviendo en casa. Pensaba optar por la Universidad de California en Los Ángeles. Es más, ya había pedido plaza y la habían aceptado.

Samantha estaba comiendo una manzana. Su larga melena rubia, que le llegaba casi a la cintura, parecía un tul dorado. Tenía los ojos grandes y verdes como su hermana.

—Hola, nena. ¿Qué tal? —la saludó Allie radiante. Se besaron y le pasó el brazo por los hombros.

—No del todo mal —repuso Sam—. Esta semana he posado

para un fotógrafo inglés. Un tipo guay. Me encantan los extranjeros. Siempre son muy amables conmigo. En noviembre posé para un francés. Estaba de paso para Tokio. Colabora con *Los Angeles Times*. Y he visto la copia sin montar de la nueva película de papá.

—¿Y qué tal es la película de papá? —preguntó Allie, y cogió unas barritas de zanahoria y le dio un fuerte abrazo a Ellie, la cocinera que tenían desde hacía veinte años, y que las echó enseguida de la cocina.

—Está bien, si captas. Aún tenía escenas donde no toca. Pero mola.

También Sam «molaba». Allie sonrió al ver a su hermana echar a correr escaleras arriba. Parecía una potrilla, tan joven. Sorprendía que en tan poco tiempo hubiese pasado de niña a mujer. Cuando Allie se marchó de casa para ir a estudiar a Yale, Sam tenía sólo seis años y, en algunos aspectos, aún la veían así en la familia, como una cría.

—¿Eres tú? —preguntó su madre desde la planta baja, asomada a la barandilla.

Blaire no parecía mucho mayor que Allie. Llevaba un peinado ligeramente alto que enmarcaba muy bien sus facciones. Seguía siendo pelirroja, sin canas. Llevaba pantalones vaqueros, un jersey negro de cuello vuelto, y unos zapatos de lona de tacón alto que le había comprado a Sam, que no los quiso. Blaire tenía aspecto aniñado y un figura tan estilizada como la de sus hijas. Envejecía extraordinariamente bien.

—¿Cómo estás, cariño? —preguntó Blaire, y besó a Allie. Al oír el teléfono, corrió a contestar.

Era Simon. Se le había hecho tarde a causa de un problema en la oficina, pero llegaría a tiempo para la cena, le dijo.

Su gran unión era lo que los había salvado de las tensiones de Hollywood a lo largo de tantos años; su unión y el hecho de que habían tenido un matrimonio maravilloso. Blaire casi nunca lo reconocía, pero su vida era un desastre cuando lo conoció. Estaba desesperada. Pero después de casarse todo se encarriló. Había conseguido despegar profesionalmente, los hijos llegaron pronto y sin problemas, entre otras cosas porque fueron los tres deseados. Adoraban su hogar, a sus hijos, sus profesiones y... se adoraban uno al otro. No había absolutamente nada más que hubiesen podido añadir salvo, en todo caso, más hijos. Blaire tuvo a Samantha a los treinta y siete años y, por entonces, se sentía ya muy mayor, y cerró la tienda. Pero ahora lamentaba no haber tenido por lo menos uno más. Sin embargo, tanto sus hijas como Scott les daban muchas satisfacciones, a pesar de las ocasionales escaramuzas con Samantha. Blaire era consciente de que Sam estaba un poco consentida, pero era una buena chica. Iba bien en los estudios, nunca había hecho nada realmente reprobable y, teniendo en cuenta la diferencia de edad y de formación, era normal que discutiese con su madre de vez en cuando.

Cuando Blaire colgó el teléfono, fue al dormitorio de Allie, que estaba asomada a la ventana. Se le acercó.

—Ya sabes que puedes venir cuando quieras —le dijo cariñosamente. Notó que su hija mayor estaba muy seria.

Pensó preguntarle si le ocurría algo, pero no se atrevió para no hurgar en la herida. Porque se temía que fuese a causa de Brandon. En su opinión, no le prestaba a Allie suficiente apoyo emocional. Él era muy independiente en todo y no parecía percatarse de las necesidades y sentimientos de Allie. Durante los dos años que llevaban de relaciones, Blaire se había esforzado por que Brandon le cayese bien. Pero era inútil.

—Gracias, mamá.

Allie le sonrió y se tumbó boca arriba en la cama. A veces se sentía estupendamente con sólo estar allí, aunque sólo fuese un par de horas, pero en ocasiones se irritaba al pensar en el control que aún ejercían sobre ella. Seguía tan apegada a sus padres que a veces le preocupaba. Los quería mucho. No había cortado los lazos como hacían otras mujeres a su edad. Pero ¿por qué iba a hacerlo? Brandon se quejaba de que siguiese tan ligada a ellos. Decía que no era bueno ni normal. Pero Allie se llevaba muy bien con sus padres y no veía por qué tenía que distanciarse. Eran un gran apoyo para ella. ¿Qué iba a hacer? ¿Dejar de verlos porque ya tenía casi treinta años?

—¿Dónde está Brandon? —le preguntó su madre en tono ligero. Había recibido el mensaje de Allie de que iba a cenar con ellos sola y tenía que reconocer que se alegraba, aunque se lo calló—. Por el trabajo, ¿no?

—Tenía que ir a San Francisco a ver a sus hijas —contestó Allie con la misma naturalidad que su madre. Pero ambas sabían que no era más que una pose para dar la impresión de que no lo consideraban importante ni estaban preocupadas.

—Regresará mañana. Estoy segura —aventuró Blaire sonriente, aunque irritada porque nunca estuviese con Allie cuando ella lo necesitaba. Le sorprendió la respuesta de su hija.

—Pues la verdad es que no. Necesitaba pasar todo el fin de semana con ellas. Empieza un juicio el lunes y no estaba seguro de poder volver a verlas en las dos próximas semanas.

—O sea que no va a asistir a la ceremonia, ¿no? —exclamó Blaire asombrada. ¿Significaba algo aquello? ¿Era un síntoma de una ruptura más o menos inminente? Procuró que su hija no notase lo que pensaba.

—No, pero no importa —mintió Allie, que no quería reconocer ante su madre lo afectada que estaba.

Allie se habría sentido muy vulnerable si reconocía que tenía serios problemas con Brandon. Quizá porque sus padres habían tenido siempre una relación perfecta.

—Iré con Alan —dijo Allie.

—Muy amable por su parte —dijo Blaire, y se sentó en una silla junto a la cama con expresión ceñuda.

Allie la miró. Sabía que la conversación no iba a quedar así, que le harían las inevitables preguntas. ¿Por qué no se divorciaba Brandon? ¿Por qué iba tan a menudo a San Francisco a ver a su ex esposa? ¿Creía que sus relaciones tenían futuro? ¿Era consciente de que estaba a punto de cumplir los treinta años?

—¿No te afecta que no esté contigo en momentos importantes para ti? —le preguntó su madre. Sus intensos ojos azules la miraban de un modo que le llegaba a lo más profundo del corazón.

—A veces. Pero, como dice él, ya somos mayorcitos, tenemos una profesión absorbente y muchas obligaciones, no siempre podemos estar juntos y debemos hacernos cargo. No creo que haya que darle mayor importancia. Tiene dos hijas que viven en otra ciudad y necesita verlas.

—Pero podría organizarse mejor, ser más oportuno, ¿no crees?

Allie sintió ganas de llorar. Lo último que deseaba aquella noche era defender a Brandon. Ya estaba bastante disgustada, sólo le faltaba tener que justificar su comportamiento. Pero, mientras se sostenían la mirada, un tanto violentas, un joven alto y moreno se asomó por la puerta.

—¿A quién estáis despellejando? A Brandon, seguro; o ¿hay alguien más en el horizonte? —dijo su hermano Scott, que acababa de llegar desde el aeropuerto.

Allie se incorporó en la cama y lo miró risueña al verlo acercarse, sentarse a su lado y abrazarla.

—¡Dios mío! ¡Menudo estirón has vuelto a dar! —exclamó Allie.

Blaire los miró sonriente. Scott se parecía mucho a su padre. Medía ya un metro noventa y cinco, aunque no era probable que pasara de ahí. Jugaba al baloncesto en Stanford.

—¿Y qué número calzas? —le preguntó Allie por chinchar. Porque una de las bromas de la familia era decirle a Scott que podía dormir de pie.

—El cuarenta y cinco. ¿Qué pasa? —repuso Scott, y abrazó a su madre y luego se sentó en el suelo a charlar con ellas—. ¿Y papá?

—Debe de estar al llegar. Lo han entretenido un poco en el despacho. Sam está arriba y la cena estará dentro de diez minutos.

—Me muero de hambre —dijo Scott, que tenía un aspecto magnífico. No había más que mirar a su madre para reparar en lo orgullosa que estaba de él. Todos lo estaban. Sería un buen médico—. ¿Qué se cuece en los Golden, mamá? ¿Vais a ganar o, por una vez, nos vais a decepcionar?

—Me temo que vamos a decepcionaros —repuso Blaire riendo—. Prefería no pensar en los premios. Pese a los muchos años que llevaba escribiendo y produciendo series para televisión, las nominaciones siempre la ponían nerviosa—. Me parece que con el premio de tu padre sí podemos contar —añadió en tono críptico, sin extenderse en más explicaciones.

Cinco minutos después, Simon Steinberg subía con su coche por la rampa de acceso. Todos corrieron escaleras abajo y Blaire le gritó a Samantha que colgase el teléfono y bajase a cenar.

Fue una cena muy animada. Padre e hijo hicieron causa común para compensar su inferioridad numérica y comentaron los premios. Samantha hizo una serie de preguntas acerca de Carmen: cómo era, cómo iba a ir vestida, con quién iría. En plena conversación, Blaire se reclinó en la silla y los miró. Allí estaban sus tres hijos y el esposo a quien amaba desde hacía tantos años. Era aún casi tan alto como Scott y muy apuesto. Tenía las sienes ligeramente plateadas y algunas patas de gallo, pero tales muestras del paso del tiempo no hacían sino añadirle encanto. Era un hombre extraordinariamente atractivo. Blaire aún sentía un cosquilleo con sólo mirarlo. Aunque a veces eso implicara también cierto dolor, al comprender lo mucho que ella estaba cambiando. Él parecía incombustible. Es más, daba la impresión de estar mejor a cada año que pasaba. Pero ella se sentía ahora distinta. Estaba más preocupada por él y los niños que antes, y más inquieta también por su profesión. Temía quedar anticuada; que el descenso en el nivel de audiencia registrado a lo largo del año anticipase una caída en picado. También le preocupaba que Samantha fuese a ingresar en la universidad. ¿Y si optaba por estudiar en el Este, o por vivir en la residencia de estudiantes, aunque fuese a Los Ángeles? ¿Qué iba a hacer cuando ya no le quedase ningún hijo en casa? ¿Y si ya no la necesitaban más? ¿Y si dejaban de contratarla en televisión? ¿Qué sería de ella cuando todo eso hubiese terminado? ¿Y si, pese a todo, las cosas cambiaban con Simon? Pero pensaba que eran aprensiones injustificadas.

A menudo trataba de hablar de ello con Simon, de decirle que a veces la embargaban temores acerca de su vida, de su aspecto físico. Temía «el cambio». Se había producido a lo largo de los dos últimos años, y sabía que su aspecto había cambiado, por más que todos le dijesen que estaba «igual». Envejecía. Y le resultaba doloroso comprobar haber cambiado más que Simon. Le parecía asombroso que todo se hubiese producido tan rápidamente, haber llegado tan pronto a los cincuenta y cuatro. No tardaría en cumplir los cincuenta y cinco... y luego los sesenta. Sentía ganas de gritar «Oh no, Dios mío, detén el reloj. Necesito un poco más de tiempo». Se le hacía extraño que Simon no lo entendiese. Porque los hombres tenían más tiempo; sus hormonas no empezaban súbitamente a cambiar a los cincuenta; su aspecto se modificaba de un modo más sutil; y siempre tenían la opción de encontrar una esposa a la que doblasen en edad y tener otra media docena de hijos. Aunque no los quisieran, como decía siempre Simon cuando Blaire le recordaba que él podía tener más hijos y ella no, que aunque no tuviese ningún interés en tener más podía tenerlos y que eso marcaba una gran diferencia entre ambos. Pero él le restaba importancia diciéndole que estaba estresada por el trabajo y eso le hacía decir tonterías.

—Por el amor de Dios, Blaire, lo último que desearía yo sería tener más hijos. Adoro a los que tengo. Pero si Samantha no se hace pronto mayor y se va a vivir a su propio apartamento o a la maldita cadena, creo que me volveré loco o me que[...]

Blaire sabía que Simon fanfarroneaba. Tampoc[...]

Samantha se marchase. Samantha era la niñita de sus ojos. ¿Por qué tenía que ser todo más fácil para él?, se preguntaba Blaire. ¿Por qué encajaba mejor los problemas? ¿Por qué se preocupaba menos que ella por las notas de Scott, y por el hecho de que Allie siguiese con Brandon después de dos años, pese a que él seguía casado?

Pero nada de todo esto salió a relucir durante la cena. Hablaron de otras cosas. Simon y Scott de béisbol, de Stanford y de un posible viaje a China. Y luego hablaron todos de los Golden Globes. Scott se estuvo metiendo con Sam acerca del último chico con que había salido. Le dijo que era un patán y Samantha lo defendió vehementemente, aunque insistiendo en que el chico no le gustaba. Por su parte, Blaire anunció que sus niveles de audiencia habían vuelto a subir después de un breve descenso el mes anterior, y que pensaba reformar el jardín y la cocina el verano siguiente.

—¡Menuda novedad! —exclamó Simon mirándola risueño—. ¿Desde cuándo no te lías a hacer reformas? A mí me gusta el jardín como está. ¿Para que cambiarlo?

—He encontrado un fabuloso jardinero inglés. Dice que puede cambiarlo todo de arriba abajo en dos meses. Lo de la cocina es otra historia —explicó Blaire sonriente—. Espero que a todos os guste el restaurante de la carretera. Tendremos que comer allí desde mayo a septiembre.

Se oyó un murmullo de desaprobación y Simon le dirigió a Scott una mirada de resignación.

—Pues... mira, creo que coincide con la temporadita que podríamos pasar nosotros en China —dijo Simon.

—No vais a ir a ninguna parte —replicó Blaire mirándolos con severidad—. Tenemos rodaje todo el verano y no quiero volver a quedarme aquí sola.

Todos los años padre e hijo hacían un viaje juntos, por lo general a algún lugar donde Blaire no pudiera localizarlos, como Samoa o Botswana.

—Podríais ir a Acapulco a pasar un fin de semana.

Scott se echó a reír y, entre bromas y veras, siguieron de sobremesa hasta las nueve. Allie se levantó entonces y dijo que tenía que volver a su casa a terminar un escrito.

—Trabajas demasiado —la reconvino su madre.

—¿Y tú no? —replicó Allie sonriente. Porque no conocía a nadie que trabajase tanto como ella. Le parecía admirable—. Os veré mañana por la noche en los Golden —añadió al levantarse todos de la mesa.

—¿Quieres que vayamos juntos? —preguntó Blaire.

—No, mamá. Alan nunca es puntual y lo paran continuamente, vaya a donde vaya. Además, probablemente luego querrá que vayamos a tomar algo. Es mejor que nos encontremos allí.

—O sea que vas con Alan en lugar de con Brandon —dijo Samantha mirando con perplejidad a su hermana—. ¿Cómo es eso?

—Ha tenido que ir a San Francisco a ver a sus hijas —respondió Allie, que tenía la sensación de haberlo explicado ya mil veces, y empezaba a estar harta.

—¿Estás segura de que no se acuesta con su ex esposa? —dijo Samantha tan bruscamente que, por un instante, su hermana se quedó sin aliento.

Allie se rehízo enseguida y miró furiosa a Sam.

—¡Eso es una impertinencia, nena! —exclamó Allie—. Podías habértelo ahorrado. Calladita estás más guapa —añadió crispada.

—La que se pica ajos come —dijo Samantha con tono malicioso y desafiante.

—Eh, eh, para el carro, Sam —intervino Scott al ver lo alterada que estaba Allie—. La vida sexual de Brandon no es asunto nuestro.

—Gracias —le susurró Allie instantes después, al despedirse de él y darle un beso.

¿Por qué le había afectado tanto el comentario de Samantha? ¿Lo pensaba de verdad? ¿Eso lo temía en el fondo? Por supuesto que no. Joanie era una quejica que dependía totalmente de Brandon, y además había engordado mucho. Brandon le había comentado muchas veces lo poco atractiva que estaba. Pero esa no era la cuestión. Lo que le dolía a Allie era tener que defenderlo. Era obvio que toda su familia pensaba que Brandon debió haberla acompañado; o sea, lo mismo que pensaba ella, y seguía furiosa por que no hubiese cenado con ellos.

Allie volvió a darle vueltas durante el trayecto a casa y, al llegar, estaba aun más furiosa con él. Estuvo cavilando un buen rato, trató en vano de trabajar un poco y, al final, se decidió a llamarlo. Sabía de memoria el número de teléfono del hotel en que se alojaba y lo marcó con dedos temblorosos. Quizá aún pudiera convencerlo de que regresara antes. Pero en tal caso tendría que explicarle a Alan que no podrían ir juntos, y le resultaría violento. Porque, por más amigos que fuesen, no le haría ninguna gracia y tendría que darle explicaciones.

Le pasaron la llamada a la habitación de Brandon y Allie aguardó en vano. Eran más de las diez pero no contestaba. Le pidió a la telefonista que insistiese, por si acaso se habían equivocado de habitación. Pero no estaba. Probablemente aún seguía en casa de Joanie, hablando del divorcio. Cuando las niñas se acostaban, a veces él y Joanie pasaban horas discutiendo, le había contado Brandon. Pero, al pensarlo ahora, el comentario de Samantha de que acaso se acostase aún con Joanie la descompuso. Estaba furiosa con él por estar allí, y con su hermana por haber dicho aquello. Pero no era cuestión de pasarse la vida pendiente de lo que él hiciera, ni de sentirse insegura por las irreflexivas palabras de una adolescente. Ya tenía la vida bastante complicada. No era cuestión de complicársela más sacando las cosas de quicio. Y, casi nada más colgar, sonó el teléfono. Allie sonrió para sí. Se había puesto histérica por nada. Seguramente era Brandon, recién llegado al hotel. Pero no lo era. Era Carmen Connors, llorosa.

—¿Qué te pasa?

—Acabo de recibir una amenaza de muerte —dijo Carmen sollozando.

La asustada actriz añadió que quería volver a Oregón. Pero tenía una profesión de la que no era tan fácil apearse. Debía cumplir con contratos para varias películas. Todo el mundo quería contratar a Carmen Connors.

—¿Cómo te ha llegado? —preguntó Allie frunciendo el entrecejo—. Tranquilízate y cuéntamelo.

—Por carta. Abrí la correspondencia después de cenar y encontré un anónimo que dice... —Rompió a llorar de nuevo y luego añadió con voz entrecortada—: Dice que soy una zorra y que no merezco vivir ni una hora más; que me burlo de él, que soy una puta y que me va a liquidar.

Oh, Dios, pensó Allie. De esos era de los que más había que guardarse; de los que imaginaban que tenían una relación o algún derecho sobre una y que, por la razón que fuese, se sentían burlados. Eran los más peligrosos. Pero no quería asustar más a Carmen.

—No parece que sea nadie que de verdad conozcas, ¿no, Carmen? Alguien con quien hayas salido y que pueda estar furioso por negarte a volver a salir con él, ¿no?

Por lo menos esa pregunta tenía que hacérsela, aunque sabía que en estas cosas Carmen era muy circunspecta. A pesar de las historias que publicaban los periódicos sensacionalistas, Carmen llevaba una vida más casta que una monja.

—No he salido con nadie desde hace ocho meses —dijo Carmen—, y los dos últimos con que salí se han casado en estos meses.

—Bueno, pues cálmate. Conecta la alarma —dijo Allie como si hablase como una niña.

—Ya lo he hecho.

—Bien. Llama al vigilante de seguridad de la entrada y cuéntale lo de la carta. Yo llamaré a la policía y al FBI y nos entrevistaremos con ellos mañana. No tiene mucho sentido hacer nada esta noche, pero los llamaré para informarlos. Seguramente la policía ordenará a un coche-patrulla que pase frente a tu casa cada media hora. ¿Por qué no entras uno de los perros? Estarás más segura.

—No puedo... Me dan miedo —dijo Carmen muy nerviosa.

Allie se echó a reír y consiguió atenuar un poco la tensión.

—Claro. Por eso te los compré. Por lo menos tenlos sueltos por el jardín. Es probable que no sea más que una gamberrada. Pero no está de más tener cuidado.

—¿Por qué hace la gente cosas así? —se lamentó Carmen.

No era la primera vez que la joven Connors recibía amenazas. La aterraban. Pero nadie había llegado nunca a atentar contra ella. Era la cruz de la mayoría de las celebridades. Que Allie supiera, rara era la actriz o actor famosos que no hubiesen sido amenazados alguna vez. Eran los gajes desagradables del oficio. Sus propios padres habían sido amenazados varias veces; incluso recibieran una amenaza de secuestro cuando su hermana tenía once años. Su madre contrató un guardaespaldas que, durante seis meses, los tuvo a todos desquiciados. Se pasaba el día y la noche viendo la televisión y derramaba el café sobre las alfombras. Pero si era necesario, Allie contrataría uno para Carmen. En realidad, ya había pensado proporcionarle protección para la ceremonia de los Golden Globes. Había dos guardaespaldas, un hombre y una mujer, que le inspiraban mucha confianza. Los contrataba a menudo.

—Los tipos que hacen eso no son más que unos pobres desgraciados, Carmen. Sólo quieren llamar la atención: creen que si se acercan lo bastante a ti conseguirán un poco de brillo. Es un modo enfermizo de conseguirlo, pero no dejes que esa gente te quite el sueño. Voy a ver si puedo contratarte a un par de guardaespaldas para mañana por la noche. Como son hombre y mujer, pueden pasar por una pareja que asiste al acto. —Allie se lo explicó en tono tranquilizador. Había afrontado muchas situaciones similares con sus clientes y casi siempre era muy convincente.

—¿Sabes qué te digo? Que a lo mejor no voy —dijo Carmen sin acabar de tranquilizarse—. ¿Y si alguien me pega un tiro durante la ceremonia? Quiero volver a Portland —añadió llorosa.

—Nadie va a pegarte un tiro durante la ceremonia. Además iremos juntas. ¿Quién es tu pareja?

—Un tal Michael Guiness. Los estudios me han emparejado con él. No lo he visto en mi vida —dijo Carmen, contrariada.

—Pues yo sí. Y es un buen tipo —dijo Allie para animarla.

Michael Guiness era homosexual. Pero no era una «loca» y sí en cambio un joven actor que prometía. Probablemente en los estudios habían pensado que ir con Carmen Connors sería bueno para su imagen. Entre otras cosas porque su homosexualidad era conocida en pequeños círculos del mundillo, pero no era del dominio público.

—Me ocuparé de todo. Tú sólo cálmate y duerme bien.

Allie sabía que muchas noches Carmen no lograba conciliar el sueño. Se quedaba viendo la televisión hasta las tantas, bien porque estaba asustada o porque se sentía sola.

—¿Con quién irás tú? —preguntó Carmen, casi por decir algo, porque daba por sentado que iría con Brandon. Habían coincidido un par de veces y le parecía una persona seria, aunque aburrida. De ahí que la respuesta de Allie le sorprendiese.

—Voy con un ex compañero del instituto, Alan Carr —dijo Allie distraídamente, a la vez que tomaba notas para llamar a la policía y el FBI:

—¡Madre mía! —exclamó Carmen estupefacta—. ¿Con *Alan Carr*? ¿Bromeas? ¿Fuiste al instituto *con él*?

—Con el mismísimo Alan Carr —dijo Allie, muerta de risa por la reacción de Carmen.

—He visto todas sus películas.

—Y yo también. Y créeme, algunas son una porquería —dijo a sabiendas de que otras eran estupendas—. No paro de decirle que ha de cambiar de representante, pero Alan es muy testarudo.

—Oh, Dios mío... y está... cachas-cachas.

—Aparte de que es una gran persona. Te encantará —dijo Allie, preguntándose si ocurriría lo mismo a la inversa. Quién sabe, a lo mejor surgía un flechazo, lo que no dejaría de tener su gracia—. Después iremos a tomar una copa. Y podemos llevaros a Michael y a ti en el coche al auditorio de los Golden, si queréis.

—¡Me encantaría!

La perspectiva pareció disipar como por ensalmo todos los temores de Carmen Connors, que se despidió de Allie con voz casi cantarina.

La joven abogada se reclinó en el sillón y permaneció unos momentos mirando por la ventana, pensando en lo sorprendente que era la vida. El mayor *sex symbol* de América no había tenido un ligue en ocho meses, y la amenazaba de muerte un psicópata que pretendía tener algún derecho sobre ella. Era el mundo del revés. Y, encima, a Carmen le impresionaba que ella conociese a Alan Carr. De locos.

Allie miró el reloj. Habían hablado más de una hora. Eran casi las doce y Allie casi no se atrevía a volver a llamar a Brandon. Pero terminó por hacerlo. Probablemente la habría llamado mientras ella hablaba con Carmen. Pero en el hotel le dijeron que aún no había regresado y le dejó otro mensaje, pidiéndole que la llamase.

Se acostó a la una, sin que Brandon la hubiese llamado. Pero renunció a insistir. Recordar el comentario de su hermana la inquietaba. No sabía qué podía estar haciendo Brandon, aunque estaba segura de que no se acostaba con Joanie. ¿Qué podía estar haciendo a esas horas en San Francisco? Era una ciudad pequeña con escasa vida nocturna. Que a las diez de la noche quitaban las calles, solían decir. Dudaba que hubiese ido a un *nightclub*. Lo más probable era que aún estuviese discutiendo con Joanie acerca de la casa o del apartamento de Tahoe. Samantha no tenía ningún derecho a pensar de él lo que pensaba. Se enfurecía al recordar las palabras de su hermana. ¿Por qué se mostraba todo el mundo tan desagradable con él? ¿Y por qué tenía ella siempre que salir en su defensa y contestar preguntas acerca de su comportamiento?

El teléfono siguió sin sonar y, hacia las dos, Allie terminó por quedarse dormida. Sonó a las cuatro de la madrugada. Allie se sobresaltó pensando que era él. Pero era Carmen, que había oído un ruido y se había asustado. Le hablaba en susurros, tan aterrada que no podía articular nada coherente. Allie tardó casi una hora en volver a calmarla. Estuvo tentada de vestirse e ir a su casa. Pero Carmen insistió en que no fuese, que se tranquilizaría. Cuando se despidieron, a las cinco, Carmen se deshizo en excusas.

—No tienes por qué excusarte. Pero duerme, porque de lo contrario tendrás un aspecto horrible esta noche. Es muy probable que ganes. Así que te conviene estar bien guapa. Anda, vuelve a la cama —dijo Allie en plan hermana mayor.

—Te haré caso —dijo Carmen riendo. Se sentía como una niña.

Cinco minutos después de volver a apagar la luz, Allie se quedó dormida. Estaba exhausta. No movió un músculo hasta las ocho. La despertó el teléfono.

—Hola, soy Brandon. ¿Estabas ya levantada?

Allie apenas había dormido tres horas seguidas. Se le notaba en la voz.

—Levantada... por enésima vez. Carmen ha tenido un pequeño problema.

—¡Vaya por Dios! No sé por qué tienes tanta paciencia con esa loca. Deberías limitarte a que dejen los mensajes en el contestador. O desconectar el teléfono cuando te acuestas.

Pero eso no iba con el carácter de Allie. Brandon no lo entendía.

—No me importa —dijo ella—. Estoy acostumbrada. Además, la han amenazado de muerte.

Al volver a mirar el reloj, Allie recordó que tenía que llamar a la policía y el FBI para informar de lo ocurrido. Iba a tener una mañana ajetreada.

—¿Dónde estabas anoche? —preguntó, procurando que su tono no resultase acusador e ignorar el comentario de Samantha.

—Salí con unos amigos. ¿Qué era tanta urgencia? ¿Por qué me has llamado dos veces?

—Nada —dijo Allie a la defensiva—. Sólo quería darte las buenas noches. Pensé que verías a las niñas anoche. —De no ser así, ¿por qué tenía que estar en San Francisco el viernes?

—Y así era. Pero el avión llegó con retraso y Joanie me dijo que las niñas estaban muy cansadas. De modo que llamé a dos ex compañeros de trabajo. Fuimos de copas.

Allie olvidaba a veces que Brandon había vivido allí.

—Me he alarmado un poco al llegar al hotel y ver que habías dejado dos mensajes. Pero no he querido despertarte de madrugada. Aunque, por lo visto, podría hacer como tus clientes, sin problemas. —Brandon estaba en desacuerdo en que Allie atendiese llamadas a semejantes horas, aunque, ciertamente, los clientes sólo la llamaban si tenían algún problema serio.

—Bueno, por lo menos lo habrás pasado bien —dijo Allie procurando no exteriorizar enojo ni decepción.

—Sí... De vez en cuando me gusta volver por aquí. Anoche lo pasamos estupendamente. No salía de copas con ellos desde hacía siglos.

No es que a ella le hiciese mucha gracia, pero comprendía que le gustase salir con sus amigos. Además, la verdad era que estaba tan desbordado por el trabajo que rara vez salía.

—Iré a recoger a las niñas a las nueve. Les he prometido llevarlas a Sausalito y puede que a Stinson a pasar el día. Lástima que no estés aquí —dijo él en tono cariñoso.

—Voy a hablar con la policía y quizá con el FBI esta mañana a propósito de lo de Carmen. La amenaza le ha llegado en una carta anónima. Y luego... ya sabes, he de asistir a la ceremonia de los Golden.

—Puede estar bien —dijo Brandon como si la cosa no fuese con él—. ¿Qué tal la cena anoche?

—Bien. Como siempre. Los Steinberg al completo. Y estuvo Scott. Sam está un poco impertinente. Pero supongo que es cosa de la edad. Con no hacerle caso...

—Eso es porque tu madre la tiene muy consentida. Mala táctica, porque ya empieza a ser demasiado mayorcita para meterla en cintura. Me extraña que tu padre no se imponga.

Allie pensó que Brandon se mostraba un poco duro y, aunque no estaba del todo en desacuerdo con él, le sorprendía que criticase tan a la ligera a su hermana. Porque ella se guardaba bien de criticar a sus hijas.

—Mi padre la adora. Y últimamente la han llamado varias veces para posar. Puede que se le esté subiendo un poco a la cabeza y crea que pueda decir todo lo que se le antoje —dijo Allie. Seguía pensando en el comentario de Samantha, que ahora la hacía sentirse doblemente enojada por haberse preocupado en vano. En realidad, si le había dado tanta importancia era a causa de su enfado por el viaje de Brandon.

—Cualquier día tendrá problemas con sus sesiones. Un fotógrafo se la querrá tirar o le ofrecerán drogas. Me parece un ambiente malsano para ella. Me sorprende que tus padres se lo consientan.

Para Brandon, el mundillo del espectáculo era enfermizo. No se recataba en decirlo así, y que nunca dejaría que sus hijas fuesen modelos ni actrices, ni que hiciesen nada que implicara exhibirse en público. Siempre le había dicho a Allie que a su entender era una profesión sórdida y muy poco atrayente, por mejor que les hubiese ido a sus padres, y por más que a ella le gustase.

—Quizá tengas razón —dijo ella diplomáticamente.

Pensaba que acaso sus problemas se debieran a que eran demasiado distintos. Aunque, quizá todo se redujese a la sensación de abandono que la angustiaba cada vez que él la dejaba. Pese a llevar ya dos años de relaciones, a veces Allie dudaba de haber elegido al hombre adecuado. Quería creer que sí. Pero en momentos como ese tenía la sensación de que eran dos extraños.

—He de ir a recoger a las niñas —dijo—. Te llamaré esta noche —añadió.

—Recuerda que voy a la ceremonia de los Golden.

—Es verdad. Lo olvidaba —dijo él, de un modo que hizo que a Allie le diesen ganas de abofetearlo—. Te llamaré por la mañana.

—Gracias —dijo ella, aunque le fastidiaba dárselas—. Siento mucho que no vayas a estar allí.

—Lo pasarás bien igual. Me parece que Alan Carr es mejor pareja que yo para esa clase de cosas. Por lo menos él sabe con quien habla. Yo no. Pero que se comporte, ¿eh? Recuérdale que eres mi amor. Nada de bromas.

Brandon lo dijo con un tono cariñoso y risueño que consiguió volver a aplacarla. Él lo decía en serio, porque la amaba. Pero no se hacía cargo de lo importante que eran para ella las ceremonias de los premios. Eran parte de su vida, de la de su familia y de su profesión.

—Te echaré de menos. Ah, que conste que preferiría ir contigo que con Alan.

—Iré el año próximo si puedo, nena. Te lo prometo —dijo Brandon, y consiguió que sonase como si lo dijese en serio.

—Bueno —dijo ella.

Allie deseó estar con él en la cama. Por lo menos entre las sábanas nunca notaba lo que los separaba, sólo lo que los unía.

Sexualmente se entendían muy bien. Y puede que a la larga lograsen limar sus diferencias. Tenía que hacerse cargo de que los divorcios nunca eran fáciles—. Que lo pases bien con las niñas, cariño. Y diles que tengo ganas de verlas.

—Se lo diré. Mañana hablamos. A ver si te veo esta noche en el telediario.

Allie se echó a reír. Sería a la última persona que Brandon pudiese ver. No era una nominada, ni presentadora. Para las cámaras, sólo era una más entre el público. Salvo que la captasen de relleno, si ganaban sus padres o Carmen Connors. Pero aun así las cámaras seleccionaban muy bien los planos para destacar sólo a los ganadores. Lo único que podía atraer la atención hacia ella era que iba acompañada por Alan Carr.

Después de colgar, se sintió mejor. Hablar con Brandon le había levantado el ánimo. Estaba claro que él no entendía su mundillo, ni su mundillo a él. Era una lástima que los demás no reparasen en sus virtudes, y tener que estar siempre justificándolo.

Se levantó, encendió la cafetera y luego llamó a la policía, al FBI y a la empresa de seguridad que vigilaba el domicilio de Carmen Connors. Después fue a casa de Carmen para reunirse con todos ellos. Se tranquilizó bastante cuando le aseguraron que protegerían a su cliente.

Allie había llamado a su pareja de guardaespaldas favorita, Bill Frank y Gayle Watels, ex miembros de la brigada de rescate de la policía de Los Ángeles. Ambos estaban libres y aceptaron trabajar para Carmen una temporada. La acompañarían al auditorio del Hilton, donde tendría lugar la entrega de los Golden. También eso tranquilizaba a Allie, que envió a Gayle a Fred Hayman para que le improvisara un vestido (un encargo nada fácil, porque tenía que ocultar los dos revólveres que llevaba durante sus servicios) Pero en la boutique de Hayman estaban acostumbrados a encargos inusuales.

Allie consiguió llegar a casa a las cuatro y cuarto, mientras el peluquero y la maquilladora se ocupaban de Carmen. Apenas le dio tiempo a ducharse, peinarse y ponerse el estilizado traje de noche negro que se había comprado para la ocasión. Era una prenda elegante y llamativa, con una caída perfecta, un modelo de Ferre, pensado para llevarlo con una chaqueta de organdí blanco. Allie lo realzó con los pendientes de perlas y brillantes que le había regalado su padre por sus veinticinco años. Llevaba la melena, rubia y sedosa, recogida en un peinado alto, con rizos y tirabuzones que cubrían las sienes. Estaba muy atractiva y sensual al llegar Alan Carr que, por su parte, estaba que quitaba el aliento, con un nuevo esmoquin de Armani. Llevaba camisa blanca de seda sin corbata y el pelo negro peinado hacia atrás. Estaba aun mejor que en sus películas más recientes.

—¡Hummm! —exclamó Alan adelantándose a Allie, cuyo vestido tenía una abertura por un lado que dejaba ver una media de blonda negra, realzada por sus zapatos de satén de tacón alto—. ¿Crees que podré comportarme estando como *estás*? —añadió afectando incredulidad.

Allie se echó a reír y lo besó. Alan aspiró el aroma del perfume que desprendía su cuello y su pelo. Alan volvió a preguntarse por qué no había intentado reavivar la vieja llama en todos aquellos años. Empezaba a pensar que podía tener una nueva oportunidad. Y Brandon Edwards que se fuese al cuerno.

—Gracias, caballero. Estás guapísimo —dijo Allie en tono admirativo y afectuoso—. Estás... impresionante.

—No deberías sorprenderte tanto —bromeó él—, no es de buena educación.

—Es que a veces se me olvida que *eres* guapísimo. Te veo más como si fueses Scott; como un niño grande, con los vaqueros raídos y unas pringosas zapatillas de deporte.

—Me partes el corazón. Así que cierra la boca. Quiero contemplarte —dijo él. Su tono se hizo de pronto susurrante. Sus ojos emitieron un fulgor que Allie no había visto desde que tenían catorce años. Pero sabía que no estaba en condiciones de sintonizar con él en esa onda en esos momentos, y fingió no advertirlo—. ¿Vamos?

Allie se colgó del brazo un bolsito negro de noche con cierre de perlas y un brillante de bisutería. Tenía un aspecto impecable. Hacían muy buena pareja. Allie era consciente de que los reporteros los acosarían. Querrían saber quién era ella, a ver si había material para aventurar un romance de Alan Carr.

—Le he dicho a Carmen que la recogeríamos —dijo Allie mientras se dirigían hacia la limusina. Cabían todos de sobras. Alan la alquilaba con chófer y por años. Era parte de su contrato—. ¿Te importa?

—No, en absoluto. No estoy nominado. De modo que no hay prisa por llegar. En realidad... tú y yo podríamos esfumarnos e ir a cualquier parte. Estás demasiado bonita para malgastarte con todos esos patanes y esos memos de la prensa del corazón.

—¡Ah, no! Sé bueno y no me tientes —lo reconvino ella, y lo besó en el cuello con talante juguetón.

—Mira si seré bueno que nunca despeino a las chicas. Me adiestraron expertos —bromeó él a la vez que le abría la puerta de la limusina y subía tras ella.

—¿Sabes que la mitad de las norteamericanas darían su brazo derecho por estar en mi lugar? Soy una mujer realmente afortunada.

Alan se echó a reír con fingido azoramiento.

—Bobadas. Soy yo el afortunado. Estás preciosa, Allie.

—Pues... ya verás cuando veas a Carmen. Es de las que quita el aliento.

—No te llega ni a los talones, jovencita —dijo él en plan galante.

Pero ambos se quedaron boquiabiertos cuando llegaron a casa de Carmen y la vieron acercarse al coche.

La Connors iba flanqueada por la pareja de guardaespaldas. Bill parecía una columna vestida de esmoquin; y Gayle engañosamente frágil, con un bonito traje de lentejuelas doradas que hacían juego con su pelo pajizo, y una chaqueta que ocultaba un Walther PPK 380 y un Derringer 38 especial. Pero fue Carmen quien los dejó sin respiración, y a Alan literalmente sin habla. Llevaba un vestido rojo de felpilla, muy ceñido, con cuello alto y manga larga que realzaba cada centímetro de su cuerpo. Al igual que el vestido de Allie, tenía una larga abertura que dejaba ver sus legendarias piernas. Cuando se daba la vuelta, daba la impresión de que el vestido no tuviese espalda y permitía admirar su piel tersa hasta casi las nalgas. Llevaba el pelo, rubio plateado, recogido en un elegante moño. No sólo estaba increíblemente sensual sino que tenía un porte distinguido. Era como una versión sexy de una Grace Kelly jovencita.

—¡Hummm! —exclamó Allie—. Estáis estupendos.

—¿De verdad estoy bien? —dijo Carmen, y les dirigió una sonrisa infantil. Incluso se ruborizó cuando Allie le presentó a Alan—. Me siento muy honrada de conocerlo —casi farfulló.

Alan le estrechó la mano y le aseguró que él también deseaba conocerla, que Allie hablaba mucho y bien de ella.

—Más de una mentirijilla te habrá dicho —dijo Carmen mirando con risueña gratitud a su abogada—. A veces soy una majadera.

Todos se echaron a reír.

—Gajes del oficio —dijo Alan, y con un elegante ademán la invitó a subir al coche.

Los guardaespaldas se sentaron frente a ellos, a ambos lados del televisor y el bar. Allie sintonizó el canal que retransmitía el acontecimiento, para ver quiénes iban llegando al auditorio. Justo al avistar el edificio, en la pantalla vieron a sus padres. Su madre llevaba un vestido de terciopelo verde oscuro y sonreía a los reporteros. El presentador los anunció para los telespectadores, justo cuando la limusina se detenía frente a la casa de Michael Guiness, que los estaba aguardando. El joven actor los saludó y se sentó en el asiento del acompañante. Él y Alan habían trabajado juntos en una película. Allie se lo presentó a Carmen y a sus guardaespaldas.

—Es la primera vez que asisto a la entrega de los Golden Globes —dijo Michael visiblemente entusiasmado. Era un poco mayor que Carmen, menos refinado y mucho menos famoso.

En cierto modo, pensó Allie, era Carmen quien tenía que haber ido como pareja de Alan. Pero, claro, los *paparazzi* se habrían cebado en ellos.

Ya en las cercanías del Hilton, se situaron en la hilera de limusinas, que aguardaban a que descendieran sus pasajeros, como de deslumbrantes señuelos para atraer a los tiburones. Un ejército de reporteros alargaba los micrófonos y las grabadoras para captar un atisbo, una palabra, de cualquiera que considerasen importante. En el interior no cabía un alfiler. Los reporteros y los cámaras habían sido autorizados a acotar pequeños espacios para entrevistar a los nominados, o a cualquier actor o actriz ávido de «concederles» unos minutos. En derredor, un ejército de fans no dejaba más que un estrecho pasillo en el enorme vestíbulo, por el que intentaban llegar al gran salón actores y actrices, famosos y menos famosos. Eran tantas las celebridades que el ejército de fans prorrumpía de continuo en exclamaciones de júbilo al verlas bajar de las limusinas, seguidos por los reporteros y por densas constelaciones de flases.

Carmen Connors se estremeció. Había estado en la entrega de los Golden el año anterior. Pero, como en este estaba nominada, sabía que los reporteros la agobiarían. Y tras el anónimo que recibió la noche anterior amenazándola de muerte, estaba aun más acobardada de verse rodeada de tanta gente.

—¿Te encuentras bien? —le preguntó Allie.

—Sí —le susurró Carmen.

—Déjenos apearnos primero a Bill y a mí —dijo Gayle—. Luego Michael y después ustedes. Nos situaremos entre ustedes y los cámaras, de momento —añadió en un tono reposado y profesional que infundía confianza.

—Nosotros iremos en retaguardia —dijo Allie, aunque era consciente de que la presencia de Alan atraería un enjambre de reporteros. Esto desviaría un poco la atención hacia Carmen pero también aumentaría el número de reporteros que atrajesen en conjunto. No había modo de eludir a la prensa.

—En cuanto entremos en el gran salón estarás a salvo —dijo Allie.

—Te acostumbrarás, nena —dijo Alan tocándole suavemente el brazo a Carmen.

La joven estrella irradiaba una dulzura que le gustaba y una vulnerabilidad que hacía años que no veía, y que le resultaba muy atractiva. La mayoría de las actrices que conocía estaban demasiado endurecidas.

—Dudo que llegue a acostumbrarme nunca —dijo quedamente Carmen, que alzó la vista y lo miró con sus grandes ojos azules.

Alan se sintió tentado de rodearla con los brazos, pero se contuvo para no alarmarla.

—Estarás bien segura —le dijo—. Nada va a ocurrirte. Yo recibo anónimos continuamente. Son chiflados. Nunca cumplen sus amenazas —añadió muy convencido.

No era eso precisamente lo que les habían dicho los del FBI aquella tarde. Según ellos, la mayoría de las amenazas que se cumplían iban precedidas de algún tipo de explicación, como la que Carmen Connors había recibido por correo: el comunicante creía que le estaba engañando con otro, que estaba en deuda con él por algo, aunque Carmen tenía la certeza de que no se trataba de ningún conocido. Estaba de acuerdo con Alan en que la mayoría de las amenazas no eran más que la expresión de mentes enfermizas y confusas. Pero siempre había que contar con la excepción, aquel que cumplía su amenaza. Tanto la policía como el FBI le habían aconsejado que tuviese cuidado durante una temporada; que no anunciase sus apariciones en público y no frecuentase lugares muy concurridos. Y aparecer allí aquella noche entraba precisamente en lo que le aconsejaban no hacer. Pero asistir a la entrega de los Golden Globes formaba parte de su trabajo. Aunque trataba de sobrellevarlo, la joven estaba asustada, y casi como un acto reflejo buscó la mano de Alan y se la apretó.

—Tranquila —dijo él, correspondiendo a su apretón.

Se apearon detrás de Bill y Gayle, sus guardaespaldas, y de Michael, que aguardaba ya en la acera. El efecto fue casi instantáneo: un enjambre de reporteros se acercó a ella y la gente empezó a corear su nombre a pleno pulmón. Allie nunca había visto nada parecido. Era casi como una ola que los engullía. Ella y Alan se preguntaban cuánto hacía que no surgía en Hollywood una estrella con el carisma de Carmen Connors.

—Pobre chica —dijo Alan, compadeciéndola.

Alan Carr sabía por experiencia lo que era aquello. Pero nunca se había sentido tan agobiado como notaba que se sentía ella. Alan era un poco mayor que Carmen cuando alcanzó el primer éxito importante y, además, la prensa del corazón no presionaba tanto a los hombres.

—Vamos —dijo Alan tomando del brazo a Allie pero sin apartar los ojos de Carmen.

Trataron de abrirse paso entre fans, cámaras y reporteros. Eran ya centenares. La hilera de limusinas estaba bloqueada.

—Echémosles una mano, Allie —dijo Alan, que se abrió paso hasta donde los guardaespaldas forcejeaban por avanzar.

Michael Guiness se había perdido entre la gente y parecía del todo indefenso. En pocos segundos Alan llegó junto a Carmen, con Allie colgada de su brazo, y rodeó firmemente a Carmen con los suyos.

—Hola, muchachos —les dijo Carr a los reporteros, como para darle a ella un respiro.

En cuanto lo reconocieron, la gente enloqueció y empezó a corear su nombre y el de Carmen.

—Claro, claro... Seguro... Aquí tenemos a una ganadora... En efecto... Muchas gracias a todos... Estoy encantado de estar aquí... La señorita Connors será una de las triunfadoras de la noche...

Alan Carr les prodigó frases amables y desenfadadas a la vez que con sus hombros de jugador de rugby seguía abriéndose paso. Gayle y Bill avanzaron también (todo un alarde por parte de Gayle, que llevaba tacones de aguja. Más de uno se llevó un buen pisotón «involuntario»). Bill recurrió al codazo sin contemplaciones para abrirle un pasillo a Carmen. Fue lento pero lo consiguieron. Los enjambres de fans volvieron a prorrumpir en gritos y un nuevo alud de reporteros y cámaras les salió al paso. Por un momento, Carmen sintió el impulso de escabullirse, pero Alan la sujetó a la vez que le hablaba para tranquilizarla y la urgía a seguir adelante.

—No pasa nada, mujer. Sonríe a las cámaras. Todo el mundo te está viendo esta noche —le susurró al oído.

Carmen Connors parecía a punto de echarse a llorar. Pero Alan seguía sujetándola y, al fin, lograron entrar en el salón. A la abogada le habían descosido un bolsillo de la chaqueta, y la abertura del vestido de Carmen se había agrandado. Un fan había logrado agarrarle la pierna y otro había intentado quitarle un pendiente. Más que una multitudinaria muestra de entusiasmo aquello parecía un linchamiento. Carmen entró en el salón sollozando.

—Trágate las lágrimas —le ordenó Alan—. Si ven lo aterrada que estás, cada vez que aparezcas en público será peor. Debes dar la impresión de que no te molesta en absoluto sino que te gusta.

—Lo odio —dijo Carmen.

Al ver que dos lagrimones surcaban sus mejillas, Alan le dio su pañuelo.

—De verdad. Debes de mostrarte muy fuerte cuando te acosen. Lo aprendí hace años. Si no, te harán pedazos... después de hacerte trizas la ropa.

Allie asentía mirándola. Daba gracias de que Alan estuviese con ellas. Quizá hubiese sido una suerte que Brandon no la acompañase. No les habría servido de ninguna ayuda y se habría enfurecido con la prensa.

Michael aún no había logrado entrar en el gran salón.

—Tiene razón —dijo Allie—. Has de dar la impresión de poder afrontar estos baños de multitud con los ojos cerrados.

—¿Y si no puedo? —exclamó Carmen y, todavía muy descompuesta, le dirigió a Alan una mirada de gratitud.

Seguía azorándola mirarlo. Eran tan guapo y tan famoso... La verdad era que ella era tan famosa como él, pero no se lo parecía así. Esa ingenuidad era parte de su encanto.

—Si no puedes afrontar estas cosas —le dijo Alan quedamente—, es que esto no es lo tuyo.

—Puede que no lo sea —repuso Carmen entristecida. Le devolvió el pañuelo. Sólo lo había humedecido un poco con sus lágrimas sin dejar rastro de rímel.

—¡Aaah, amiguita!, pero los americanos dicen que sí es lo tuyo. ¿No irás a dejarlos por mentirosos? —dijo Alan riendo a la vez que se le acercaba un grupo.

Alan se los presentó a todos. Allie ya conocía a la mayoría. Bill y Gayle se alejaron unos pasos discretamente, conscientes de que el peligro había disminuido. Alan y Carmen estaban ahora con «los suyos», compañeros, productores y directores. Y al cabo de unos minutos se les unieron los padres de Allie.

Blaire besó a Alan y le dijo lo mucho que se alegraba de verlo de nuevo; que su última película le había gustado muchísimo. Simon meneó la cabeza. En su fuero interno deseaba que su hija se enamorase de Alan, que era la clase de hombre que cualquier padre soñaba con tener por yerno. Era apuesto, atlético e inteligente. Además, tenía buen carácter. Simon y Alan habían jugado al golf y al tenis varias veces; y cuando él y Allie iban al instituto, Alan pasaba más tiempo en su casa que en la propia. Pero había estado muy ocupado durante los últimos años, y Simon no sabía a quién acompañaba Alan, si a Carmen Connors o a Allie. Parecía prestarles la misma atención a las dos.

Michael había logrado al fin entrar, pero se había encontrado con un grupito de amigos con quienes hablaba animadamente, a pocos pasos del grupo de Carmen.

—Hace siglos que no te vemos —se quejó Simon con tono amable—. No seas tan difícil de ver.

—El año pasado estuve seis meses en Australia, después de haberme pasado ocho en Kenia, rodando una película. Y acabo de regresar de Tailandia. Por culpa de esta insalubre profesión, casi vivo en el aire, o en la carretera. El mes que viene he de ir a Suiza. A veces es divertido pero... sólo a veces. Ya sabes.

Alan no había trabajado nunca para Simon Steinberg. Pero, al igual que todo el mundo en Hollywood, siempre había tenido en gran estima a Simon, un hombre inteligente, caballeroso y, tanto de palabra como de hecho, de una honestidad absoluta. Esas eran las virtudes que Alan valoraba de ella, que en muchos aspectos se parecía a su padre. Le gustaba su carácter y su físico. Porque Allie tenía unas piernas preciosas y un cuerpo que, como en la adolescencia, lo incitaba a pensar en ella como algo más que como una hermana. Se extasiaba al mirarla. Al inicio de la velada había albergado ideas románticas acerca de ella, pero en cuanto apareció Carmen sintió una conmoción desconcertante. Lo único que sabía era que anhelaba abrazar a Carmen, abrirse paso entre la gente e ir a cualquier sitio donde pudiesen estar a solas. Nunca había sentido por Allie lo que ahora sentía por Carmen. No podía apartar los ojos de ella desde que subió a la limusina.

Allie lo había notado y miraba a Alan sonriente. Estaba visto que había sido un flechazo fulminante. Tanto mejor.

—Ya te dije que te gustaría, Alan —dijo con tono de complicidad.

Al verlos dirigirse hacia una mesa, media docena de reporteros los fotografiaron. Carmen y Michael iban entre ellos y el camuflado matrimonio de «armas tomar», por así decirlo. Además, la prensa tenía muchas otras estrellas de las que ocuparse, aunque ninguna de belleza tan arrebatadora como Carmen Connors.

—¿Por qué será que cuando hablas de ese modo me recuerdas a Samantha? —dijo él, un poco molesto. Porque no quería reconocer haberse colado tan pronto por Carmen Connors.

—¿Me estás llamando mocosa? —bromeó Allie mientras un reportero de *Paris Match* los fotografiaba.

—No; sólo pelmaza. Pero te quiero de todos modos —repuso él en tono festivo, dirigiéndole una sonrisa por la que millones de mujeres habrían suspirado.

—El problema es que eres escandalosamente guapo —dijo ella, y sintió ganas de darle un cariñoso codazo, pero se abstuvo al pensar que estaban en público—. Creo que Carmen opina igual —añadió como una omnisciente hermana mayor.

—Mira... mejor no te metas en esto —le advirtió él, y de pronto deseó volver a besar su cuello.

Era ridículo, pensaba Alan, pasar quince años queriéndola casi como a una hermana y de repente volver a sentir deseo sexual por ella y... por aquella preciosidad que Allie tenía por cliente. No era normal.

Al acercarse un camarero con una bandeja, Alan le hizo una seña y le pidió whisky con hielo. Lo necesitaba para aclarar sus ideas, o para no pensar.

—No quiero que le digas nada a Carmen, ¿de acuerdo, Allie? —le advirtió él al llegar a su mesa, dispuesta para diez personas: Allie Steinberg y Alan Carr; Carmen Connors y Michael Guiness; un productor amigo de Simon, a quien Allie conocía desde hacía años, y su esposa, una famosa actriz en los años cuarenta; un matrimonio al que Allie no conocía; y Warren Beatty con Annette Bening.

—Te lo he dicho en serio, ¿eh, Allie? —repitió Alan—. No quiero que te mezcles en esto. Tenlo en cuenta desde ahora mismo.

—¿Y quién dice que voy a mezclarme? —exclamó ella con inocencia angelical al unírseles Carmen, que parecía mucho más tranquila.

Carmen Connors alzó la vista hacia Alan, lo miró con sus grandes ojos azules y le sonrió al sentarse él a su lado. Hablaron durante unos minutos y luego Allie se escabulló para ver a unos amigos.

También estaban allí varios abogados del bufete de Allie y la mayoría de sus clientes más importantes. Sus padres compartían mesa con varios amigos íntimos, directores, productores, y la estrella de su película más reciente. Era casi una reunión familiar. Allie estaba a sus anchas. Departía amigablemente con todos: amigos, escritores, productores o directores.

—Estás preciosa, Allie —le dijo Jack Nicholson al pasar junto a ella.

Allie le sonrió. Jack era uno de los más viejos amigos de su padre y ella y la Streisand se saludaron con una leve inclinación de la cabeza. No estaba segura de que Barbara la conociese, pero sin duda conocía a su madre. Allie se entretuvo charlando unos momentos con Sherry Lansing. La reafirmaba notar que muchos hombres la desnudaban con la mirada. Brandon era tan poco expresivo que rara vez la miraba de ese modo. Allie no desmerecía en absoluto de aquella constelación de estrellas.

—Ligando, ¿eh? —le dijo Alan al volver ella a la mesa—. ¿No habíamos quedado en que eres mi pareja? Ese tipo con el que sales te está acostumbrando mal —añadió con fingido enfado.

Allie sabía que bromeaba.

—Cierra la boca y pórtate bien —le dijo sonriente.

Al cabo de pocos minutos les sirvieron la cena. En cuanto llegaron los cafés, el salón quedó a media luz y empezó la gala que, para mayor gloria de los Golden Globes, televisaban varias cadenas. Tras la proyección de una serie de escenas de películas empezaron a dar a conocer los premios menores. Varios recayeron en actores y actrices que Allie conocía.

Durante las pausas obligadas por la publicidad, la mayoría de las presentes se retocaban el maquillaje y los hombres distraídamente el pelo. Las cámaras enfocaban una y otra vez a los nominados, con lo que conseguían ponerlos más nerviosos de lo que estaban. Al fin, le llegó el turno a Blaire Scott. Llevaba tanto tiempo ganando el premio a la mejor serie de televisión, en el género de comedia, que Allie estaba segura de que también este año ganaría. Sentía no estar junto a la mesa de su madre para poder apretarle la mano y mitigar su nerviosismo. Resultaba difícil creer que su madre pudiera estar nerviosa después de tantos años, pero, según ella, lo estaba siempre. Cuando Allie vio su cara en el monitor, notó que, efectivamente, estaba tan nerviosa como el resto de los nominados. Es más, parecía aterrada. Y entonces empezaron a dar a conocer los nombres de los nominados en su género, uno a uno. Sonó una música de fondo y luego se hizo el silencio. Todos aguardaban expectantes. Y entonces se oyó el nombre de la ganadora. Por primera vez después de siete victorias consecutivas de su madre, no se lo concedieron a ella. Allie no acababa de creérselo. Miró a Alan entristecida, al pensar en la decepción que debía de embargar a su madre. Volvieron a mostrar la imagen de Blaire Scott en el monitor de televisión, mientras la ganadora se dirigía al podio. Blaire sonreía pero Allie notó que estaba destrozada. Era una consecuencia del descenso de audiencia que se había venido produciendo.

—No puedo creerlo, Alan —susurró la hija mayor de los Steinberg.

Allie lamentó no estar junto a su madre para consolarla. Pero era impropio ir de un lado para otro mientras las cámaras filmaban.

—Yo tampoco —dijo Alan—. Sigue siendo una de las mejores series. La veo siempre que me pilla en casa —añadió sin faltar a la verdad.

Pero haber ganado en siete ocasiones a lo largo de los últimos años era mucho ganar. Iba siendo hora de que premiasen a otros. Y eso era exactamente lo que temía Blaire Scott, que tenía un nudo en el estómago y el corazón encogido. Miró a Simon, que le dio una palmadita cariñosa en la mano. Pero dudaba que su marido se hiciese cargo de cómo se sentía. Él había ganado muchas veces, pero sus triunfos habían sido siempre individuales. No tenía un programa fijo como ella, semana tras semana, año tras año. En algunos aspectos, la labor de Blaire era más difícil y dura. Blaire no olvidaba que Simon también estaba nominado, y se dijo que no debía ser egoísta. Pero no era fácil, después del disgusto que se acababa de llevar. Se sentía perdedora en muchos aspectos, aunque nadie reparase en ello.

—Espero que mamá lo encaje bien —dijo Allie.

La ceremonia prosiguió. Quedaban muchos premios por entregar y la velada empezaba a hacérsele interminable. Hubiese preferido que acabase ya. Pero no. Faltaba Carmen. Leyeron los nombres de las nominadas para el premio a la mejor actriz y las cámaras fueron enfocando a todas. Bajo la mesa, Carmen le apretaba la mano a Alan, que deseaba de corazón que ganase. Y de pronto el nombre de Carmen Connors resonó en el salón provocando un clamor de vítores y aplausos. Carmen se levantó y miró a Alan, que le sonrió como si hubiesen compartido toda la vida el sueño de aquel momento. Y entonces Allie lo vio con toda claridad. No había más que mirarlos. No cabía duda de que aquella noche había ocurrido algo importante entre ellos, sin que ninguno de los tres acabase de comprenderlo. Tardaran lo que tardasen en exteriorizarlo plenamente, Allie estaba segura de que la química entre Alan y Carmen era imparable.

Alan estaba de pie, aguardándola, cuando Carmen regresó sin resuello a la mesa, abrumada, entre risas y llanto, mostrando el Golden Globe. Alan la rodeó con sus brazos y la besó. Un reportero aprovechó para fotografiarlos. Allie tiró a Alan de la manga y él se sentó a su lado.

—Has de tener más cuidado —le dijo Allie.

Él sabía que su amiga tenía razón. Pero no había podido dominar el impulso. Carmen estaba tan eufórica que se rebullía inquieta en la silla. Allie se alegraba mucho de su triunfo, que casi logró disipar la tristeza que sentía por el fracaso de su madre. En algunos aspectos, Carmen se parecía a su hermana. Había orientado y administrado muchos aspectos de su carrera a lo largo de los tres últimos años, casi desde que la joven actriz contrató los servicios de su bufete. Carmen había triunfado. Y merecidamente.

Tardaron una hora más en anunciar y entregar todos los premios. Luego, la mayoría de los asistentes empezó a impacientarse por salir, con la sensación de que la ceremonia se eternizaba. Aún tenían que dar a conocer los premios al mejor actor, que recayó en otro de los clientes del bufete de Allie; a la mejor película, el mejor director y el mejor productor, que lo ganó su padre, al igual que en otras dos ocasiones anteriores.

Simon se dirigió al podio muy contento, recogió el Golden Globe, dio las gracias a sus colaboradores más destacados y a su esposa, de la que dijo que siempre sería la mejor para él.

Blaire le sonrió llorosa y él la besó cariñosamente al regresar a la mesa.

Y entonces, en el último momento, se anunció la concesión del premio a los Valores Humanos, que no se otorgaba todos los años sino sólo cuando, a juicio del jurado, lo merecía de manera especial alguien del mundo del espectáculo por sus cualidades. Proyectaron escenas de distintas películas y leyeron una larga relación de logros a lo largo de cuarenta años. Ya no cabía duda de quién sería el galardonado. Simon puso cara de asombro al oír su nombre. Blaire se puso en pie aplaudiendo, se echó a llorar y lo besó.

—Dios mío —balbució Simon Steinberg tras llegar al podio—. No sé... no sé qué decir. Por una vez no encuentro palabras —añadió visiblemente emocionado—. Este premio, que sin duda no merezco, se debe en todo caso a todos vosotros, al cariño que me habéis demostrado a lo largo de todos estos años. Gracias por todo lo que me habéis ayudado a conseguir, y por los maravillosos momentos que hemos compartido. Todo eso os lo debo a vosotros. Y os lo brindo.

A Allie se le saltaron las lágrimas. Alan le pasó el brazo por los hombros.

—Os doy las gracias por todo lo que habéis significado para mí —prosiguió su padre—, por todo lo que habéis hecho por mí y por lo que me habéis dado. Me siento en deuda con todos: con mi esposa Blaire, mi hija Allie y mis otros dos hijos, Scott y Samantha, que están en casa, y con todos aquellos con los que he trabajado. Repito, muchas gracias.

Una cerrada ovación acompañó a Simon desde el podio hasta su mesa. Era realmente una persona tan excepcional como decían y Allie siguió de pie, entre risas y lágrimas, de puro orgullo por ser hija de quien era.

En muchos aspectos había sido una noche maravillosa y, cuando ya se disponían a marcharse, Allie le dijo a Alan que quería ir a ver a su madre.

—De acuerdo. Te espero aquí con Carmen.

Allie fue junto a su madre, que charlaba con un grupo de amigos y colegas, y la abrazó.

—¿Te encuentras bien? —le susurró.

Blaire asintió con la cabeza. Aún tenía los ojos humedecidos por las lágrimas vertidas por Simon. Había sido una noche muy importante para Simon. Estaba tan orgullosa de él que casi olvidó su propia decepción.

—Bueno, el año que viene tendré que hacerlo mejor —dijo Blaire con fingido desenfado.

Pero Allie vio algo en sus ojos que no le gustó, y al acercarse a su padre reparó en que ella lo miraba nerviosa al verlo hablar con Elizabeth Coleson, una directora que había trabajado con él. Era una inglesa de gran talento a la que, pese a su juventud, ya habían concedido el título de lady por su excepcional labor. Estaban muy enfrascados charlando. Su padre reía. Se notaba una gran confianza entre ambos. No es que Allie viese nada malo en ello, pero intuyó algo más. Antes de que Allie pudiera comprenderlo, su padre se alejó de Elizabeth y la miró a ella. Le indicó por señas que se acercase y la presentó como la única persona de la familia que tenía un trabajo respetable. Elizabeth Coleson rió con ganas al estrecharle la mano a Allie y le dijo cuánto se alegraba de conocerla. Elizabeth era sólo cinco años mayor que Allie. Como muchas inglesas, parecía distante e indiferente a su propio aspecto, pero precisamente por ello resultaba más atractiva. Allie pensó que irradiaba sensualidad y talento. Tenía esa rara virtud de algunas mujeres de dar la impresión de acabar de levantarse de la cama, como si no llevase nada debajo de su traje de noche azul marino, pasado de moda. Era obvio que su padre se sentía atraído por ella, pensó Allie.

Charlaron unos minutos y Allie le dijo a su padre lo orgullosa que estaba de él, que la abrazó y le dio un beso. Pero, al despedirse de ellos, Allie sintió un cosquilleo de inquietud por Elizabeth Coleson. Regresó entonces a su mesa y, al volver a mirarlos, vio que su madre se les había acercado. Allie comprendió que la velada debía de haber sido difícil para su madre, aunque jamás querría reconocerlo ante nadie, y menos ante su hija mayor. Además, estaba muy preocupada por la suerte que pudiera correr su serie. Después de nueve años era bastante difícil mantener el interés y el nivel de audiencia. En los últimos tiempos habían perdido a algunos de los anunciantes más importantes. Y el hecho de no haber ganado ningún premio podía hacer que la audiencia cayese en picado.

Sin embargo, Allie notaba otra clase de preocupación en su madre. Se preguntaba si tendría algo que ver con Elizabeth Coleson, o si serían figuraciones suyas y lo único que le ocurría era que su madre estaba decepcionada por su fracaso. Nunca era fácil saber lo que pensaba su madre.

Blaire Scott era una profesional y tenía un gran espíritu deportivo. Al salir, media docena de reporteros le preguntaron cómo se sentía por no haber ganado. Blaire dijo alegrarse mucho por el éxito de la escritora-productora galardonada. Expresó su admiración por su serie y, como de costumbre, estuvo encantadora con la prensa. Añadió que estaba feliz por los premios ganados por su esposo, que Simon era una persona maravillosa y que, en cuanto a ella, quizá hubiese llegado el momento de dejar paso a la juventud.

Al dirigirse hacia la salida, Carmen Connors fue de nuevo rodeada por los reporteros, y el enjambre de fans volvió a la carga. Al pasar le lanzaron flores (de todas clases) y una mujer le arrojó un osito de peluche, que casi le dio en la cabeza, y se puso a gritar su nombre como una histérica. Por suerte, Alan se situó enseguida a su altura.

—Aquí hay que abrirse paso como en el rugby, Allie —dijo él sonriéndole.

La verdad era que Alan Carr no esperaba pasarlo tan bien aquella noche. Le propuso a Allie ir a cenar con Carmen y Michael a un restaurante estilo años cincuenta. Tardaron media hora en llegar a su limusina y una vez dentro resoplaron exhaustos. El baño de multitud les había sentado como si les hubiese pasado una apisonadora por encima.

—¡Dios mío! —exclamó Michael desde el asiento del acompañante—. Me parece que acabo de sentir una llamada religiosa. De esta salgo monje.

Hasta el chófer se echó a reír. Cuando Michael oyó que pensaban ir a cenar dijo que estaba extenuado, que tenía rodaje y debía estar en los estudios muy temprano por la mañana; así pues, si no les importaba, prefería volver a casa.

Carmen le aseguró que no le importaba, encantada de ir sólo con Allie y Alan.

Fueron primero a dejar a Michael y luego a Ed Debevic's en La Ciénaga. Carmen dijo que habría preferido ir allí con vaqueros y una camiseta.

—Y yo —dijo Alan mirándolas maliciosamente—. Debes de estar impresionante en vaqueros. ¿Por qué no vamos mañana a Malibú para que pueda ver si me gustas más con vaqueros o sin vaqueros.

Eran ya pasadas las doce. Carmen estaba muerta de risa y Allie sonreía mientras se dirigían a una de las mesas con mampara. Varios clientes habituales los siguieron con la mirada. Los guardaespaldas de Carmen ocuparon la mesa contigua.

Alan pidió una hamburguesa doble con queso y un helado de chocolate, que a Allie le recordó su adolescencia. Ella pidió una ración de aritos de cebolla y café. No le apetecía nada más. Los tres sonrieron a la camarera, vestida como un ama de casa de los años cincuenta. Se parecía a la Ethel de *I Love Lucy*.

—¿Qué desea cenar la mejor actriz del año? —le preguntó Alan a Carmen, que lo miró risueña. Veía a Alan como una mezcla de hermano mayor y príncipe romántico.

Allie tenía que reconocer que Alan era la clase de hombre por el que toda mujer suspiraba. Pero eran demasiado amigos para pensar seriamente en él como hombre. Además, su corazón estaba totalmente ocupado por Brandon.

—Pediré tarta de manzana de la casa y un batido de fresa —dijo Carmen—. Hoy me toca pecar.

—Por supuesto. Ahora que ya te han premiado... ¡al demonio con las calorías! Yo pediré algo que se pegué al riñón —dijo Alan apretándole la mano y mirándola encandilado—. Has estado extraordinaria esta noche, Carmen. Lo has afrontado mucho mejor de lo que yo hubiese podido a tu edad. Porque la verdad es que tanta fama abruma a cualquiera.

Sólo quienes sufrían las mismas tensiones podían comprenderlo, salvo casos como el de Allie, que convivía con artistas a diario.

—Cada vez que se me acercan fotógrafos o fans siento ganas de echar a correr y no parar hasta Oregón —dijo Carmen suspirando.

—¡Qué me vas a contar a mí! ¡Con los padres que tengo! —exclamó Allie. Puso los ojos en blanco y luego la miró más seria—. Opino igual que Alan. Has estado sensacional. Me siento muy orgullosa de ti.

—Y yo también —dijo Alan quedamente—. Por un momento temí que fuesen a arrollarte al entrar. La verdad es que la gente de los medios se pasa un pelín.

Eso le recordó a Allie que los guardaespaldas lo habían hecho muy bien y dirigió la mirada hacia ellos, sonriéndoles, apretando los labios y arqueando las cejas, a modo de expresivo gesto de felicitación.

—La prensa me aterra —confesó Carmen.

Lo sabían todos de sobra.

—¿Qué tal lo ha encajado tu madre, Allie? —preguntó Alan.

—Creo que le ha dolido, aunque no lo reconozca. Es demasiado orgullosa para dejar que nadie vea que sufre. Además, es probable que tenga sentimientos encontrados. Está muy contenta por lo de papá. Pero últimamente ha estado muy preocupada por su serie, y no haber ganado no va a ayudarla precisamente. Cuando he ido a hablar con ella, estaba felicitando a papá, que está como un niño. Creo que el premio a los Valores Humanos ha significado más para él que el obtenido por la película.

—La verdad es que ha merecido ambos —dijo Alan.

Carmen miró a Allie con expresión anhelante.

—No sabes cómo me gustaría que me dirigiera.

—Se lo dejaré caer —dijo Allie.

Era probable que también a su padre le interesara trabajar con ella. Era una actriz muy taquillera y, aparte de su atractivo, como intérprete lo hacía cada vez mejor. Tenía talento. Allie se abstuvo de hacerles ningún comentario acerca de Elizabeth Coleson. Era la primera vez que notaba que su padre miraba de aquella manera a otra mujer que no fuese su madre. Puede que sólo fuese admiración profesional y que, a su vez, la mirada de su madre sólo se debiera a las emociones de la velada, que para ella fue como una montaña rusa que oscilaba entre el orgullo y la decepción.

Salieron de Ed Debevic's a las dos de la madrugada. Allie y Alan sacaron a relucir sus tiempos del instituto de Beverly Hills, y Carmen les habló de su infancia en Portland, que sonaba como más normal que la que ellos tuvieron. Quizá eso fuera lo que le hiciese más difícil adaptarse a la locura de su vida actual, poblada de *paparazzi*, revistas del corazón, premios y amenazas de muerte.

—Corrientita que es nuestra vida —bromeó Alan de vuelta ya hacia la limusina. Atrajo a Carmen hacia sí y ella no lo rechazó.

—¿Queréis que pare un taxi y me esfume? —dijo Allie. Durante el rato que habían pasado en el restaurante había quedado muy claro que lo del flechazo no eran figuraciones suyas.

—Puedes meterte en el maletero —respondió Alan.

Allie le dio un empujoncito y Carmen los miró risueña. En cierto modo, envidiaba su larga amistad. Ella no tenía amigos así en Hollywood. En realidad, la única persona con quien tenía verdadera amistad era Allie. El resto eran compañeros de trabajo a los que nunca volvía a ver tras el rodaje de una película. Cada uno iba por su lado. Lo que más le desagradaba de la vida en Los Ángeles era lo sola que se sentía. Apenas salía más que para ocasiones como aquella, con una pareja asignada en los estudios y que había resultado un tipo tan aburrido como ella. Y así se lo comentó a ambos durante el trayecto, para asombro de Alan.

—¿Sabes que la mitad de los norteamericanos darían cualquier cosa por salir contigo? Por más que lo digas, nadie creerá que te pasas las noches en casa sola, viendo la televisión —dijo Alan, aunque él sí la creía. Tampoco su vida amorosa era tan apasionante como creía la mayoría. Todo eran aventuras fugaces que acababan en las revistas del corazón—. Tendremos que ponerle remedio a eso —añadió.

Carmen ya había aceptado ir con él a su casa de Malibú al día siguiente. Y ahora Alan le estaba proponiendo ir a la bolera.

Allie pidió que la dejasen primero a ella. Los besó a ambos al despedirse y volvió a felicitar a Carmen.

Al entrar en casa, Allie se sintió exhausta y se quitó los zapatos de tacón alto con alivio. La velada había sido agotadora.

Carmen y Alan parecían lanzados a toda velocidad por la pista de un flamante romance. Se alegraba por ambos. Sólo la entristecía no estar con Brandon. Fue a la cocina y pulsó el botón del contestador automático. No creía que Brandon hubiese llamado, pero cabía la posibilidad, aunque sólo fuese para decirle que la quería.

Tres amigas y un compañero del bufete le habían dejado sendos mensajes, aunque ninguno era urgente ni importante. Y sí había uno de Brandon. Le decía que lo había pasado estupendamente con las niñas y que la llamaría el domingo. De los premios, ni palabra. Ni siquiera parecía haber visto la ceremonia por televisión.

Al escuchar el mensaje, Allie volvió a notar que la invadía una intensa sensación de soledad. Era como si, en realidad, no formase parte de su vida, salvo cuando a él se le antojaba; e incluso entonces, casi de puntillas, sin entregarse nunca de verdad. Era como si estuviese de turista en su mundo. Por más que lo quisiera y por más que durasen sus relaciones, siempre había entre ellos una distancia casi palpable.

Allie apagó el contestador y fue a su dormitorio quitándose las orquillas del pelo. Se lo dejó suelto. Le llegaba casi a la cintura. Sin saber por qué, los ojos se le llenaron de lágrimas al quitarse el vestido y dejarlo en el respaldo de una silla. Tenía veintinueve años y dudaba que ninguno de los hombres que había habido en su vida la hubiese querido de verdad. Se sintió muy sola al verse de pie desnuda entre los espejos del tocador. ¿La amaba Brandon? ¿Sería capaz alguna vez de ir más allá de los límites que él mismo se había fijado?; ¿de estar a su lado como intuía que Alan quería estar con Carmen? Era así de sencillo: Alan y Carmen acababan de conocerse hacía unas horas y él parecía volcado, sin temores ni titubeos. En cambio, Brandon, pese a llevar dos años de relaciones, parecía un hombre al borde de un barranco, incapaz de saltar o de retroceder.

Allie Steinberg estaba sola. Comprenderlo así era una de esas cosas que producen pánico cuando se piensan en la oscuridad de la noche, hasta casi hacerte gritar. Estaba totalmente sola. Y dondequiera que estuviese en aquellos momentos, Brandon también estaba solo.

4

La primera llamada que Allie recibió el domingo por la mañana fue de Brandon. Le dijo que iba a jugar al tenis con las niñas y
que quería hablar con ella antes de que saliese. Porque sabía que
aquella tarde tenía un vuelo para Nueva York.

—¿Qué tal le ha ido a tu tropa?

Se lo preguntó con lo que parecía genuino interés, aunque a
ella le extrañaba mucho que no se hubiese enterado, por lo menos
a través de los informativos, ya que ni siquiera había tenido la
atención con sus padres de seguir la ceremonia por televisión.
Pero se abstuvo de hacerle ningún reproche. Se alegraba de que la
hubiese llamado.

—Carmen ha ganado el premio a la mejor actriz y mi padre el
del mejor productor. Además, le han concedido el premio Valores Humanos, que otorgan de vez en cuando. Ha sido maravilloso. Lástima que a mi madre no le hayan otorgado ningún premio
este año. Creo que eso la ha afectado mucho —añadió entristecida al recordar la mirada de decepción y abatimiento de su madre.

—Hay que tener mucho espíritu deportivo en esta profesión
—repuso él en tono burlón.

El comentario molestó a Allie. Ya estaba bastante molesta por
el hecho de que no hubiese asistido a la ceremonia, sólo faltaba
que aludiese a su madre con tan poco tacto.

—No es tan simple. Tiene que ver con la continuidad de una
serie, al margen de que ganes o no un premio. Ha estado luchando por la continuidad de esa serie a lo largo de todo el año,

y no haber ganado podría hacerle perder importantes patrocinadores.

—Lástima —dijo Brandon con desinterés—. Felicita a tu padre de mi parte.

—Así lo haré.

Brandon le habló entonces del día que había pasado con sus hijas. Y el modo en que abordó enseguida aquel tema escamó a Allie. Pensar en cómo había tratado Alan a Carmen la noche anterior, e incluso cómo la había tratado a ella, le recordaba lo considerados y solícitos que eran algunos hombres. No todos eran tan estirados y arrogantes como Brandon que, por lo visto, pretendía que ella también lo fuese. Brandon se negaba a aceptar que ella le planteara exigencias de ninguna clase. Eran como dos naves que navegasen en paralelo pero muy distantes. La sensación de soledad que la invadió la noche anterior volvió a embargarla ahora al escucharlo. Últimamente, cada vez sentía mayor inquietud por sus relaciones y mayor abandono cuando no estaban juntos. Siempre había aspirado a una relación como la que tenían sus padres, y empezaba a temer estar condenada a dar siempre con hombres que no querían comprometerse, como la doctora Green le había insinuado.

—¿A qué hora sales para Nueva York? —le preguntó él.

Allie iba a ver a un importante autor de *bestsellers*. Su agente le había pedido que le representase en las negociaciones de un contrato para una película, y tenía concertadas otras entrevistas. Iba a estar muy ocupada toda la semana.

—El vuelo sale a las cuatro —dijo.

Tampoco en eso parecía reparar Brandon. Allie aún tenía que hacer el equipaje y quería pasar a ver a su madre antes de ir al aeropuerto, o por lo menos llamarla para asegurarse de que se había rehecho de su decepción. También quería ver o llamar a Carmen.

—Estaré en el Regency —dijo.

—Te llamaré.

—Que te vaya bien en el juicio.

—La verdad es que preferiría que mi cliente se aviniese a un acuerdo. Saldría mucho mejor parado con el fiscal si lo aceptase. Pero es muy terco.

—Puede que a última hora lo reconsidere —comentó Allie por animarlo.

—Lo dudo. Además, ahora ya lo tengo todo planteado para una dura defensa.

Como de costumbre, Brandon daba la impresión de no asomar la cabeza fuera de su propio mundo y de su propia vida. Era como si, una y otra vez, Allie tuviese que esforzarse en llamar su atención.

—Nos veremos la semana que viene —dijo él en un tono que parecía indicar que lo lamentaba de verdad—. Te echaré de menos.

Allie le sonrió al teléfono, relativamente sorprendida por lo que acababa de oír. Esos mínimos detalles eran los que la mantenían apegada a él. Le hacían concebir esperanzas. Daba la impresión de que Brandon era perfectamente capaz de amarla, pero que no podía dedicarle mucho tiempo, aparte de que seguía traumatizado por la experiencia con su ex esposa. Esa era siempre la excusa. El trauma que le había producido Joanie. Allie se lo había explicado así a todo el mundo decenas de veces. Y había momentos en que le parecía obvio que Brandon la amaba.

—Yo ya te echo de menos —dijo con voz entrecortada.

Se hizo un largo silencio.

—No he podido hacer otra cosa, Allie —se justificó él—. No tenía más remedio que estar aquí este fin de semana.

—Ya lo sé. Pero te eché mucho de menos anoche. Era algo muy importante para mí.

—El próximo año iré, tal como te prometí el otro día —le recordó Brandon.

—Te tomo la palabra —dijo ella. Pero ¿habría otro año? ¿Se habría divorciado ya? ¿Se habrían casado? ¿Habría logrado él superar su temor a comprometerse? Eran preguntas que seguían sin respuesta.

—Te llamaré mañana por la noche —reiteró él, y antes de colgar añadió algo que a ella le llegó al corazón—: Te quiero, Allie.

—Y yo también te quiero —correspondió ella cerrando los ojos. Eso era lo que ella entendía por *estar* a su lado. De lo demás (de sus temores y obligaciones) se hacía cargo—. Cuídate mucho estos días.

—Lo haré. Y tú también —dijo él como si de verdad fuese a echarla de menos.

Cuando hubieron colgado, Allie se sintió mucho mejor. Lo que tenían no era fácil de conseguir y, pese a todo lo que pensaran los demás, *lo tenían*. Sólo necesitaba armarse de un poco más de paciencia. Brandon merecía la pena.

Llamó luego a sus padres. Volvió a felicitar a su padre y le transmitió la felicitación de Brandon. Al ponerse su madre al teléfono notó un dejo de tristeza en su voz.

—¿Estás bien? —le preguntó Allie cariñosamente, y su madre sonrió agradecida de que la hubiese llamado.

—¡Qué va! Voy a cortarme las venas o a meter la cabeza en el horno.

—Bueno, pero date prisa, porque si no llegarán los de las obras y te encontrarás la cocina patas arriba —bromeó Allie—. En serio, mamá, merecías ganar también este año.

—No estoy tan segura. Como le comenté a un periodista, quizá haya llegado el momento de dejar paso a la juventud. Hemos tenido muchos problemas este otoño con la serie.

Desde luego, los habían tenido. Una de las protagonistas los plantó, harta de hacer lo mismo durante nueve años; y varios de los que intervenían en la serie pidieron aumentos astronómicos para renovar sus contratos. Además, algunos guionistas también habían desertado y, como consecuencia, todo había recaído sobre sus hombros.

—Quizá ya empieza para mí la cuesta abajo —prosiguió su madre en tono festivo.

Pero Allie notó algo en su tono que la preocupó. Era similar a lo que creyó notar en su mirada la noche anterior. Y la alarmó. Se preguntó si su padre habría reparado también en ello y si le parecía tan preocupante como a ella.

—No digas tonterías, mamá. Tienes otros treinta o cuarenta años de éxitos por delante —la animó.

—Oh, ¡no lo quiera Dios! —exclamó Blaire, que se echó a reír como si de pronto recobrase su talante habitual—. Verás...: Creo que seguiré en la brecha otros veinte años, y luego me retiro. ¿Qué tal?

—Lo firmo —dijo Allie.

La conversación mantenida con Brandon y la que tenía ahora con su madre la tranquilizaba. Estaba de mucho mejor humor que el día anterior. Sólo lamentaba no poder pasar la noche con Brandon antes de volar a Nueva York.

Allie le habló a su madre del viaje y le dijo que regresaría el siguiente fin de semana. Siempre informaba a sus padres de sus viajes.

—Nos veremos al regreso —le dijo su madre, que le dio las gracias por haber llamado.

Allie llamó entonces a Carmen, que volvía a estar aterrada,

aunque por distintas razones. Los reporteros montaban guardia frente a su casa; un verdadero ejército dispuesto a arrancarle como fuese unas palabras en cuanto asomase la cabeza. Tras su triunfo de la noche anterior, Carmen Connors era una presa aún más codiciada. Los guardaespaldas que Allie le había contratado estaban allí, pero Carmen temía que los reporteros irrumpieran en la casa si abría la verja del jardín. Se sentía prisionera. No se había atrevido a salir en toda la mañana.

—¿No tienes una puerta trasera? —preguntó Allie.

Carmen dijo que sí, pero que también allí había fotógrafos y cámaras de televisión.

—¿Va a ir a verte Alan? —preguntó Allie, y se dijo que tenía que haber algún medio de que pudiese salir sin tener que enfrentarse abiertamente a la prensa.

—Anoche quedamos en ir a Malibú. Pero no me ha llamado y yo no he querido importunarlo —respondió Carmen titubeante.

Allie tuvo entonces una idea. Estaba segura de que Alan no tendría inconveniente en echarle una mano a Carmen, pensó risueña.

—¿No tienes pelucas?

—Sólo una que me puse el año pasado por Halloween.

—Bien. Pues tenla a mano, que a lo mejor la necesitas. Llamaré a Alan.

Allie le explicó el plan y concretaron los detalles. Alan se presentaría con una vieja camioneta que casi nunca utilizaba y se detendría frente a la puerta trasera. De modo que nadie lo identificaría, salvo que llegase al extremo de indagar la matrícula, y para entonces ya se habrían marchado. Allie sugirió que también Alan llevase peluca. Tenía muchas, que había utilizado en distintos papeles. Allie le dijo que se comportase como si fuese a recoger a la criada y que se marchasen enseguida. Con suerte nadie descubriría la treta.

—Puede utilizar mi casa de Malibú durante unos días si quiere, hasta que todo se tranquilice —ofreció Alan.

Allie pensó que a Carmen le gustaría la idea. Él dijo que la recogería a la una y Allie la llamó para decírselo. Pero, de pronto, Carmen se cohibió ante la perspectiva de que Alan fuese a recogerla y dijo que no quería abusar de su amabilidad.

—Abusa, mujer, abusa —bromeó Allie—, que le encantará.

Alan llegó a casa de Carmen a la una en punto, con una peluca rubia que le daba pinta de hippie. La camioneta Chevrolet era tan vieja y destartalada, que los reporteros no prestaron la menor atención al tipo desastrado que entraba y volvía a salir con aquella criadita mejicana de pelo negro y corto, con un *top* chillón y unos holgados vaqueros. Llevaba dos bolsas de la compra de papel con víveres para sus días libres. Salieron por la puerta sin el menor problema. Era la huida perfecta. Diez minutos después llamaron a Allie desde una gasolinera.

—Estupendo —dijo esta—. Y ahora id a pasarlo bien. Pero no os metáis en líos aprovechando que no estoy, ¿de acuerdo? —bromeó. Le recordó a Carmen que estaría en el Regency de Nueva York, y de regreso en Los Ángeles el siguiente fin de semana. Antes de colgar quiso darle las gracias a Alan por su ayuda.

—No es exactamente un sacrificio —le dijo él a su vieja amiga—. Te mentiría si dijese que lo es.

Alan estaba sorprendido por haberse colado de aquella manera. No sabía hasta dónde podían llegar Carmen y él, pero le encantaba la idea de ocuparse de ella mientras Allie estaba ausente. Ni siquiera se habían molestado en llamar a los guardaespaldas. Estarían ellos dos solos en su casa de la playa.

—Pórtate bien, ¿eh, Alan? Es una buena chica, no es como la mayoría de las que conocemos —dijo Allie, temerosa de que Alan se dejase llevar por un *amour fou* y luego la plantase.

—No te preocupes. Ya sé todo eso. Seré bueno, lo prometo. O por lo menos... no del todo malo —dijo Alan, que miraba anhelante a Carmen. Con su *top* y sus vaqueros ella aguardaba a un par de metros de la cabina—. Ya sé que es diferente. Nunca he conocido a nadie como ella, salvo tú, y de eso ya hace mucho tiempo. Creo que es como éramos nosotros de jovencitos, honesta y sincera, antes de convertirnos en adultos y en unos cínicos, crispados por quienes no resultan ser como esperábamos. No voy a hacerle daño, te lo prometo. Creo... bueno—, es igual. Tú ve a Nueva York, a lo tuyo. Y uno de estos días, cuando hayas regresado, tendremos una charla sobre nuestras vidas, como en los viejos tiempos.

—De acuerdo. Cuídala.

Era como confiarle a su hermana. Allie sabía que Alan era una buena persona. Y a juzgar por sus palabras y tono, parecía que estaba resuelto a tratar a Carmen como se merecía.

—Te quiero, Allie. Ojalá encuentres a alguien que te merezca, en lugar de ese imbécil con su ex esposa y su eterno divorcio. Por ahí no irás a ninguna parte, Allie.

—¡Anda y que te den, oye! —repuso ella entre irritada y risueña.

—Lo probaré —bromeó él—. Aprovecha en Nueva York para tirarte a algún tío bueno.

—¡Eres un guarro!

Allie no pudo contener la risa. Se despidieron cariñosamente y luego Alan y Carmen se quitaron las pelucas y salieron en dirección a Malibú.

En la casa no había nadie, ningún personal de servicio. Estaba magníficamente situada, en una cala muy tranquila. A Carmen le pareció el lugar más bonito que había visto. Él se alegraba tanto de estar allí con ella que deseó quedarse allí para siempre.

Allie iba ya camino del aeropuerto. Había llamado a Bram Morrison antes de salir y le había dejado el nombre del hotel en el que se alojaría en Nueva York. A Bram le gustaba que estuviese localizable siempre. Era una de sus manías. Los demás podían localizarla también llamándola al despacho.

La joven abogada embarcó poco después de las tres y media, en clase turista y se sentó junto a un abogado de un bufete de la competencia. A veces tenía la impresión de que los abogados surgían por todas partes como hongos. Se le antojó curioso que, en esos mismos momentos, Brandon volase de regreso a Los Ángeles. Parecía un símbolo de que iban efectivamente en distintas direcciones.

Durante el vuelo leyó los documentos para la película sobre la que tenían que tratar al día siguiente, tomó algunas notas e incluso tuvo tiempo de leer un par de periódicos. Llegó a Nueva York pasada la medianoche. Fue a recoger su bolsa y salió en busca de un taxi. Hacía un frío glacial.

A la una de la madrugada estaba en su habitación del Regency, aunque con los ojos como platos, porque para su organismo no eran más que las diez. Podía llamar a alguien. Como Brandon no llegaría a casa hasta las once, fue a darse una ducha, se puso el camisón, y encendió el televisor. Tenía su encanto estar en aquel lujoso hotel de Nueva York.

Lamentó no tener allí amigos a quienes poder llamar o con quienes salir a tomar una copa. Sus planes para aquella semana se reducían a entrevistarse con el autor con quien estaba citada al día siguiente y a ver a otros abogados y agentes. Sería una semana ajetreada, pero por las noches no tenía nada que hacer. Se quedaría a ver la televisión y leer documentos. Aquella cama tan grande la hacía sentirse como una niña. Sonreía maliciosamente mientras daba cuenta de las chocolatinas que la dirección del Regency dejaba en las mesillas de noche.

—¿De qué te ríes? —le preguntó a la cara que vio en el espejo al ir a lavarse los dientes—. ¿Quién te ha dicho que tienes edad para estar en un lugar como este y entrevistarte con uno de los autores más importantes del mundo? ¿Y si descubren que no eres más que una chiquilla?

La idea de haber llegado tan lejos, de tener tanta responsabilidad, se le antojó cómica. Se enjuagó la boca y volvió a la cama muerta de risa, a terminarse las chocolatinas.

5

El despertador sonó a las ocho. En pleno enero y nevando, la luz del día era muy tenue. En California eran las nueve de la mañana. Allie se dio la vuelta con un quedo gruñido de protesta. Por un momento había olvidado donde estaba. Pero enseguida reaccionó y recordó que a las diez tenía que entrevistarse con el escritor Jason Haverton, ya muy viejo y reacio a que adaptasen sus novelas al cine. Pero su agente opinaba que una película basada en una obra suya daría un gran impulso a su carrera en aquellos momentos ya que, inevitablemente, cada vez escribía menos.

La misión de Allie era ayudar al agente a convencerlo de que firmase un contrato de cesión de derechos cinematográficos. El agente Andreas Weissman era casi tan famoso como Haverton. De modo que Allie se apuntaba un buen tanto por el solo hecho de que hubiese recurrido a ella. Era un importante paso para ascender en el bufete. Pero, mientras remoloneaba, la perspectiva de verse con ellos no le seducía en absoluto. Nevaba y hacía frío. Habría preferido quedarse en la cama toda la mañana.

Mientras se apremiaba para dejar de holgazanear la camarera llamó y entró con el desayuno, el *New York Times* y el *Wall Street Journal*.

A la vez que atacaba los cruasanes con jamón, los copos de avena y el café, le echó un vistazo a los periódicos. Por un lado, el día prometía ser interesante. Como la agencia literaria estaba en Madison Avenue y el bufete al que debía ir por la tarde en Wall Street, por el camino podría ver escaparates de tiendas, galerías de arte y el fascinante espectáculo de la abigarrada multitud. A diario había en Nueva York tantos actos culturales, entre conciertos, comedias musicales, ópera, teatro y exposiciones de todas clases que, en comparación, Los Ángeles parecía provinciana.

Allie se puso un traje sastre negro, un grueso abrigo y botas para asistir a la reunión. Fue en taxi, con su bolso y su maletín. Y al llegar y verse en un espejo del vestíbulo lamentó no haberse puesto un gorro, porque tenía las orejas coloradas.

El ascensor se detuvo en la planta superior, que la agencia ocupaba en su totalidad. En la recepción había una impresionante colección de dibujos, óleos y pasteles de Chagall, Dufy y Picasso, y una escultura de Rodin en el centro. No cabía duda de que a la agencia le iba muy bien.

Enseguida acompañaron a Allie al despacho de Andreas Weissman, que dirigía la agencia desde hacía años. Era bajito, regordete y con ligero acento alemán.

—La señorita Steinberg, ¿verdad? —dijo él a la vez que le tendía la mano y la miraba con expresión admirativa.

Allie estaba tan bonita que era inevitable que Weissman la mirase de aquel modo. Charlaron animadamente sobre diversos temas y, al cabo de una hora, Jason Haverton, casi octogenario, se mostraba más lúcido que muchos hombres de cuarenta. Era ingenioso y muy perspicaz. Además, de joven debía de haber sido guapísimo, pensó Allie.

Haverton le preguntó si tenía algo que ver con Simon Steinberg. Al decirle ella que era su padre, el veterano escritor le aseguró que era un gran admirador suyo.

Weissman y Haverton invitaron a Allie a almorzar en La Grenouille.

En la limusina de Weissman, siguieron hablando de temas generales. Hasta que les sirvieron el primer plato no fueron al grano. Jason Haverton le confió a Allie que se había resistido lo indecible a aquel acuerdo, que no tenía el menor interés en que adaptasen ninguna de sus novelas al cine y que, a su edad, no tenía por qué prostituirse. Aunque, por otro lado, añadió, ahora escribía menos y sus lectores ya no eran jóvenes.

Weissman opinaba que ceder una novela para que la llevasen al cine era un medio ideal de atraerle un nueva generación de lectores.

—Me temo que estoy de acuerdo con él —dijo Allie, sonriendo—. No tiene por qué ser negativo para usted.

La joven abogada se extendió en consideraciones para disipar la aprensión de Haverton y subrayar los aspectos positivos del acuerdo. A Weissman le cayó bien Allie y le gustó su planteamiento. Era indudable que tenía talento y conocía su profesión. Cuando les sirvieron la *mousse* de chocolate ya se había creado entre ellos una atmósfera muy amistosa.

—¡Ah, si la hubiese conocido cincuenta años antes! —exclamó el viejo escritor con expresión risueña.

Haverton dijo que había tenido cuatro esposas y que ya no se sentía con fuerzas de ir por la quinta. Era un asunto muy fatigoso, añadió con un malicioso brillo en la mirada.

Allie rió. No le extrañaba que hubiese tenido tanto éxito con las mujeres. Era un hombre inteligente, divertido y encantador. Pese a su avanzada edad conservaba un increíble magnetismo. En su juventud había vivido en París. Su primera esposa fue una francesa, las dos siguientes británicas y la última norteamericana, también una escritora famosa. Había muerto hacía diez años y aunque desde entonces Haverton había tenido parejas más o menos duraderas, ninguna había conseguido que reincidiera en el matrimonio.

—Las mujeres lo agotan a uno —dijo—. Son como los purasangre, demasiado delicadas, un gozo para la vista y... carísimas. Aunque también es verdad que proporcionan mucho placer —añadió con festivo descaro.

Allie casi se ruborizó. Se dijo que, a poco que le diese pie, Haverton intentaría juguetear con ella como un gato con una confiada ratita. Weissman se divertía viendo a Jason coquetear con Allie.

Weissman y Haverton eran amigos desde hacía muchos años y el agente estaba totalmente de acuerdo con él en su opinión sobre la joven abogada. Era una mujer extraordinaria a la que de buena gana le hubiese tirado los tejos. Pero Allie era lista y supo deslizar pequeños detalles para hacerles comprender que estaba comprometida.

—¿Ha vivido siempre en Los Ángeles? —le preguntó Jason mientras terminaban la *mousse* y tomaban café. Le parecía ver en Allie un refinamiento más propio de las europeas, o por lo menos de las norteamericanas del Este.

—Sí, he vivido siempre en Los Ángeles, salvo cuando estudié en Yale.

—Es que, sin que ello signifique desmerecer a los californnos, tiene usted una distinción especial. Ha debido de heredarla de sus padres —dijo el novelista.

Ella le agradeció el cumplido con una sonrisa. Haverton conocía bien a Simon Steinberg y pensaba que, por lo menos de carácter, Allie se parecía mucho a él. Tenía sensibilidad, era franca y directa, una mujer de pocas palabras pero de muchos sentimientos.

—Mi madre también es escritora —dijo Allie—. Escribió relatos cuando era muy joven, pero luego se especializó en comedias para televisión. Tiene una serie de gran éxito. Creo que en el fondo le hubiese gustado triunfar como novelista.

—Lo sé. También su madre tiene mucho talento —dijo Haverton.

—Como usted —repuso Allie, y recondujo la conversación para centrarla en él. Era un modo de halagarlo.

Weissman observaba fascinado la habilidad con que Allie trataba al escritor, que media hora después había accedido a casi todo lo que quería su agente.

Cuando Haverton se hubo marchado, Weissman felicitó a Allie. El escritor se había despedido de ella como si de una íntima amiga se tratase.

Weissman y Allie regresaron a la agencia en la limusina del agente para poner por escrito todo lo acordado.

—Lo ha hecho usted muy bien —le dijo él, tan admirado por su atractivo como por su talento.

—Es mi profesión —repuso ella con naturalidad—. Saber tratar con personas como él. La mayoría de los actores y actrices son como niños.

—Y los escritores también —dijo Andreas sonriente.

Pasaron casi dos horas concretando los distintos puntos del contrato y calculando lo que debían pedir a la productora para Jason Haverton. Allie dijo que, en cuanto lo concretasen, llamaría a la productora y que luego llamaría a Haverton para informarlo de su respuesta. Con un poco de suerte podían llegar a un acuerdo aquella misma semana, antes de dejar Nueva York el viernes. Mientras tanto, atendería a las diversas entrevistas que tenía concertadas sobre otros asuntos.

—¿Hasta cuándo estará usted aquí? —le preguntó Weissman.

—Hasta el viernes, a menos que quede todo solucionado antes. Supongo que el miércoles sabremos algo de la productora, pero no me importa en absoluto alargarme hasta el viernes.

Weissman anotó unas señas en un bloc (el agente era un hombre tan sofisticado que hasta el bloc era de Hermès).

—Mi esposa y yo ofrecemos una fiesta esta noche. Uno de mis autores acaba de terminar un libro que puede ser un gran éxito. En cualquier caso, es una buena excusa para reunirse con los amigos. Dudo que Jason asista, pero algunos de nuestros autores más destacados no faltarán.

Weissman le pasó la hoja del bloc en la que había anotado una dirección de la Quinta Avenida y el número de teléfono de su casa. Le dijo que, entre las seis y las nueve, podía ir cuando quisiera. Que les encantaría que asistiese.

—Muy amable por su parte —agradeció Allie.

Weissman le había caído bien. Le gustaba su modo de enfocar las cosas. Era un hombre agudo y práctico y, aparte de su encanto europeo, era un inteligente hombre de negocios que sabía muy bien lo que hacía y no perdía el tiempo. A Allie le gustaba eso. Había oído hablar muy bien de él y siempre había llegado a acuerdos positivos con sus autores.

—Procure venir. Podrá tomarle un poco el pulso al mundillo literario neoyorquino. Es divertido.

Ella volvió a darle las gracias y al cabo de unos minutos abandonó su despacho. Había sido una tarde sorprendentemente grata. Al salir a la calle la nieve se había embarrado. Se detuvo junto al bordillo y paró un taxi para volver al hotel.

Eran pasadas las cinco de la tarde cuando terminó de hacer todas las llamadas para empezar las negociaciones con la productora. Una hora después había tomado algunas notas y dudaba entre encargar la cena al servicio de habitaciones o asistir a la fiesta de los Weissman. Fuera hacía un frío terrible y no había traído ropa adecuada. Sólo llevaba en el equipaje dos trajes sastre y dos vestidos de lana. Pero, por otro lado, la perspectiva de conocer a algunos escritores neoyorquinos merecía el sacrificio. Estuvo pensándolo durante media hora mientras veía los informativos y, de pronto, se levantó y fue al armario. Había decidido asistir a la fiesta de los Weissman. Se puso el único vestido más o menos adecuado que tenía (uno largo de lanilla negra). Era de cuello alto y manga larga y se le ceñía al cuerpo de un modo que destacaba sus formas. Se puso zapatos de tacón alto, se cepilló el pelo y se miró complacida en el espejo. Aunque, comparada con las sofisticadas neoyorquinas temía parecer vulgar. No llevaba más joyas que un brazalete de oro regalo de su madre y unos sencillos pendientes, de oro también. Se peinó dejando caer un bucle sobre la frente y se pintó los labios. Luego se puso el abrigo. Lo tenía desde sus tiempos en la facultad pero, con el clima de California, casi no se lo había puesto en los últimos años. No era bonito pero abrigaba.

Bajó al vestíbulo, el portero paró un taxi y a las siete y media estaba en la calle 82, esquina la Quinta Avenida, justo enfrente del Museo Metropolitano. Era un edificio de apartamentos, antiguo pero muy bonito, con portero y dos ascensores, varios sofás tapizados de terciopelo rojo en el vestíbulo y una alfombra que parecía persa y que amortiguó el ruido de sus tacones.

El portero le indicó que el apartamento de los Weissman estaba en la planta 14. Media docena de personas salieron del ascensor al subir ella. Daban la impresión de salir de la fiesta, y Allie temió haber llegado demasiado tarde. Pero, como Andreas le había dicho que podía ir hasta las nueve, no se preocupó. Se orientó por el bullicio que llegaba del fondo del pasillo. De modo que la fiesta aún proseguía. Pulsó el timbre y salió a abrirle un cincuentón con pinta de mayordomo. A primera vista parecía haber allí un centenar de personas. Alguien tocaba un piano al fondo.

Allie Steinberg se detuvo un momento en el vestíbulo del elegante dúplex de los Weissman. Se le acercó una joven, que no parecía una empleada, y se ofreció a guardarle el abrigo. Seguramente era una invitada que echaba una mano para recibir a los rezagados. A Allie le llamó la atención el ambiente, plenamente neoyorquino; las mujeres con vestido de cóctel y los hombres con traje gris oscuro. Todos charlaban animadamente en corrillos. Allí estaban Tom Wolfe, Norman Mailer, Barbara Walters, Dan Rather y Joan Lunden; varios editores, directores literarios, profesores, escritores y el conservador del Museo Metropolitano. También estaba allí el director de Christie's y un puñado de famosos pintores. Era la clase de reunión que nunca se producía en Los Ángeles, porque allí no vivían tantas celebridades del mundo de la cultura. En Los Ángeles todo era gente relacionada con la industria del cine, como la llamaban, como si en lugar de producir películas fabricasen automóviles. Pero en Nueva York había de todo: decoradores, actores del teatro independiente de Broadway, directores de grandes almacenes, joyeros y dramaturgos. Era una mezcla fascinante.

Allie aceptó la copa de champán que le ofreció un camarero al pasar con una bandeja. Sintió alivio al ver a Andreas Weissman al fondo. Fue hacia él, que estaba junto a la biblioteca, frente un ventanal con vista a Central Park. Charlaba con su gran competidor: el agente Morton Janklow. Hablaban de un amigo mutuo recientemente fallecido que había sido autor de Weissman. Comentaban la gran pérdida que había significado para el mundo literario.

Al ver a Allie, Weissman se adelantó para saludarla.

Con su vestido negro y su peinado alto parecía mayor que por la tarde. Estaba preciosa y muy elegante. Se movía de un modo tan grácil que a Weissman le recordó a las modelos de Degas, a las etéreas bailarinas de sus cuadros.

Jason Haverton tenía razón, pensó Andreas Weissman. Lo había llamado hacía un rato para decirle que no sólo le parecía una buena abogada sino «deliciosa», que le había encantado almorzar con ella y que, si la hubiese conocido sólo unos años antes, quizá... quién sabe. Weissman lo recordó risueño al estrecharle la mano a Allie, que estaba como para derretir el corazón más frío.

—Me alegro mucho de que haya venido, Allie —dijo Weissman, y le pasó caballerosamente el brazo por los hombros y la condujo a través del salón hacia un corrillo de invitados.

Ella reconoció a varios: un importante galerista, una famosa modelo y un joven pintor. Eso era lo que le encantaba de Nueva York. No le extrañaba que a los neoyorquinos no les gustase moverse de allí. Andreas la presentó a varios invitados como una abogada californiana especializada en el mundo del espectáculo, y a todos pareció caerles bien.

Luego, Andreas se marchó para dejarla con sus nuevos conocidos. Una mujer mayor le comentó que andaba como las bailarinas. Allie le dijo que quizá fuese porque de pequeña había ido a una academia de ballet durante varios años. Otra invitada le preguntó si era actriz. Dos hombres muy apuestos le comentaron que trabajaban para Lehman Brothers en Wall Street. Había también varios abogados de un bufete en el que estuvo a punto de entrar a trabajar cuando aún estudiaba en Yale. Tal profusión de personajes brillantes la tenía aturdida.

Subió a la segunda planta para ver la espectacular vista del parque. Le presentaron a otros invitados y a las nueve volvió a bajar.

La fiesta seguía muy animada y no parecía que fuese a terminar pronto. Porque acababa de llegar un grupo con pinta de ejecutivos o empresarios. Sus acompañantes femeninas, de mediana edad la mayoría, iban muy elegantes. Su aspecto era muy distinto al de las mujeres californianas, con sus *liftings*, su artificiosa pinta juvenil y su pelo rubio. Aquí eran más naturales, aunque no en el vestir, pues llevaban prendas carísimas y muchas joyas. Había excepciones, claro, pero aquellas mujeres daban la impresión de querer mostrarse como eran, de atraer la atención por lo que hacían más que por su imagen. Allie estaba fascinada.

—Interesante, ¿no? —oyó que le decía alguien.

Se dio la vuelta y vio a un hombre alto, delgado y moreno, con el aspecto aristocrático de un verdadero neoyorquino. Vestía como mandaba el protocolo: camisa blanca, traje oscuro y una conservadora corbata de Hermès de dos tonos de azul marino. Pero había algo en él que no cuadraba con su aspecto. No sabía si era su bronceado, el brillo de sus ojos o su amplia sonrisa. Parecía más californiano que neoyorquino, aunque tampoco encajaba del todo con el aspecto de los hombres de la costa Oeste. Notó que él también sentía curiosidad por ella, que parecía encajar en aquel ambiente pero no pertenecer a él. Le gustaba asistir a las fiestas de los Weissman porque siempre había ocasión de conocer a personajes variopintos. Era interesante alternar con ellos. Pero lo que más le gustaba era practicar un pequeño juego de su cosecha: adivinar a qué se dedicaban. Y eso era justamente lo que hacía en aquellos momentos, sin conseguirlo. Allie podía ser igualmente decoradora que médico.

—¿Qué tal? —saludó él—. Perdone la curiosidad, ¿a qué se dedica usted? ¿Bailarina? ¿Publicista?

—Pues no —dijo ella riendo.

Él se acercó un poco más. Era obvio que tenía sentido del humor. La miró a los ojos con desenvoltura.

—Pertenezco a cierto mundillo en el que se escribe mucho. Soy abogada —dijo ella sosteniéndole la mirada.

—¿Qué especialidad? —persistió él en su juego—. A ver... ¿Mercantil? ¿Fiscal? —propuso, aunque le parecía que no encajaba con su imagen, tan femenina y bonita, y la combinación le encantaba.

Allie se limitó a sonreír. Él la miraba deslumbrado. Tenía una sonrisa radiante, un pelo precioso y un aura de calidez. Adivinó que era muy sociable y había algo en sus ojos que lo intrigaba. Le hablaban. Se notaba enseguida que era una mujer de principios, de convicciones firmes y probablemente de sólidas opiniones. Pero también estaba claro que tenía sentido del humor. Reía mucho y gesticulaba con delicadeza. Además, tenía una boca preciosa.

—¿Y por qué cree que he de dedicarme a especialidades tan prosaicas —preguntó ella sin dejar de sonreír.

Aún no sabían siquiera sus nombres, pero parecían encantados con su charla. Allie sentía curiosidad por saber por qué la imaginaba en mundos tan serios. Él reflexionó unos momentos, ladeó la cabeza y separó los brazos con expresión de impotencia. Allie lo miró risueña.

—Me parece que me he equivocado —se corrigió él con expresión reflexiva—. Es usted una persona seria pero no trabaja en un especialidad tan seria. Una extraña combinación, ¿no? A lo mejor representa a boxeadores —bromeó.

—¿Y por qué ha llegado a la conclusión de que no me dedico a lo fiscal o a lo mercantil?

—Porque no es usted aburrida. Sus ojos ríen. Y en el mundo de las altas finanzas nadie ríe.

Dejó su vaso en una mesita auxiliar y Allie le sonrió. Se sentía cómoda con él.

—Me dedico al derecho del mundo del espectáculo, en Los Ángeles. He venido a ver al agente Weissman para hablar de uno de mis clientes, y ver a otras personas. Represento a profesionales del mundo del espectáculo: escritores, productores, directores y actores.

—Muy interesante —dijo él, y la miró de arriba abajo como para comprobar si la información encajaba con ella—. ¿Y es usted de Los Ángeles?

—Sí. Salvo los siete años que estuve en Yale, he vivido siempre allí.

—Yo estudié en la competencia, en...

—Un momento —lo atajó ella con un ademán—. Ahora me toca a mí. Aunque esto es fácil de adivinar: Fue a Harvard. Es usted del Este, probablemente neoyorquino o acaso de Connecticut o de Boston. Estuvo en un internado en... en Exeter o en St. Paul.

Él reía mientras ella esbozaba su «perfil» ultraconservador, tan predecible y propio de la alta sociedad de Nueva York. Pensó que quizá se debiera a su traje oscuro, a la corbata de Hermès o a su reciente corte de pelo.

—No se equivoca mucho. Soy neoyorquino. Estuve interno en Andover y luego, efectivamente, estudié en Harvard. Enseñé durante un año en Stanford y ahora...

Ella volvió a atajarlo con otro ademán y lo miró. No tenía pinta de profesor, a menos que enseñase en la facultad de Economía, pero parecía demasiado joven y apuesto para eso. De haber estado en Los Ángeles lo habría tomado por actor, pero también parecía inteligente y no tan egocéntrico como la mayoría de los actores.

—Vuelve a tocarme a mí —dijo ella—. Claro que me ha dado muchas pistas. Probablemente enseña literatura en Columbia. Aunque, si he de serle sincera, al principio lo he tomado por banquero o agente de bolsa. —La verdad era que tenía pinta de aborigen de Wall Street.

—Debe de ser por el traje —dijo él con una sonrisa que a Allie le resultaba familiar. Le recordaba a su hermano Scott y a su padre—. Me lo compré por complacer a mi madre. Según ella, debía ponerme algo respetable si iba a volver a Nueva York.

—¿Ha estado fuera? —preguntó ella.

Él seguía sin decirle si era banquero o profesor. Pero estaba visto que a ambos les gustaba aquel juego. Algunos invitados empezaban a desfilar. Se habían reunido casi doscientos en el enorme dúplex de los Weissman y, aunque todavía quedaban casi un centenar, parecía bastante vacío.

—He estado seis meses trabajando fuera, aunque detesto admitir dónde —le dijo él a modo de misteriosa clave.

Le divertía pensar en lo que habían aventurado el uno del otro. Ella parecía muy intrigada.

—¿Profesor en Europa?

—No.

—Pero es profesor, ¿verdad? —persistió ella desconcertada.

Quizá fuese cierto que el traje la había desorientado. Podía ver en sus ojos que tenía imaginación y que le gustaba analizar las cosas.

—Hace mucho que dejé la enseñanza. Pero no anda muy desencaminada. ¿Se lo digo?

—Me rindo. La culpa es de su madre. Creo que me ha liado —bromeó Allie.

Ambos se echaron a reír.

—A mí también me confunde. Al mirarme en el espejo esta tarde no me reconocí. La verdad es que soy escritor... Ya sabe: zapatillas de deporte raídas, pantuflas, albornoces viejos, vaqueros descoloridos y sudaderas de Harvard llenas de agujeros.

—Me lo figuraba —ironizó ella.

Pues muy bien. Estaba guapísimo con traje. Seguro que en su armario ropero había algo más que sudaderas. Debía de tener treinta y pico, pensó.

La joven abogada no se equivocaba mucho. Su rival de Harvard, por así decirlo, tenía treinta y cuatro años y había vendido su primer libro a una productora el año anterior. Su segunda novela acababa de aparecer. Le habían dedicado reseñas muy elogiosas y se estaba vendiendo muy bien. Para él había sido una sorpresa, porque era un libro muy «literario», como decía Andreas Weissman, que trataba de convencerlo de que su verdadero talento estaba en la novela comercial. Quizá se lo replantease de cara a su tercer libro.

—Y bien, ¿dónde ha estado durante estos seis meses? ¿Escribiendo en una playa de las Bahamas? —preguntó Allie.

—En una playa sí, pero no de las Bahamas. He estado viviendo en Los Ángeles durante seis meses, en Malibú, adaptando mi primer libro para el cine. Cometí la locura de aceptar escribir el guión y coproducir la película. Dudo que vuelva a hacerlo, aunque también dudo que nadie vuelva a pedírmelo. El otro coproductor es un amigo mío de Harvard, que también dirigirá la película.

—¿Y acaba de llegar?

Allie se había quedado de una pieza. Se le antojaba un poco rocambolesco que hubiese estado allí seis meses y se hubiesen conocido en Nueva York. También era curioso que, entre tantos invitados, fuesen a coincidir precisamente dos que, de algún modo, estaban vinculados a Malibú; y ambos recién llegados de California.

—Voy a estar aquí sólo una semana, para ver a mi agente —dijo él—. Tengo una idea para mi tercer libro y, si alguna vez consigo terminar el maldito guión en que estoy trabajando, pienso encerrarme un año para escribirlo. Ya me han hecho una oferta para escribir un guión sobre la segunda novela, pero estoy muy decidido. No creo que Hollywood sea lo mío, ni el cine en general. Me estoy planteando quedarme aquí, dedicarme sólo a escribir novelas y olvidarme del cine. Pero aún no estoy decidido. Hoy por hoy, mi vida es bastante esquizofrénica.

—No veo por qué no puede hacer ambas cosas. Nadie le obliga a escribir los guiones, si no le gusta. Puede limitarse a vender los derechos, y que los guiones los hagan otros. Así tendrá más tiempo para escribir su novela.

Allie se sentía como si asesorase a uno de sus clientes. Él le sonrió al ver su seria mirada.

—¿Y si me destrozan el libro? —dijo él con cara de circunstancia.

—Habla como un escritor, no cabe duda —dijo ella sonriendo—. Lo aterra dejar a sus «hijos» en manos de extraños, ¿no? No voy a decirle que no tenga problemas. Pero se ahorraría mucho estrés si renunciase a escribir los guiones y, por supuesto, a producir las películas.

—Sin duda. La producción es como andar sobre ascuas. Además, la gente del cine no tiene la menor consideración por la literatura. No le interesa más que el reparto de actores y acaso el director. El guión les importa un pito. Para ellos no es más que un montón de palabras. Te engañan, te mienten, te dicen lo que les conviene con tal de conseguir lo que quieren. Dios me libre de acostumbrarme.

—Me parece que necesita usted un buen abogado en Los Ángeles, o puede que un representante local para que le eche una mano. Debería pedirle a su agente que le recomiende a alguien.

—A lo mejor la contrato a usted —dijo él a la vez que le tendía la mano. No descartaba la idea, que le parecía muy atractiva—. Ni siquiera me he presentado. Soy Jeff Hamilton.

Allie lo miró a los ojos y le sonrió. ¿Jeff Hamilton? ¡Pero si lo conocía!

—Leí su primer libro. Y me gustó mucho —dijo Allie sinceramente. Era literatura seria, pero con pinceladas de humor. Se había llevado una magnífica impresión. Por eso lo recordaba—. Allegra Steinberg —se presentó—. Pero puede llamarme Allie.

—¿No será pariente del productor? —dijo él risueño.

—Pues sí. Simon Steinberg es mi padre —contestó ella, que se enorgullecía de su familia.

—Pues su padre se «cargó» la primera versión de mi guión. Pero no sólo no se lo tuve en cuenta sino que se lo agradecí. Me tuvo una tarde entera en su despacho diciéndome todo lo que no funcionaba. Y tenía razón. He introducido varios de los cambios que me sugirió. Muchas veces he pensado llamarlo para agradecérselo.

—Mi padre sabe mucho de muchas cosas —dijo ella—. También a mí me ha dado muy buenos consejos.

—Lo imagino.

Jeff Hamilton podía imaginar muchas cosas y una de ellas era volver a verla. Allie miró en derredor al ver que muchos invitados se habían marchado mientras ellos hablaban.

—Creo que ya es hora de que me vaya —dijo Allie, al reparar en que eran casi las nueve y media.

—¿Dónde se aloja? —preguntó él, deseoso de poder localizarla. Era una mujer que tenía algo muy especial. De buena gana la hubiese atraído hacia sí y la hubiese besado.

—Estoy en el Regency. ¿Y usted?

—Yo soy un consentido. Estoy en el apartamento de mi madre, aquí en la ciudad. Está de viaje, de crucero, y no regresará hasta el mes que viene. Es un apartamento tranquilo y muy céntrico. Está a unas manzanas de aquí.

Jeff la siguió con naturalidad hacia el ropero junto a otros invitados. Descolgaron sus abrigos del perchero y la bufanda de lana que llevaba él.

—¿Puedo dejarla en algún sitio? —se ofreció Jeff después de darle las gracias a la señora Weissman—. Despídanos de su esposo.

Andreas estaba arriba, muy enfrascado en una conversación con dos autores jóvenes. Detestaba que lo interrumpiese cuando hablaba de cuestiones literarias. De modo que se abstuvieron de hacerlo y se marcharon.

—Vuelvo al hotel. Iré en taxi.

Bajaron en el ascensor y cruzaron juntos el vestíbulo. Se sentían cómodos. Jeff le abrió la puerta, la siguió y lo tomó suavemente del brazo. Volvía a nevar y la acera estaba muy resbaladiza.

—¿Vamos a tomar una copa o a picar algo? Es temprano y me encantaría seguir charlando con usted. Se me hace cuesta arriba haber tenido una conversación tan agradable y que de pronto desaparezca.

Jeff la miró esperanzado con un brillo casi infantil en los ojos. Estaba fascinado. Y ella también se sentía atraída por él. Vivían ambos en Los Ángeles, tenían profesiones relacionadas entre sí y parecían tener mucho en común. Lo cierto era que Allie no tenía el menor deseo de volver al hotel ni él de separarse de ella. Permanecieron unos momentos en la acera, mirando la nieve.

—He de repasar unos contratos —recordó ella con cara de fastidio.

Era cierto. Le habían enviado por fax un montón de documentos relacionados con la gira de Malachi O'Donovan. Pero podía ocuparse de ello más tarde. Aquel encuentro parecía mucho más importante. Presentía que tenían muchas cosas que decirse.

—Pero la verdad es que estoy muerta de hambre.

A Jeff Hamilton se le iluminó la cara. Paró un taxi, subieron y él le dio al taxista las señas de Elaine's. Iba allí a menudo cuando estaba en Nueva York.

—Hubiese sentido mucho que no aceptase —dijo él con expresión de niño grande. Los copos que le habían moteado el pelo le daban un aspecto divertido.

Jeff Hamilton estaba eufórico por tener la oportunidad de conocerla mejor, de que le hablase de su trabajo, de su vida y su familia. Era curioso que no hubiesen coincidido nunca en Los Ángeles sino a miles de kilómetros de allí, como si Nueva York fuese el lugar del encuentro decidido por el destino. Tanto mejor.

—Pese a la fama que tenemos los escritores, salgo poco.

—Tampoco yo salgo mucho —dijo ella—. El trabajo me esclaviza. Mis clientes creen que debo estar de guardia las veinticuatro horas.

Era excesivo. En eso tenía razón Brandon, pensó Allie. Pero en el fondo tanta dedicación era parte de su vida, y le gustaba.

—Por extraño que parezca no suelo ir a ninguna parte —reiteró él mientras el taxi enfilaba hacia el este de la ciudad—. Paso las noches trabajando. Me gusta vivir en Malibú. A veces paseo por la playa de madrugada. Me aclara las ideas. ¿Dónde vive usted? —Sentía curiosidad por todo lo que tuviese que ver con ella y esperaba averiguarlo antes de que se marchase de Nueva York.

—En Beverly Hills. Tengo una casita que compré al licenciarme en Yale. No es muy espaciosa, pero suficiente para mí —explicó Allie sonriente—. Lo que sí tiene es una vista preciosa y un jardín japonés. Ya sabe, casi todo piedras; o sea que no da mucho trabajo. Cuando me aburro, salgo a dar una vuelta. Como ahora.

—¿Viaja a menudo?

—No. Procuro no faltar mucho de casa por si mis clientes me necesitan. Salgo, claro está, cuando he de ir con ellos a alguna parte. Dos de mis clientes son músicos y a veces me desplazo para asistir a algunos de sus conciertos.

Allie le había prometido a Bram Morrison que intentaría desplazarse a alguna de las ciudades donde actuaría; y si Malachi O'Donovan se lo pedía, puede que también fuese a alguno de sus conciertos. Eran giras muy largas y fatigosas, que los obligaban a viajar a ciudades tan lejanas como Bangkok, Manila o París.

—¿Quiénes son? —preguntó él, que notaba que Allie hablaba de ellos como si fuesen ídolos.

Allie aguardó a contestar. El taxi se había detenido y Jeff se adelantaba a pagar.

—Seguramente los ha oído —dijo finalmente—. Son muy populares.

El taxi los había dejado en la misma entrada de Elaine's, que estaba a rebosar. Pero el *maître* reconoció enseguida a Hamilton y le indicó por señas que tendrían mesa en unos minutos.

—¿Quiénes son esos personajes que la absorben tanto? —insistió él, como si intuyera que les dedicaba demasiado tiempo.

A Allie le sonó casi igual que los reproches de Brandon.

—Uno es Bram Morrison y el otro Malachi O'Donovan. También represento a Carmen Connors y a Alan Carr, entre otros... —Lo dijo con un dejo de orgullo que a Jeff le pareció revelador de su carácter, de ser una persona muy fiel a todo lo suyo.

—¿Los representa su bufete o usted a título personal? —preguntó, quizá porque se le antojaban personajes demasiado relevantes para tener una abogada tan joven (Jeff no le echaba más de veinticinco años).

Allie se echó a reír.

—Todos míos —repuso—. Y tengo más, pero no les gusta que revele sus nombres. A los que le he citado, en cambio, no les importa.

—Pues no está nada mal. Es para estar orgullosa —dijo él en tono admirativo—. ¿Cuánto tiempo lleva en el bufete? —Quizá fuese mucho mayor de lo que aparentaba. A lo mejor era verdad eso de que las mujeres no tenían edad.

—Cuatro años. Tengo veintinueve —dijo Allie adivinándole el pensamiento—; casi treinta. ¡Qué horror!

—Horrible —bromeó él—. ¡Si lo sabré yo que tengo treinta y cuatro! La verdad es que su trabajo ha de ser abrumador, porque la gente del mundo del espectáculo no es de fácil trato. La admiro.

—Hay de todo —le aseguro ella—. Además, ¿qué me dice de usted? Lo suyo tampoco es una nadería: va por su tercer libro, escribe un guión y coproduce una película. ¡Casi nada! En cambio yo... ¿qué hago yo? Sólo representar a personas de talento, como usted. Redacto sus contratos, los negocio y velo por sus intereses. Puede que sea un trabajo creativo, en cierto modo. Pero no nos engañemos, está a años luz de la labor de un escritor. Así que no sea injusto consigo mismo.

En realidad era ella quien no se hacía justicia. Cada uno en su profesión, eran triunfadores.

—Puede que necesite sus servicios —dijo él. Al fin y al cabo, eso era lo que le había aconsejado Andreas Weissman aquella mañana: que contratase a un abogado—. Si he de venderle otro libro a Hollywood, me vendría bien una profesional especializada en el mundo del espectáculo que examine los contratos con lupa.

—¿Cómo lo negoció la vez anterior? —preguntó Allie, que sentía curiosidad por cómo lo llevaba Weissman.

—Andreas se encargó de todo desde aquí. Y no puedo quejarme del resultado. Cobré un fijo y percibiré un porcentaje sobre los beneficios de la película, si los hay. Y al coproducirla con mi amigo, no planteé excesivas exigencias. Acepté más por ver cómo resultaba la experiencia que por el dinero. En cuestiones económicas no soy precisamente un lince —le aseguró él, que, de todas maneras, no parecía estar en la miseria—. La verdad es que si vuelvo a ceder los derechos de una novela quiero sacar más beneficio económico y no dedicarle tanto tiempo.

—Pues con mucho gusto le echaré un vistazo a sus contratos siempre que quiera —accedió ella sonriente.

—Hecho —dijo él, encantado ante la perspectiva de poder verla a menudo. Le extrañaba que Andreas no le hubiese hablado nunca de ella y también que no los presentase en su fiesta.

Lo cierto era que, sencillamente, a Andreas no se le había ocurrido. Ella no necesitaba que le proporcionasen clientes y, en realidad, Jeff no tenía necesidad imperiosa de un abogado especializado. Hasta ahora le había bastado con su agente.

Se sentaron en una mesa del fondo. Su cena en Elaine's se alargó durante horas. Hablaron de Harvard, de Yale y de los dos años que pasó él en Oxford. Le dijo que al principio no le gustó nada, pero que acabó encantándole. Su padre había muerto mientras él estaba en Inglaterra. A partir de entonces empezó a escribir «en serio». Le habló de la decepción de su madre porque su hijo no hubiese estudiado derecho o medicina.

Jeff describió a su madre como una persona muy fuerte, puritana y yanqui acérrima. Tenía ideas muy estrictas acerca de la ética y el sentido de la responsabilidad. Y opinaba que escribir no era un trabajo muy serio para un hombre.

—Mi madre es escritora. —Allie volvía a sacar a relucir a su familia. Sin saber por qué, deseaba hablarle de todo lo suyo. Tenía la sensación de haber estado esperando a aquel hombre toda la vida. Sintonizaba plenamente con todo lo que ella pensaba y sentía. Parecía increíble, pero se les había hecho la una de la madrugada charlando—. A mí me gusta la literatura —prosiguió Allie—, pero creo que para lo que más sirvo es para el derecho. Me gusta su lógica y la satisfacción de solucionar problemas. Aunque a veces me absorbe demasiado —añadió sin percatarse de que sus manos se tocaban.

Allie lo dijo con un fulgor en la mirada que lo deslumbró más de lo que ya estaba. No recordaba haberse sentido así con nadie en la primera salida.

—¿Y qué más te gusta, Allie? Porque podemos tutearnos, ¿no? Te gustan los perros y los niños, ¿a que sí?

—Por supuesto —repuso ella con una sonrisa que dejaba implícito que asentía a ambas preguntas—. Me gusta todo eso. Y mi familia. Significa mucho para mí.

Jeff era hijo único. La escuchó con envidia hablarle de sus hermanos Scott y Samantha, y de sus padres. La envidiaba en muchos aspectos. Su propia vida familiar se había volatilizado después de la muerte de su padre, porque su madre era una arisca. Simon Steinberg, en cambio, era un hombre muy afectuoso. Le había bastado su breve contacto profesional para percatarse de ello.

—Puedes venir a casa algún día a conocerlos a todos —dijo Allie—. Y a Alan, que es mi mejor amigo, y el más antiguo. A Alan Carr me refiero —añadió, deseosa de presentar a Jeff a todo el mundo, como una colegiala con una nueva amistad.

—¿De veras? —exclamó Jeff, que reaccionó como todo el mundo ante aquel nombre. No es que le impresionara su fama pero sí la coincidencia—. ¿El más antiguo? ¿Me tomas el pelo?

—Fue novio mío en el instituto. Luego lo dejamos y desde entonces somos íntimos.

Allie estaba sorprendida al advertir lo bien que Jeff encajaba en su vida. Mostraba interés en todo lo suyo: su trabajo, su familia y sus amigos. Con Brandon era todo muy distinto, pero Allie era consciente de que comparar a Brandon con un extraño no era justo. No sabía nada de las manías de Jeff, de sus puntos flacos ni de sus defectos. Lo único que sabía era que se sentía muy cómoda con él. Era muy extraño.

A Jeff, por su parte, le gustaba la franqueza de Allie y su falta de pretensiones. Era la clase de mujer que siempre había admirado. Hacía mucho tiempo que no conocía a nadie como ella. Se imponía hacerle una pregunta importante. Titubeó un poco, pero no pudo resistir la tentación de hacérsela.

—¿Estás... comprometida? Me refiero a si hay algún hombre en tu vida, aparte de Alan Carr —dijo él sonriente y casi tembloroso por temor a que le dijera que sí.

Ella dudó. Pero en vista del interés que Jeff mostraba por su vida, pensó que tenía derecho a saberlo. ¿O no? Llevaban horas hablando de sí mismos y la atracción que sentía era obvia. Pero eso no significaba que hubiese olvidado a Brandon. Debía decírselo a Jeff.

—Sí —musitó entristecida, mirándolo a los ojos.

—Me lo temía. No me sorprende, y lo siento por mí —dijo Jeff, aunque sin dar la impresión de emprender la retirada—. ¿Eres feliz con él?

Era la pregunta decisiva. Si era feliz no tendría nada que hacer. Estaba dispuesto a luchar por lo que quería, pero no era tan estúpido ni loco como para hacerse daño a conciencia.

—A veces —contestó ella sinceramente.

—¿Y por qué no siempre? —repuso él en tono amable, ansioso por saber si había un resquicio que le diese alguna oportunidad. Si no, habría perdido el tiempo. Aunque no del todo, porque se alegraba de haberla conocido. Merecía la pena.

—Ha tenido una época difícil —contestó Allie, que, como siempre, se vio prácticamente en la obligación de justificar a Brandon—. Y aún no la ha superado. Está tramitando el divorcio —añadió.

Jeff tuvo la sensación de que entre su expresión y sus palabras había algo que no encajaba.

—Viven separados desde hace tiempo —prosiguió Allie—. Aún no ha pedido el divorcio oficialmente.

Allie no sabía por qué le contaba tantos detalles, pero era parte de la historia. Jeff la miró con fijeza.

—¿Y cuánto tiempo llevan en esa situación?

Era como si Jeff supiese que aquella era la clave. Allie se la había facilitado y él la había recogido y analizado rápidamente.

—Llevan dos años así —repuso ella.

—¿Y no le preocupa?

—A veces. Aunque no tanto como parece preocuparle a todo el mundo. Llevan dos años negociando entre ellos acerca de ciertas propiedades. En realidad, lo que más me preocupa es que en nuestra relación hay algo que no acaba de funcionar.

—¿Qué es?

—Quiere unas relaciones muy distantes, muy independientes —dijo ella con sinceridad—. Teme comprometerse, y quizá por eso le dé tantas largas al divorcio. En cuanto te le acercas demasiado, utiliza sutiles subterfugios para distanciarse. Dice que está traumatizado porque se vio forzado al matrimonio. Y lo entiendo, pero lo que no acabo de digerir es que, después de tanto tiempo, sea yo quien haya de pagarlo. No es culpa mía que tuviera que casarse de «penalty».

—También yo viví una experiencia similar —dijo Jeff, que había mantenido relaciones con una escritora de Vermont que le amargaba la vida—. Nunca me he sentido tan solo.

—Lo imagino —dijo ella algo confusa, porque no quería serle infiel a Brandon. Lo amaba. Quería casarse con él. Y le parecía una deslealtad contarle cosas de Brandon a otra persona. Pero se consideraba obligada a hacerlo con Jeff, aunque acabase de conocerlo.

—¿Tiene hijos?

—Dos niñas. Está muy apegado a ellas, y la verdad es que son adorables. Tienen nueve y once años. Va muy a menudo a verlas a San Francisco.

—¿Contigo?

—Siempre que me es posible. Suelo trabajar los fines de semana. No puedo desentenderme de mis clientes ni los domingos. Siempre hay alguno que está en pleno rodaje, que tiene un almuerzo para hablar de un contrato, que está de gira. Eso... cuando no ocurre algo peor, como que uno reciba amenazas de muerte.

Jeff Hamilton se dijo que sin duda sus clientes le daban mucho trabajo. Estaba seguro de que las frecuentes ausencias de Brandon debían de contribuir a su sensación de soledad.

—¿No te importa que vaya solo?

—¿Y qué voy a hacer, si no puedo acompañarlo? Tiene derecho a ver a sus hijas —contestó Allie a la defensiva.

Jeff llegó a la conclusión de que, en definitiva, Allie no era feliz con su pareja, aunque no acabase de reconocerlo.

—¿No te preocupa que siga tanto tiempo sin desligarse del todo de su esposa?

—Hablas como mi hermana —dijo ella frunciendo el entrecejo.

—¿Qué opina tu familia?

—Pues la verdad es que no es santo de su devoción —reconoció ella.

Jeff empezaba a pensar que aquello no pintaba del todo mal para él. Aunque Allie siguiese enamorada de aquel hombre, no daba la impresión de ser una relación irreversible. Allie merecía algo mejor. Además, por lo visto, la aprobación de su familia contaba mucho para ella. Se notaba a la legua.

—Mi familia no lo entiende —prosiguió ella—. Es lógico que, después de todo lo ocurrido, Brandon sienta aprensión por volver a comprometerse. Pero eso no significa que yo no le importe. Sólo significa que no puede dar todo lo que los demás esperan de él.

—¿Y tú? ¿Qué esperas tú? —preguntó Jeff.

—Lo que tienen mis padres —repuso ella sin vacilar—. El amor que se han profesado siempre y el que sienten por sus hijos.

—¿Y crees que él podrá dártelo alguna vez?

Jeff le cogió la mano y ella no la retiró. Le recordaba a todos los hombres que quería: a su padre, a su hermano Scott e incluso a Alan. Pero no a Brandon, que era un hombre frío, distante y temeroso de entregarse. En cambio Jeff parecía tener mucho que dar. No era de los que se reservaba. No parecía temerle a los sentimientos que pudiesen aflorar entre ellos. Daba la impresión de desear una intensa intimidad. Muchos de los comentarios que solía hacerle la doctora Green acudieron a su mente.

—¿Crees que Brandon podrá darte alguna vez lo que esperas, Allie? —repitió él.

—No lo sé —repuso ella con franqueza—. Quizá lo intente —añadió, sabiendo que hasta entonces no lo había intentado.

—¿Y cuánto estás tú dispuesta a dar?

A Allie le sorprendió la pregunta. Era la misma que la doctora Green le hacía a menudo y a la que ella nunca podía contestar. Pero deseaba que Jeff supiera cuáles eran sus sentimientos, y que no se llamase a engaño.

—Lo quiero, Jeff. Puede que no sea perfecto, pero lo quiero como es. He esperado dos años, y puedo esperar más si es necesario.

—A lo mejor has de esperar mucho tiempo —dijo él en tono reflexivo cuando ya salían del restaurante.

Era fácil ver que las relaciones entre Allie y Brandon eran conflictivas, pero también que ella no estaba dispuesta a dejarlo correr todavía. Sin embargo, Jeff era un hombre paciente y quería creer que no se habían conocido en vano. Mientras aguardaban un taxi bajo la nieve, la rodeó con el brazo y la atrajo hacia sí.

—¿Y qué me dices de ti? —preguntó ella—. ¿Quién hay en tu vida?

—La asistenta Guadalupe, mi dentista de Santa Mónica y mi mecanógrafa Rosie —contestó él sonriente.

—¿Sólo tres? —dijo ella mirándolo a los ojos—. ¿No ronda por ahí ninguna jovencita pendiente de todo lo que digas, contemplándote mientras escribes a la luz de una vela hasta la madrugada?

—Últimamente no.

Jeff había vivido con dos mujeres y tenido otras relaciones serias en su vida. Pero hacía tiempo que estaba libre. El único obstáculo que tenía que salvar era Brandon, aunque no sabía cómo hacerlo.

Pararon el primer taxi libre que pasó. Se agradecía la calefacción.

—Al Regency, por favor —indicó Jeff.

Al arrancar el coche, Jeff aprovechó para atraerla más hacia sí. Guardaron silencio durante el trayecto, mirando nevar por la ventanilla.

El hotel estaba muy cerca y lamentaron haber llegado tan pronto. Eran casi las tres e incluso el bar estaba cerrado, pero Allie no quería invitarlo a subir a su habitación y darle una falsa impresión. Así que se despedirían en el vestíbulo.

—Lo he pasado muy bien, Jeff —dijo ella—. Gracias por una velada tan agradable.

—También para mí lo ha sido. Por primera vez en mi vida creo estar en deuda con Andreas Weissman —repuso él mientras iban hacia el ascensor—. ¿Cómo lo tienes el resto de la semana? —añadió, esperando verla de nuevo.

—Bastante mal.

Hasta el viernes tenía todos los almuerzos concertados, aparte de entrevistas a otras horas. Le quedaban por concretar algunos flecos sobre la gira de Bram y había quedado con volverse a ver con Jason Haverton. Sólo tenía tiempo por las noches y, en principio, se había propuesto trabajar hasta tarde durante todos aquellos días.

—¿Qué tal mañana por la noche?

Allie titubeó, aunque consciente de que no debía aceptar.

—Tengo reuniones en un bufete de Wall Street hasta las cinco y luego he quedado en tomar una copa con un abogado. Dudo que esté libre antes de las siete.

Allie deseaba verlo de nuevo, pero pensar en Brandon la cohibía. Aunque por otro lado, se dijo que no había razón para que ella y Jeff no pudiesen ser amigos.

—Mira... Hacemos una cosa: te llamo y, si no estás muy cansada, podemos ir a picar algo o a dar un paseo. Porque... me encantaría volver a verte.

Se lo dijo mirándola a los ojos de un modo que le llegó al corazón. Se lo pedía, anhelante, pero sin presionarla.

—¿No crees que a lo mejor no es lo más conveniente, Jeff? —preguntó ella quedamente. No quería engañar a nadie; ni a él ni a Brandon. Ni a sí misma.

—No forzosamente. Ya sabemos cuál es la situación —dijo él con sinceridad—. No temas, no voy a presionarte. Pero quiero verte de nuevo.

—Yo también —admitió ella.

—Te llamaré mañana a las siete —le recordó él.

Al abrirse la puerta del ascensor Allie entró y se despidieron agitando la mano.

Allie se preguntó si por haber hablado de sus cosas con él le había sido infiel a Brandon. A ella no le hubiese hecho ninguna gracia que Brandon hubiese ido a cenar con otra mujer. Pero parecía haber algo predestinado en aquella noche, como si estuviera escrito que tenía que conocer a Jeff, como si lo necesitase en su vida, aunque fuese sólo como amigo. Estaba segura de que Jeff la comprendía y, por su parte, ella creía poder leer en él como en un libro abierto.

Allie entró en su habitación con cierto sentimiento de culpabilidad. Encontró en el suelo un mensaje de Brandon que le habían echado por debajo de la puerta. Se le antojó un recordatorio de cuál era su vida real. Pensó llamarlo pero titubeó a causa de la hora. Aunque enseguida cayó en la cuenta de que en San Francisco eran sólo las once y cuarto. De modo que se quitó el abrigo, se sentó y marcó su número.

Brandon contestó a la segunda llamada. Estaba trabajando en su escrito para el juicio del día siguiente. Le sorprendió que Allie lo llamase tan tarde, aunque pareció alegrarse.

—¿Dónde has estado esta noche? —preguntó él con curiosidad.

—En casa del agente de Haverton. Daba una fiesta y ha terminado muy tarde. Esos intelectuales son unos noctámbulos —mintió ella. No quería decirle que había ido a cenar a Elaine's y tener que darle explicaciones sobre Jeff.

Al fin y al cabo, casi lo primero que había hecho con Jeff era decirle que estaba comprometida. Eso era lo que importaba, y lo único que podía deberle a Brandon. Además, como nada había ocurrido nada tenía que contarle.

—¿Lo estás pasando bien? —preguntó él.

—¿Y tú cómo vas? —replicó ella sin responder.

—Lentísimo. Lo del jurado nos tiene fritos. Si mi cliente aceptase un trato podríamos irnos todos a dormir. —Brandon había aceptado aquel caso de mala gana.

—¿Y cuánto tiempo crees que durará el juicio si no acepta?

—Un par de semanas, a lo sumo, que ya es bastante.

El caso era complejo. Habían tenido que reunir multitud de documentos y Brandon se había visto obligado a contratar tres ayudantes. Era el típico delito de altos ejecutivos, con muchas ramificaciones.

—Seguro que estaré en casa antes de que termines.

—Probablemente tenga que trabajar este fin de semana —dijo él.

Allie ya lo imaginaba. De todas maneras, también ella tendría que ir al bufete el sábado, para poner al día el trabajo atrasado. En todo caso, a lo mejor lo convencía para verse el domingo y relajarse un poco.

—No te preocupes. Yo estaré en casa el viernes por la noche.

Allie tenía el vuelo a las seis de la tarde, pero debido a la diferencia horaria entre Nueva York y Los Ángeles, llegaría a las seis de la tarde. A lo mejor aún podía hacerle una visita sorpresa.

—Haré un hueco el fin de semana para verte —dijo él con una frialdad que le recordó lo que habían comentado con Jeff al salir de Elaine's. Se enfurecía cada vez que Brandon tenía una actitud tan distante—. Te llamaré mañana por la noche —añadió él—. ¿Estarás a esta hora?

—Tengo una cena de trabajo —mintió ella por segunda vez—. Te llamaré yo cuando llegue.

No podía salir cada noche hasta las tres de la madrugada, porque luego estaba demasiado cansada para trabajar. Y estaba segura de que Jeff lo comprendería. Aquella noche había hecho una excepción. Había sido una de esas raras ocasiones en que coinciden dos personas que sintonizan a la primera, parecen tener muchas cosas en común y muchas que decirse. Pero no podían verse noche tras noche hasta tan tarde.

—Bueno. No trabajes demasiado —dijo Brandon, y se excusó por ser tan breve y no poder interrumpirse más en el trabajo.

Ni siquiera se había dignado a decirle una frase cariñosa; nada de «te quiero» o «te echo de menos». Tampoco le había dicho que iría al aeropuerto a esperarla ni a su casa cuando volviese. Una y otra vez la actitud de Brandon le recordaba lo frágil que era su relación. Sin embargo, nunca sentía el impulso de romper. Seguía aferrada a él porque lo amaba. ¿Qué esperaba?, se preguntó. ¿Qué imaginaba que podía cambiar entre ellos? Tal como Jeff había dicho, quizá tuviese que esperar mucho tiempo. Acaso indefinidamente.

Se adentró en la habitación pensando en Brandon y en los buenos momentos que habían pasado (muchos, a lo largo de aquellos dos años). Pero también pensaba en las decepciones, en todas las ocasiones en que no había estado a su lado física o espiritualmente, o no le había dicho lo que necesitaba oír, o no había estado junto a ella en momentos tan importantes como la ceremonia de los Golden Globe. Se preguntaba si pensaba en lo negativo porque estaba enfadada o porque, al haber sintonizado tan bien con Jeff, se decantaba hacia él. ¿Acaso deseaba ya que Jeff fuese para ella lo que Brandon no era? Quién sabe. Podía ser una ilusión pasajera. Se acercó a la ventana y miró fuera pensando en ambos.

6

A las ocho de la mañana del martes Allie se sobresaltó al oír el despertador.

Nueva York estaba cubierto de una capa de nieve. Park Avenue parecía una bandeja con montículos de nata. Los chiquillos correteaban por los senderos, se dejaban deslizar por las suaves cuestas y lanzaban bolas de nieve al pasar camino del colegio.

Desde la ventana de su habitación Allie los miró risueña. De buena gana se hubiese unido a ellos en aquel incruento combate.

Iba a pasar el día de reunión en reunión y, por si luego no tenía tiempo, llamó a casa de Carmen Connors para asegurarse de que estaba bien. Como respondió el contestador, le dejó un mensaje. Luego llamó al despacho para preguntarle a su secretaria Alice si había algo importante, y si había llamado Carmen.

—La señorita Connors no ha llamado —contestó Alice.

Buena señal. Eso quería decir que no había recibido más amenazas ni había tenido más problemas.

—¿Mensajes?

Sólo habían llamado Malachi O'Donovan para decirle que volvía a abstenerse de la bebida; y Alan Carr, para que lo llamase al regreso.

—¿Qué tal por Nueva York? —preguntó Alice.

—Blanquísimo.

—No durará mucho así.

No, ciertamente. Por la mañana, las calles estarían más bien marrones, embarradas y hechas un asco. Pero de momento era bonito.

Allie había almorzado en el World Trade Center con un abogado con el que colaboraba desde hacía un año (pequeñas gestiones que Allie podía realizar para él en Los Ángeles y él para ella en Nueva York). Por la tarde se entrevistó con los promotores de Bram y con otros dos abogados. Luego regresó al hotel para entrevistarse con un asesor jurídico acerca de un acuerdo sobre derechos de imagen de Carmen Connors. Una empresa quería utilizar su nombre para anunciar un perfume, pero a Allie no acababa de convencerle la oferta. No era un producto de muy alto nivel. A Carmen no le gustaría aparecer en unos grandes almacenes promocionando el aroma de marras. Cuanto más insistía el departamento de publicidad de la empresa, menos le seducía a Allie el proyecto.

A las seis y media estaba de nuevo en su habitación, agotada. Volvía a nevar y el tráfico había sido una pesadilla durante todo el día. Tardó una hora en llegar al hotel desde Wall Street. La perspectiva de volver a salir y encontrarse con aquel caos la aterraba. Los coches daban bandazos y los peatones vadeaban por la nieve embarrada. Y de nuevo volvía a nevar. El único lugar que podía resultar bonito en aquel momento era Central Park, pero las calles estaban impracticables.

Revisó los mensajes que le habían dejado y tomó algunas notas. Carmen Connors no había contestado a su llamada. Pero Alice había hablado con la policía, el FBI y la empresa de seguridad y, de momento, no había habido más amenazas ni problemas. Uno de los mensajes era de Bram, para preguntarle qué impresión le habían causado los promotores. También le habían enviado varios faxes desde el bufete, aunque ninguno importante. Mientras los leía sonó el teléfono. Allie contestó maquinalmente, sin pensar.

—Diga.

—¿Qué tal? Soy Jeff. ¿Ocupada?

—Mucho. Me he pasado el día peleándome con el tráfico.

—¿Aún estás trabajando?

Temía importunarla, pero, por lo menos, quería oír su voz. Había aguardado impaciente durante todo el día para llamarla. Allie sonrió. Jeff tenía una voz profunda, suave y sensual.

—No. Sólo estaba echándoles un vistazo a unos faxes. Pero no hay nada urgente. ¿Qué tal te ha ido a ti?

—Bastante bien. Weissman ha negociado un buen contrato.

—¿Para la película o para el libro? Como tienes tantas cosas entre manos, me lío.

—¡Mira quien habla! —exclamó él riendo—. El contrato es para mi próximo libro. Los derechos para la adaptación al cine te los dejaré negociar a ti. Ya se lo he comentado a Weissman. Y le ha parecido muy bien. Me ha comentado que no me había hablado de ti porque pensaba que yo no querría volver a ceder derechos para el cine. Y no se equivocaba mucho. Pero reincidiré, a ver qué pasa. También me ha comentado que eres una abogada extraordinaria, pero que no trate contigo si no estoy de verdad decidido a ceder los derechos, que no te haga perder el tiempo, porque tienes clientes *muy* importantes.

Se echaron a reír por la advertencia de Weissman.

—Si te sigo escuchando me voy a poner *así* de ancha —dijo Allie.

—Y yo. ¿Vamos a cenar? ¿Te quedan fuerzas después de todo el trajín de la jornada?

—Bueno... Mucho trajín sí he tenido; tediosas conversaciones con colegas, promotores musicales, y con un asesor jurídico que quería convencerme de que Carmen haga un anuncio de un perfume. Pero lo he rechazado. Me huele mal.

Jeff rió.

—¿Y lo de las giras? Me refiero a los promotores.

—Muy bien. Le han organizado a Bram una gira fabulosa. Si físicamente lo resiste, puede ser sensacional.

A Jeff le gustaba oírle hablar de su trabajo. Le gustaba todo de ella: su voz, sus ideas, sus aficiones. Había estado todo el día pensando en Allie. Era increíble. Apenas la conocía y sólo podía pensar en ella. Y otro tanto le ocurría a Allie, que durante las reuniones de aquella tarde se había distraído más de una vez pensando en él.

—No sé si me convienes mucho para mi trabajo, Jeff. La gente que he visto hoy ha debido de pensar que no ando muy despierta. Me he distraído continuamente pensando en nuestra conversación de anoche. Y eso es malo para el trabajo.

—Pero bueno para los sentimientos —replicó él, que se sintió tentado a preguntarle si la había llamado Brandon, pero se abstuvo. En lugar de ello le preguntó si había traído ropa de abrigo: pantalones gruesos, gorro de lana y guantes.

—¿Por qué?

Allie no imaginaba por qué se lo preguntaba. ¿No irá a temer que me resfríe?, bromeó para sí. Vete a saber qué se le habría ocurrido.

Jeff lo había estado planeando toda la tarde, pero si Allie no tenía ropa adecuada, no podría ser.

—Tengo pantalones de lana. Me los he puesto hoy. Y un gorro que me he traído, pero es feísimo.

—¿Guantes no?

—¿Guantes? Debe de hacer veinte años que no me pongo unos guantes. —Se le habían helado las manos en los pocos momentos que había andado por la calle.

—Te dejaré unos de mi madre. ¿Te apetece hacer algo un poco especial o ir a un sitio elegante? —preguntó él, que fingía dar por sentado que querría ir a cenar.

Y así era. Allie había estado pensándolo todo el día. Y al fin se dijo que no había nada malo en salir con alguien a cenar, pese a Brandon.

—No es necesario que vayamos a ningún sitio elegante —repuso ella con naturalidad. Estaba cansada de recepciones y cenas de gala. Prefería una velada sencilla—. ¿Qué has pensado? —preguntó entre impaciente y recelosa.

—Ya lo verás. Ponte ropa de abrigo, botas y ese feísimo gorro. Te espero en el vestíbulo dentro de media hora.

—Una encerrona, ¿eh? ¿Voy armada? ¿No irás a llevarme a una remota cabaña de Connecticut o Vermont?

Allie se sentía como una colegiala en su primera cita.

—No exactamente. Pero me gustaría llevarte a un sitio especial. No se me había ocurrido, pero ya que lo sugieres... —bromeó él.

—No, no... Lo que sí te sugiero es que recuerdes que mañana tengo mucho trabajo.

—Ya. Pero no temas, podrás regresar. Se trata sólo de algo especial estilo neoyorquino. Nos vemos dentro de media hora.

Jeff forzó la despedida para no darle más explicaciones. Allie terminó de leer los mensajes y los faxes. Pensó en llamar a Brandon para que no se le olvidase, pero no creía que estuviese ya en casa ni de vuelta a su despacho. Eran sólo las cuatro y media en California. Sintió remordimiento por haber pensado en llamar a Brandon *para* que no se le olvidase, como si se tratara de una medicina que había que tomar. Era extraño sentirse de pronto de ese modo. Y también tenía un poco de mala conciencia respecto a

Jeff, aunque no había hecho nada que lo justificase, y estaba segura de que no lo harían.

Allie bajó al vestíbulo media hora después, con pantalones, abrigo y su viejo gorro rojo de cuando iba a esquiar en Nueva Inglaterra. A través de un ventanal vio que aún nevaba. Los clientes se detenían a sacudirse la nieve de los zapatos en la entrada, antes de cruzar la puerta giratoria. Reían y se alborotaban el pelo para quitarse los copos. Era divertido observarlos. Al volver a mirar hacia la calle, Allie vio que se detenía un coche de caballos, una berlina estilo inglés. Tenía ventanillas y el cochero llevaba sombrero de copa. Resultaba de lo más romántico. El cochero bajó y el portero sujetó las riendas de los caballos. Se apeó un pasajero que se apresuró a entrar en el hotel. Aunque llevaba una gruesa parka y un gorro de punto, Allie lo reconoció enseguida. Era Jeff.

—Señora, el coche os aguarda —dijo él sonriéndole. Le brillaban los ojos y tenía los pómulos enrojecidos a causa del frío. Le tomó la mano y le tendió unos guantes blancos de angorina—. Póntelos, que hace un frío espantoso.

—¡Eres increíble! —exclamó ella asombrada.

Menuda ocurrencia. ¡Presentársele en coche de caballos!

Salieron y él la ayudó a subir, cerró la puerta y le puso por los hombros una mantita de lana. El cochero se atuvo a las instrucciones que Jeff le había dado.

—Pero...

Allie no sabía qué decir. Lo miró radiante y emocionada.

—Me ha parecido bien tu sugerencia; vamos a Vermont —dijo él pasándole el brazo por los hombros—. Calculo que llegaremos el martes próximo. Espero que eso no altere tus planes —añadió risueño.

—No... ¡Qué va! —exclamó ella siguiéndole la corriente. Tenía la sensación de que podía hacer cualquier cosa que Jeff le pidiese.

Fueron al trote hacia Central Park. Ella se puso los guantes y él la ayudó a ajustárselos. Le sentaban perfectamente. Se miraron a los ojos. Era un hombre encantador, pensó Allie. Y la estaba conquistando.

—Esto es maravilloso, Jeff. Gracias.

—No seas boba —dijo él un poco azorado—. Me ha parecido que, puesto que estaba nevando, había que hacer algo especial.

La berlina provocó más problemas de tráfico de los que ya había. Al llegar a la altura del sector sur de Central Park, giraron hacia la derecha en dirección a la pista de patinaje Woolman, a tres o cuatro manzanas de allí.

—¿Dónde estamos? —preguntó Allie al detenerse el coche. La calle estaba tan oscura que imponía. Aunque se decía que la seguridad ciudadana había mejorado en Nueva York, no las tenía todas consigo. Pero el frío y el viento eran tan intensos que ni siquiera los navajeros debían de rondar por allí. El cochero abrió la puerta y los ayudó a bajar.

—¿Sabes patinar? —preguntó Jeff.

—Regular. No me he puesto unos patines desde que salí de Yale.

—¿Lo intentamos?

Allie se echó a reír. Sería divertido. No pudo resistirse.

—Adelante —accedió.

Fueron del brazo hacia la pista. El cochero los aguardó en el pescante de la berlina con cara de resignación. Jeff le había pagado hasta medianoche. Alquilaron los patines y se los anudaron a conciencia. En cuanto pusieron el pie en la pista, Allie comprobó que aún sabía sostenerse y que él era un consumado patinador. Había jugado en el equipo de hockey de Harvard. Dio una rápida vuelta alrededor de la pista para calentar los músculos y volvió junto a ella. Al cabo de unos minutos, Allie ya conseguía hacer algo más que sostenerse y se deslizaba con gracia. Estaban prácticamente solos en la pista. Compraron dos bocadillos de salchichas y se tomaron tres vasitos de chocolate caliente cada uno.

Allie lo estaba pasando en grande. Reían y bromeaban como viejos amigos. En realidad, Allie tenía la misma sensación que cuando estaba con Alan, sólo que mejor.

—No sé cuánto tiempo hace que no lo pasaba tan bien —dijo ella cuando se sentaron al fin a descansar. Empezaban a dolerle los tobillos.

—En Los Ángeles a veces voy a patinar —dijo él—. Pero allí las pistas son muy malas. Un año estuve esquiando en Tahoe. Tienen una pista pero es minúscula. Está claro que no es un deporte del Oeste. Lástima, porque me encanta.

—Y a mí.

Allie lo miró con cara de felicidad. Jeff era lo que su hermana Samantha hubiese llamado un «cachas», tan alto, viril y atlético. Siempre le reían los ojos.

—Ya no me acordaba de lo divertido que es esto —dijo ella.

Él fue a comprar unos bollos y café. La verdad era que no hacía tanto frío, quizá porque había cesado el viento. Pero seguía nevando.

—Si esto sigue así, mañana la ciudad estará colapsada. A lo mejor has de anular todas tus citas —dijo él—. Sería estupendo.

Allie se echó a reír. Tenía que verse de nuevo con Jason Haverton, y así se lo comentó a Jeff.

—Me cae muy bien —añadió—. Debió de ser el terror de las mujeres en su juventud. Pero es muy amable, muy interesante y culto; y conserva una lucidez increíble. —La verdad era que lo admiraba. Le había encantado conocerlo personalmente—. Es curioso, pero aquí todo parece más civilizado que en California. Existe de verdad un mundo literario poblado de escritores y de personas verdaderamente cultas. Allí casi todo el mundo está todavía por pulir. A veces se olvida, pero basta darse una vuelta por aquí para recordarlo. En California no es imaginable un hombre como Jason Haverton. La prensa del corazón lo devoraría, le atribuiría ligues con una enfermera geriátrica y le enviarían anónimos amenazándolo de muerte.

—Pues... no sé qué quieres que te diga, Allie. A un hombre de su edad puede venirle bien una movida así. Por lo menos levanta la moral.

Habían vuelto a la pista y él le rodeaba la cintura y la apretaba contra sí con el pretexto de ayudarla a no caer. Pero ella no se retiró. Le gustaba.

—Hablo en serio, Jeff, aquel es otro mundo.

—Ya lo sé. Debe de ser duro para tus clientes soportar continuamente el acoso de los medios. ¿Incluso amenazas de muerte? ¡Qué horror!

—Podría sucederte a ti cualquier día. Les ocurre a todos los que ganan mucho dinero o tienen grandes éxitos. Es casi automático. Es de verdad como en el Lejano Oeste. Pero casi lo peor es la prensa del corazón. Crucifican a cualquiera.

—¿Y qué puedes hacer tú para protegerlos de toda esa basura?

—La verdad, muy poco. Hace años aprendí de mis padres que hay que mantener un bajo perfil, llevar una vida transparente. Pero aun así intentan sacar de donde no hay. Cuando mis hermanos y yo éramos pequeños nos acosaban para fotografiarnos. Pero mi padre nunca lo permitió. Últimamente las cosas se están poniendo peor. Hace unos días Carmen Connors recibió un anónimo amenazándola de muerte. Y tuve que llamar a la policía y a una empresa de seguridad, por si acaso. Está aterrada. A veces me llama a las cuatro de la madrugada sólo porque ha oído un ruidito y se ha sobresaltado.

—O sea que lo tuyo es dormir a pierna suelta —bromeó él.

Allie se echó a reír. Se abstuvo de comentarle que Brandon detestaba que atendiese llamadas de sus clientes de madrugada. No le parecía bien volver a quejarse de Brandon. Jeff podía interpretarlo como una invitación a seguir cortejándola. Y no quería que se hiciese ilusiones. Pero el caso era que allí estaban... ¿Patinando?, se dijo Allie entre aprensiva y maliciosa. Dentro de una semana Jeff estaría en Los Ángeles y no podría salir por las noches con él como ahora. Quizá pudiesen almorzar de vez en cuando. Le había estado dando muchas vueltas. Podía presentárselo a Alan e incluso a sus padres. Estaba segura de que a su madre le encantaría. Y su padre ya lo conocía. Estaba desconcertada. ¿Por qué pensaba ya en presentárselo a sus padres?

—¿En qué piensas? —preguntó Jeff mirándola.

Allie tenía ojos muy expresivos. Lo miró con ceño, titubeante.

—Pensaba en que me gustaría presentarte a mi familia. Qué tontería, ¿verdad? Y trataba de justificármelo.

—¿Y por qué tienes que justificarte? —exclamó él.

—No sé. ¿Tú crees que no?

Jeff no contestó. Estaban en uno de los lados de la pista, apoyados en la barandilla. La atrajo delicadamente hacia sí y la besó. Allie se sorprendió tanto que no se retiró. Dudó un instante pero lo besó también. Fue un largo beso que los dejó sin aliento.

—Oh, Jeff... —exclamó ella, sorprendida por lo que acababan de hacer. Volvía a sentirse como una niña y, a la vez, como mujer...

—Allie... —musitó él, y la estrechó entre sus brazos sin que ella opusiera resistencia.

Se apartaron y volvieron a la pista en silencio.

—No sé si debo excusarme, Allie —dijo él mirándola mientras se deslizaban juntos sobre el hielo—. Pero la verdad es que no quería hacerlo.

—Descuida —dijo ella quedamente—. También yo te he besado.

—¿Tienes mala conciencia por Brandon? —le preguntó él mirándola a los ojos. Quería saber cómo se sentía. Se estaba enamorando de ella. Le gustaba todo lo suyo: sus ideas, sus principios, sus sueños. Y era preciosa. Quería estar con ella, abrazarla y besarla. Hacer el amor con ella.

—No lo sé. No estoy segura de mis sentimientos. Supongo que debería tener mala conciencia. Quiero casarme con él. O por lo menos eso he deseado durante dos años. Pero ¡es tan inflexible, Jeff! No concede ni un milímetro más de lo que quiere dar. Pesa y mide todo lo que hace.

—¿Y por qué quieres casarte con un hombre así? ¡Por Dios! —exclamó Jeff irritado.

Volvieron a detenerse. La pista estaba a punto de cerrar y los pocos patinadores que quedaban empezaban a retirarse.

—No lo sé —repuso ella, harta de tener que explicárselo a todo el mundo, de tener que estar siempre justificándose, incluso ante sí misma—. Quizá porque llevamos mucho tiempo de relaciones, o porque creo que me necesita. Creo que sería beneficioso para su vida. Ha de aprender a dar, a bajar la guardia, a no tener tanto miedo a amar y comprometerse.

Los ojos de Allie se humedecieron. Al mirar a Jeff su propia vida se le antojó de pronto una solemne estupidez. La generosidad de espíritu de Jeff era una prueba de que no todos los hombres eran como Brandon.

—Y si no aprende, ¿qué? ¿Qué vida tendrás? ¿Qué clase de matrimonio te espera? Probablemente igual que el que haya tenido con su ex esposa. Puede que esté resentido contigo por tratar de cambiarlo. Puede que con su primera esposa ocurriese lo mismo. Sin embargo, sigue sin divorciarse de ella. Quién sabe cuánto puede alargarse esta situación. ¿Dos años? ¿Cinco? ¿Diez? Creo que te estás haciendo daño. Mereces mucho más, ¿no te das cuenta?

Eso era exactamente lo que le decía su madre, sólo que Jeff lo decía con mayor contundencia.

—¿Y si resultases ser como él? —dijo ella irreflexivamente, porque su pregunta implicaba demasiadas afirmaciones. Lo miró entristecida. Porque eso era lo que más temía, lo que más la aterraba: pensar que, al final, todos resultasen como Brandon.

—¿Acaso te lo recuerdo? —repuso él.

—No. Me recuerdas a mi padre —dijo ella riendo.

—Lo interpreto como un cumplido.

—Y lo es. También me recuerdas un poquito a mi hermano, y a Alan —agregó ella sonriéndole. Lo cierto era que le recordaba a todos los hombres agradables que había en su vida, y a ninguno tan incapaz de entregarse como Brandon, como aquellos con los que había tenido relaciones anteriormente.

—¿Nunca has hablado con nadie de tu situación? —preguntó él ingenuamente.

Allie se echó a reír.

—¡Por supuesto que sí! ¿No sabes que ir al psicólogo es el deporte nacional californiano? Yo lo practico desde hace cuatro años. Voy a una psicóloga todos los jueves.

—¿Y qué te dice? Vamos... si no es indiscreción —dijo él titubeante.

Jeff estaba perplejo. No comprendía que Allie pudiera seguir apegada a alguien que le daba tan poco. Sobre todo porque incluso ella parecía darse cuenta, aunque también era evidente que lo defendía, como debía de hacer a menudo, porque muchas personas seguramente le decían lo mismo sobre Brandon.

—No, no es indiscreción —dijo ella mientras daban otra vuelta por la pista—. La doctora Green me dice que el problema está en mí. Y tiene razón. Siempre me lío con hombres incapaces de entregarse del todo, ni a mí ni a nadie. Pero creo que Brandon es mejor que otros que he conocido. Por lo menos, él lo intenta.

—¿De veras? —ironizó Jeff—. ¿Qué hace por ti?

—Quererme. Es un hombre envarado y reprimido. Pero creo que sabría estar a mi lado si lo necesitase.

Allie siempre trataba de convencerse de ello, aunque no tenía en qué basarse.

—¿Estás segura? Piénsalo. ¿Cuándo ha estado verdaderamente a tu lado? Apenas lo conozco, pero me temo que cualquier día te dejará plantada. Ni siquiera es capaz de divorciarse. ¿Qué es lo que quiere? ¿Tener a su ex esposa en la reserva? —Jeff reparó en que su pregunta era hiriente. No había más que ver la expresión de Allie, que de pronto se entristeció—. Lo siento —se excusó—. A lo mejor es que siento celos. No tenía derecho a decirte estas cosas. Perdona. He sido injusto, pero se me hace muy cuesta arriba conocer a alguien que, de pronto, me importa y descubrir que hay un Brandon al lado, como una sarta de latas atada a la cola de un gato. No sabes cómo me gustaría cortársela.

Allie no pudo reprimir la risa.

—Ya. Lo imagino —dijo.

Jeff había metido el dedo en la llaga, pero ella no quería reconocerlo. Llevaba dos años con Brandon. No iba a romper con él por que no la hubiese acompañado a la ceremonia de los Golden

Globes, por que no la llamase por teléfono para decirle que la quería, por que prefiriese volver a su apartamento después de hacer el amor con ella en su casa ni por haber conocido a un apuesto escritor neoyorquino. Una no tira su vida por la ventana por que alguien te lleve a patinar. Pero tampoco podía negar lo mucho que la atraía Jeff. La tenía aturdida, y eso no tenía que ver con Brandon.

Siguieron en la pista del brazo hasta que los altavoces anunciaron que iban a cerrar. Devolvieron los patines y fueron hacia la berlina en silencio. Jeff estaba furioso consigo mismo por haber roto el encanto con su impertinencia. Tenía que desagraviarla. La invitó a tomar una copa en casa de su madre, pero Allie consideró más conveniente volver al hotel. No quería trasnochar, porque por la mañana tenía que levantarse temprano.

—Prometo portarme bien. No he debido decirte todas esas cosas, Allie. Perdona.

—Me siento halagada —lo excusó ella sonriente—. Y me encantaría aceptar la copa. Pero he de levantarme muy temprano.

Allie se recostó entre los brazos de Jeff, que fantaseaba con la idea de despertar con ella por la mañana. Pero se abstuvo de decirlo. A través de la ventanilla veían caer la nieve que los caballos hollaban con sus cascos. Producían un ruido que la transportaba al pasado.

—Es bonito, ¿verdad? —dijo él quedamente.

Allie asintió con la cabeza y le sonrió.

—Me encanta —dijo—. Gracias, Jeff.

Ir a patinar con él había sido mucho más agradable de lo que pudo haber sido ir a un lujoso restaurante francés. Había disfrutado cada instante. No le tenía en cuenta sus palabras respecto a Brandon. Por más que momentáneamente la hubiese irritado, entendía por qué las había dicho. La actitud de Brandon se prestaba a todo tipo de críticas. Y, la verdad, en ese momento no quería pensar en él. Pensaba en Jeff mientras la berlina los llevaba por Central Park hacia el edificio Plaza.

—Patinas muy bien —la elogió él.

—Y tú... besas mejor —dijo ella risueña.

—Tú también.

Volvieron a una charla desenfadada y cuando salieron del parque bromeaban con desenvoltura. Al llegar al hotel, el cochero saltó del pescante y fue a abrirles la puerta. Bajaron, Jeff pagó lo estipulado y añadió una generosa propina. Luego, siguieron con la mirada al bonito coche de caballos que había contribuido a la magia de la velada.

—Me siento como Cenicienta —dijo ella sin dejar de mirar la airosa berlina que enfilaba por Park Avenue bajo la nevada—. Ten, y gracias —añadió devolviéndole los guantes.

—¿Y ahora qué? ¿Nos convertimos los dos en calabazas? —dijo él sonriendo. Hacía siglos que no se sentía tan feliz. Allie le parecía maravillosa.

—Ha sido estupendo. Me ha encantado —dijo ella.

Al mirarlo a los ojos de nuevo, Allie sintió el impulso de volver a besarlo. Lo deseaba. Jeff la acompañó al vestíbulo del hotel y aguardaron a que bajase el ascensor. Cuando se abrieron las puertas Allie vio sorprendida que también él entraba. Pero le sorprendió aun más su propia reacción. Porque no puso objeciones y subieron en silencio, muy juntos, hasta la planta 14. Fueron pasillo adelante y Allie sacó la llave del bolso y se detuvo frente a su puerta. No lo invitó a entrar. Se limitó a mirarlo pensativa. Deseó que las cosas fuesen distintas, que Brandon no hubiese estado en su vida durante aquellos dos años. Pero el caso era que sí estaba, y no era cuestión de echarlo todo a rodar por una jornada romántica bajo la nieve con un extraño.

—Bueno... me despido aquí —dijo él, tan azorado como ella.

Jeff no quería forzar las cosas, ni acabar sufriendo a conciencia. Pero le costaba trabajo dejar que Allie desapareciese tras la puerta, tanto como creer que ella se conformaba con lo poco que tenía.

Estaba a punto de dar media vuelta para no presionarla más cuando Allie se le acercó un paso. Jeff no pudo dominarse. La abrazó y la besó intensamente. Allie se dejó llevar. Con Jeff se sentía segura, protegida y deseada. Estaba segura de que si llegaba a pasar la noche con él, Jeff no la dejaría hasta la mañana.

Se besaron una y otra vez apasionadamente. Pero luego Allie se separó un poco y meneó la cabeza entristecida.

—No puedo hacerlo, Jeff —dijo llorosa.

—Lo sé. Tampoco yo lo querría en estos momentos. Luego me odiarías. Podemos dejar las cosas así una temporada, como si fuese un romance a la antigua: besarse, abrazarse o simplemente verse y ser amigos, si eso es lo que prefieres. Haré lo que quieras —añadió con su tono más gentil—. No quiero que te sientas presionada.

—No sé lo que siento —dijo ella con franqueza—. Estoy

confusa —añadió mirándolo con mortificación—. Creo que ya te quiero... y también a Brandon. Quiero que sea lo que nunca ha sido, pero que creo que podría ser. No sé por qué me atormento. ¿Por qué hago esto? No lo entiendo. Creo que me estoy enamorando de ti. Pero no sé si es real o un espejismo. No sé lo que me pasa.

Allie lo dijo casi farfullando mientras él la miraba anhelante y volvía a besarla sin que ella lo detuviese. Le encantaba besarlo, estar en sus brazos, estar con él en cualquier parte, allí, en la pista de patinaje, en la berlina.

—¿Qué ocurrirá cuando regresemos a Los Ángeles? —dijo ella.

Estaban recostados contra la pared, junto a la puerta. Allie no se atrevía a dejarlo entrar, porque estaba segura de que terminarían en la cama antes de cinco minutos. Y eso no sería justo para nadie, aunque la seducía. ¿O podría asumir Jeff su vida tal cual era? Era una pregunta interesante.

—Todo esto es muy romántico —prosiguió—. Pero ¿qué ocurrirá cuando Carmen me llame a las cuatro de la madrugada, sobresaltada al oír el ruido de un cubo de la basura que ha volcado uno de sus perros, o detienen a Malachi O'Donovan en Reno por ir borracho y provocar una trifulca, y he de saltar de la cama para ir a pagar la fianza?

—Fácil —repuso él—. Yo iría contigo. No creo que sea tan complicado. Es más, creo que sería divertido y que me daría ideas para mis libros.

—En serio, Jeff. Lo mío es como tener media docena de hijos adolescentes y díscolos.

—No creo que eso me alterase demasiado. ¿Tan pusilánime me consideras? Siempre he sido bastante flexible. Será un buen entrenamiento para cuando tenga hijos que hagan todas esas cosas, aunque quizá no las hagan, si se les educa bien.

—No sé... —dijo Allie, confusa. Era doloroso no sentirse más libre. Aunque era un dolor impregnado de dulce pasión.

—Quiero estar contigo, vivir contigo y ver qué ocurre. Creo que a ambos nos pasa algo parecido. Me estoy enamorando de ti. No quiero dejarte escapar para que te eches en brazos de un hombre que, por lo visto, no sabe apreciarte ni te merece.

Jeff le retiró delicadamente un sedoso mechón que le caía sobre la frente. Miró a aquellos ojos que había visto por primera vez hacía unas horas y que tanta confianza le inspiraban ya.

—Lo que no querría —prosiguió Jeff— es hacerte desgraciada. No decidas nada ahora. Todo puede llegar por sus propios pasos. Ya veremos qué ocurre cuando estemos de vuelta en Los Ángeles —añadió en tono razonable.

—¿Y si decido que no nos veamos? —dijo ella mirándolo a los ojos aterrada. Porque los buenos propósitos de ambos no iban a servir de nada si seguían besándose una y otra vez.

—Confío en que no sea esa tu decisión —dijo él.

—No sé qué hacer.

Allie estaba asustada como una criatura. Tenía la llave en la mano. Jeff la prendió como con pinzas y abrió la puerta.

—Tengo una idea pero creo que, dada la situación, no es muy buena —dijo, y volvió a besarla en los labios, le dio un empujoncito hacia el interior de la habitación y le puso la llave en la mano—. ¿Nos vemos mañana? —añadió retrocediendo hacia el pasillo.

—He de ver a Haverton y a los promotores, aparte de otras reuniones. —Recordó de pronto que, además, había quedado en cenar con un abogado que no podía verla a ninguna otra hora. Sería un día muy fatigoso y no iba a tener mucho tiempo para Jeff—. No creo que esté libre hasta las nueve, o puede que más tarde.

—Te llamaré a esa hora.

Volvieron a acercarse y se dieron un beso de despedida. Luego, ella cerró la puerta y él fue hacia los ascensores.

Allie pensó enseguida en llamar a Brandon, pero algo en su interior la frenaba. No podía. Habría sido demasiado deshonesto llamarlo en ese momento, como si estuviese allí en su habitación, trabajando y pensando en él. Era consciente de que no debía volver a ver a Jeff o, por lo menos, de aquella manera. Pero también se dijo que renunciar a verlo sería demasiado doloroso. Quizá pudiera considerarlo un breve coqueteo, una aventurilla pasajera, y volver luego cada uno a su vida normal cuando estuviesen en Los Ángeles.

Una hora después, mientras Allie seguía dándole vueltas a lo mismo, Jeff la llamó. Se sobresaltó al oír el teléfono y estuvo a punto de no contestar. Estaba segura de que era Brandon, que no la había llamado en todo el día ni había dejado ningún mensaje. Contestó con mala conciencia.

—¿Sí? —Se sentía como una delincuente. Pero se tranquilizó al oír que era Jeff, que rió.

—No se te ocurra jugar nunca al póquer. Eres transparente hasta por teléfono.

—Por lo menos así es como me siento: transparente. Tengo remordimientos y no me extraña que se me note.

—Lo suponía. Mira, Allie, no has hecho nada malo. Si se ha producido un pequeño... desperfecto, tiene fácil arreglo. No le has sido infiel. Y si has de sentirte mejor, podemos darnos una tregua. —Se lo dijo dispuesto a cumplirlo, aunque consciente de que sería un sacrificio muy difícil de sobrellevar. La vería siempre que ella quisiera.

—Pues sí, creo que sería lo mejor; dejarlo correr de momento —aceptó Allie con tristeza—. No puedo seguir adelante.

—Eres una persona honesta. Y es una lástima —bromeó él, optando por quitarle hierro a la situación. Pero la idea de no poder seguir viéndola lo destrozaba.

—No podré verte mañana por la noche —dijo ella con súbita firmeza.

A él se le encogió el corazón.

—Entiendo. Llámame si cambias de opinión —dijo, pues le había dado todos los números a los que podía telefonearlo—. Espero que estés bien —añadió, preocupado por ella.

—Estoy bien. Sólo necesito recobrar el equilibrio. Estos dos días han sido... de locura.

—Pero muy hermosos —comentó él, que anhelaba volver a besarla y temía no poder hacerlo nunca más.

Jeff no había podido evitar llamarla. Pero todo lo que había conseguido era darle la oportunidad de retirarse, que no era precisamente lo que él pretendía.

—Han sido dos días maravillosos —dijo ella y, como en una película, vio imágenes de sus evoluciones por la pista de patinaje, del trayecto en la berlina, de sus besos bajo la nieve. Jeff había conseguido hechizarla. Pero ahora tenía que concentrarse en la realidad, en volver con Brandon—. Te llamaré —añadió con voz entrecortada—. Buenas noches, Jeff.

—Buenas noches, Allie.

Jeff la había llamado para decirle que la quería. Pero no llegó a decírselo.

7

El miércoles se le hizo interminable a Allie. Tuvo que hacer varias gestiones en puntos de la ciudad muy distantes entre sí; almorzó tarde y cenó, tarde también, con un abogado especializado en temas fiscales que asesoraba a uno de sus clientes. Fue una dura jornada.

Mientras caminaba por Madison Avenue desde el restaurante para tomar un poco el aire, pensó en Jeff por enésima vez desde aquella mañana.

Hasta entonces se había mantenido firme y no lo había llamado. No podía hacerlo. Sus sentimientos estaban a flor de piel. Era demasiado peligroso jugar con el fuego que los abrasaba. No debían verse.

Pero estaba visto que el destino tenía sus propios designios y, al asomar la cabeza en la entrada de una librería para ver las novedades, allí estaba Jeff, que desde la cubierta de su libro la miraba desde el escaparate. Allie se detuvo. Miró intensamente aquellos ojos que tantas cosas le decían y, casi como una autómata, entró en la librería y compró el libro.

Al llegar a su habitación dejó el libro encima de una mesita y miró la fotografía de Jeff. Luego guardó el libro en el maletín. No había ningún mensaje suyo, ni de nadie, sólo un montón de faxes.

Allie había tenido largas charlas por teléfono con Bram Morrison y Malachi O'Donovan. Carmen le había dejado un mensaje a Alice para decirle que estaba bien. Sólo Bram había tenido un problema: una nueva amenaza de atentar contra sus hijos. Lo habían llamado por teléfono y aunque la criada, que era caribeña, no lo entendió muy bien, la llamada era alarmante. Bram había llamado a la policía y les había puesto guardaespaldas a sus dos hijos. Era tal como Allie se lo comentó a Jeff. No había un momento de tranquilidad: contratos, decisiones que tomar, giras que organizar y amenazas que enfrentar. El aspecto interesante de aquel trabajo no le seducía en absoluto aquella noche. Sólo podía pensar en Jeff, que la llamó a las diez.

—¿Qué tal ha ido el día? —dijo. Procuró que su tono no delatase lo nervioso que estaba. Le sudaban las palmas de las manos. Oír su voz y no poder verla lo hacía sentirse desdichado.

—Bien —repuso ella, y le contó lo de Bram.

—Amenazar a unos niños es repugnante. Los canallas que hacen eso deberían estar en la cárcel. ¿Lo demás bien?

Ella miró entristecida al maletín.

—He comprado tu libro.

—¿Ah sí? —exclamó él complacido. Era esperanzador que siguiera pensando en él—. ¿Y por qué?

—Quería tener tu fotografía —contestó Allie como una jovencita prendada de su ídolo.

Jeff se echó a reír. Se maldecía por no tenerla al lado y poder abrazarla.

—Podría acercarme para que vieses el natural.

—Será mejor que no.

—¿Qué tal Brandon? —Jeff no pudo evitar preguntarlo. Sentía curiosidad por saber si la había llamado.

—Lo he llamado hace un rato pero no estaba. Debe de seguir enfrascado con sus papeles.

—¿Y nosotros, Allie? —musitó Jeff, que no había podido concentrarse en nada desde que se despidieron frente a la puerta de su habitación.

—Supongo que en... vuelo de espera, hasta que aprendamos a controlar los mandos y no estrellarnos.

Jeff rió.

—Te regalaré una pistola de balas anestesiantes para neutralizarme cada vez que me acerque a ti. Aunque necesitarías muchos cargadores.

—Creo que yo soy tan peligrosa como tú. Tú necesitarías pistoleras —bromeó, aunque con un dejo de culpabilidad.

—No seas tan dura contigo misma. Eres humana. No creo que hayas hecho nada impropio. Tú lo atajaste y dijiste que preferías que no nos viésemos. —La fidelidad era un virtud admirable, pero en aquellos momentos, no deseaba que ella fuese virtuosa.

—Sí, es cierto, pero lo hice *después* de haberte besado y... varias veces —repuso Allie, entre compungida y risueña.

—Mira, abogada, besar no es un delito en este país. No estamos en la Inglaterra victoriana. No creo que, en términos de fidelidad y dadas las circunstancias, se le pueda pedir más a una mujer.

—Pues me siento fatal y te echo de menos —confesó Allie.

—Me alegra oírlo —dijo él radiante—. ¿Y si nos viésemos mañana?

—También estoy muy ocupada. Además, no creo que sea conveniente.

—En fin... Me lo temía —dijo él abatido—. ¿Cuándo regresas?

—El viernes.

—Yo también. Por lo menos podríamos volar juntos, ¿no? Prometo no abalanzarme sobre ti en el avión.

Allie sonrió, pero tampoco le parecía muy oportuno viajar en el mismo vuelo. ¿Para qué torturarse? Era obvio que no podían verse sin tocarse.

—No, Jeff. Podemos comer algún día en Los Ángeles.

—Eso es como dar un portazo —se lamentó él—. Creo que merecemos algo más. Por lo menos podríamos ser amigos, ¿no? Es absurdo, Allie. No eres una monja. Eres una mujer. Ni siquiera estás casada. —Y si seguía por ese camino, pensó Jeff, nunca lo estaría. Cuando Allie llegase a la misma conclusión quién sabe qué habría sido de él. La oportunidad era muy importante en la vida, y Jeff no tenía intención de esperar hasta que ella decidiera dejar a Brandon. Porque, al paso que iba, podía tardar años.

—Veámonos sólo una vez más antes de regresar, Allie. Por favor, necesito verte.

—Quieres verme, pero no creo que lo necesites —replicó ella.

—Me convocaré a manifestarme. Haré una sentada en el pasillo de tu hotel. Volveré con la berlina e irrumpiré a caballo por la puerta.

Jeff siempre conseguía hacerla reír.

—No nos hagamos esto, Allie. ¿Por qué has de ser así?

—Por mantener mi palabra, por ser fiel a un compromiso.

—Dudo que él sepa lo que eso significa, y lo sabes. Deja por lo menos que te lleve al aeropuerto.

—Cuando estemos en Los Ángeles te llamaré —persistió ella.

—¿Para decirme qué? ¿Que no puedes verme a causa de Brandon?

—Dijiste que no me presionarías —le recordó ella, al borde de perder la paciencia.

—Te mentí.

—¡Eres el colmo!

—Bueno... pues, anda, lee mi libro y mira mi foto. Te llamaré mañana por la noche.

—No estaré —dijo ella tratando de desalentarlo, aunque en el fondo no lo deseaba.

—Pues te llamaré muy tarde.

—¿Por qué insistes?

—Porque te quiero.

Se hizo un largo silencio. Jeff cerró los ojos, consciente de que no tenía que haberlo dicho.

—Bueno... lo retiro: no te quiero —se corrigió—. Es una locura. Pero me gustas mucho, y deseo conocerte mejor. Voy a volverme loco. Además, ¿cómo vas a representarme si no nos vemos?

Allie no había parado de sonreír durante toda la retahíla de Jeff.

—No hemos llegado a ningún acuerdo —le recordó ella.

—Ah, pues... conciértame uno; ¿que clase de abogada serías sino?

—Una abogada loca, gracias a mi último cliente.

—Pues anda, ve con él. No quiero verte. Patinas muy mal —bromeó él.

—Cierto.

Ninguno de los dos había olvidado lo bien que lo habían pasado en la pista de patinaje. Parecía imposible que hiciese sólo un día que no lo veía. Se le había hecho una eternidad. ¿Cómo iba a poder vivir sin verlo estando en Los Ángeles?

—Bueno, Allie, he de confesarte algo. Te he vuelto a mentir: patinas muy bien —dijo él con tono zalamero—. Eres maravillosa. Ojalá conozca a alguien como tú algún día. Soy sincero al decir que admiro tu fidelidad. Las mujeres que ha habido en mi vida interpretaban tan ampliamente la fidelidad que le eran fieles a media docena de hombres a la vez. En fin... la llamaré mañana por la noche, abogada —insistió.

—Buenas noches, señor Hamilton —dijo ella con tono versallesco—. Que tenga un buen día mañana. Hablaremos por la noche.

No podía decirle que no la llamara. Le gustaba hablar con él. Además, en cierto modo, les daba a ambos una esperanza. Les levantaba un poco la moral, que buena falta les iba a hacer. Porque el día siguiente fue espantoso.

Estuvo lloviendo todo el día, no había manera de encontrar un taxi y hubo una avería cuando ella optó por desplazarse en metro. De modo que a unas citas llegó tarde y otras tuvo que anularlas. Al regresar al hotel a las seis de la tarde iba calada hasta los huesos. Por la mañana, Weissman la había invitado a cenar a las siete y media. Y sólo para distraerse y no pensar en Jeff, para no quedarse en su habitación dándole vueltas a la cabeza, había aceptado. Jeff le había enviado un ramo de rosas rojas aquella mañana. Le había gustado, claro, pero no la habían inducido a ceder. Después de dos años, le debía algo más a Brandon, entre otras cosas porque estaba segura de que él le era fiel. Brandon tenía muchos defectos, pero no era mujeriego. No acababa de comprender por qué ella se había comportado así con Jeff. Jamás le había sucedido algo así, dejarse llevar por una atracción irresistible.

Regresaría a Los Ángeles al día siguiente. No hablaba con Brandon desde el lunes. Lo había llamado y dejado varios mensajes; él debía de estar en el juzgado, reunido o haciendo gestiones. La crispaba no poder hablar con él y se dijo que quizá fuese el castigo por haber llegado al borde de la infidelidad. No sólo se había besado con Jeff sino que sabía que, si volvían a verse, no podría resistir más. Por eso, en el fondo se alegraba de no estar en el hotel por la noche. No habría lugar a la tentación si él la llamaba.

Se puso un vestido rojo de lana y un impermeable. Como no le apetecía entretenerse con un peinado complicado, se dejó el pelo suelto.

Antes de salir volvió a llamar a Brandon y de nuevo le dijeron que estaba reunido. Le dejó un mensaje para que la llamase. Luego, salió del hotel y pidió al portero que parase un taxi. Pero no pasó ninguno libre durante media hora. De modo que llegó tarde, igual que otros invitados, que tuvieron el mismo problema. Los Weissman habían invitado a cenar a catorce personas. Andreas le había dicho que asistirían Jason Haverton, una escritora feminista muy polémica, un conocido presentador de informativos de televisión, un corresponsal del *New York Times*, el director de la CNN y su esposa, y una actriz a quien la madre de Allie conocía y que estaba actuando en Broadway. Allie fue a saludarla antes de ocupar cada uno su sitio. Era una mujer tan respetada como pomposa. Entró en el salón con tales aires que los presentes tuvieron que dominarse para no reír.

Al llegar el último invitado, Allie se quedó de una pieza al verlo.

—El destino —dijo él dirigiéndole una sonrisa maliciosa.

Ella no pudo evitar echarse a reír. Tenía que haberlo sospechado. Aunque se negase a reconocerlo, se alegraba. Empezaba a cansarse de tanto resistir. Se estrecharon la mano como si acabaran de conocerse.

—Encantada —dijo Allie con naturalidad.

Se sentaron juntos con expresión risueña. Con el pelo mojado Jeff estaba aun más atractivo.

—¿Lo sabías? —musitó él.

—Por supuesto que no —contestó ella, y no pudo evitar que sus ojos revelasen todos los sentimientos reprimidos.

—Dime la verdad —bromeó él para hacerla rabiar—, ¿lo has planeado tú? No te importe confesarlo.

Allie lo fulminó con la mirada y él correspondió besándola en la mejilla con estudiado descaro. Y, sin darle tiempo a protestar, se levantó y fue por un whisky con hielo. Regresó enseguida y se enfrascó con ella en una animada conversación a la que se unió Jason Haverton, sentado frente a ellos.

El anciano escritor le comentó que estaba encantado con el acuerdo que le habían conseguido. Sus reservas acerca de la adaptación al cine de una de sus novelas se habían disipado, en gran parte gracias a Allie.

—Es extraordinaria —le dijo Haverton a Jeff cuando ella fue a decirle algo a Andreas, que estaba en el otro extremo de la mesa—. Es una gran profesional, y muy bonita —añadió mientras daba cuenta de su martini.

—Acabo de contratarla —dijo Jeff.

—Pues no se arrepentirá —le aseguró Haverton.

—Eso espero.

Allie regresó junto a ellos y, momentos después, empezaron a servirles la cena. Al no ser una velada tan multitudinaria como la de la fiesta, los Weissman no tuvieron que prodigarse tanto en breves saludos y conversaciones superficiales y pudieron dedicarles más tiempo a los presentes. Además el pésimo tiempo que había invitaba a disfrutar del cálido interior.

Hubo sobremesa entre cafés, tés y copas y, al cabo de un rato, los invitados se levantaron y formaron varios corrillos que no se deshicieron hasta casi las diez.

Fue una velada interesante para todos y cuando llegó el momento de despedirse de los Weissman, Jeff y Allie fueron juntos a recoger los abrigos.

Allie se dijo que ya había mantenido a Jeff a distancia lo suficiente. En el fondo, le parecía lo más natural estar con él, que rebosaba felicidad.

—¿Quieres que vayamos a tomar una copa? —propuso él con naturalidad—. Creo que puedes confiar en mí.

—No se trata de eso —dijo Allie ya en el ascensor—. En quien no confiaba mucho era en mí misma.

—¿Quieres que vayamos a casa de mi madre? Está a tres manzanas de aquí. Prometo portarme bien. Si no es así, te vas y punto.

—Tú vives muy peligrosamente —dijo Allie—. Pero quizá entre los dos podamos afrontarlo, ¿no?

A decir verdad, ninguno de los dos estaba seguro.

Jeff abrió el paraguas y caminaron por la Quinta Avenida. El viento era cortante y soplaba con tal fuerza que parecía ir a levantarlos del suelo.

El edificio era parecido al de los Weissman, con un vestíbulo privado en cada planta en el que se detenía el ascensor. Eran apartamentos pequeños, pero bien distribuidos. El de la señora Hamilton tenía un vestíbulo de mármol blanco y negro, con una mesa y un sillón estilo victoriano comprados en Christie's en una subasta. El interior también estaba amueblado con antigüedades inglesas, y decorado con tapices de delicados brocados, sedas y cortinas estampadas. Resultaba elegante pero frío.

Jeff la condujo a un despachito que tenía un cómodo sofá de piel. Era la estancia más acogedora del apartamento. Allie se detuvo ante una fotografía de la madre de Jeff y la miró con detenimiento. Era una mujer delgada y alta. Se parecía mucho a Jeff, pero tenía mirada triste y labios muy finos. Resultaba difícil imaginarla sonriendo. A diferencia de su hijo, no parecía muy simpática.

—Está muy seria en esta foto —dijo Allie, que se había criado entre rostros sonrientes.

—Es que es muy seria. Dudo que haya vuelto a sonreír desde la muerte de mi padre —explicó Jeff.

—Qué pena —dijo Allie, aunque con la impresión de que la madre de Jeff debía de haber sido siempre así.

—Mi padre tenía un gran sentido del humor.

—El mío también lo tiene. Ya debiste de notarlo cuando lo conociste.

Jeff sirvió dos copas de vino, las dejó en una mesita auxiliar y, mientras él iba a encender la chimenea, Allie se sentó en el sofá y se recostó en el respaldo, cansada tras el ajetreo de aquellos días.

—Ha sido una velada agradable, ¿verdad? —dijo ella observándolo encender el fuego.

—Para mí, maravillosa —dijo él, y volvió a mirarla y le guiñó un ojo—. No descartaba que asistieses, pero no me atreví a preguntártelo. Temía que no vinieses si sabías que iba a venir yo. ¿Habrías venido?

Allie se encogió de hombros.

—Es probable —dijo—. Creo que, subconscientemente, deseaba encontrarte. Pero parece de verdad cosa del destino, porque en definitiva nosotros no quedamos en vernos.

Allie había sentido un profundo alivio al verlo. Aunque fuese una insensatez, ya no podía seguir controlando sus sentimientos. Pero la sombra de Brandon la acechaba.

—¿Y ahora qué? —dijo Jeff, y se sentó a su lado en el sofá con su copa de vino y le rodeó los hombros con el brazo.

Se sentían muy a gusto juntos, como les había ocurrido desde el primer momento.

—No sé. Cuando estemos en Los Ángeles será cuando de verdad afrontemos la realidad —dijo ella—. Supongo que debería decirle algo a Brandon.

Sería inevitable. En cierto modo se creía en la obligación de contárselo. Ver de nuevo a Jeff le había hecho comprender que no podía seguir en silencio.

—¿Piensas hablarle de nosotros? —preguntó Jeff sorprendido.

—Quizá lo haga. Puede que todo lo que tenga que decirle es que me preocupa que pueda sentirme tan atraída por otra persona. Supongo que es revelador de lo que me falta con él.

—Con franqueza, creo que deberías callártelo. Cerciorarte de cuáles son tus sentimientos hacia él, asegurarte de lo que quieres y sacar tus conclusiones.

Pero en ese momento su estado de ánimo no se prestaba mucho a analizar las cosas. La conversación derivó hacia el nuevo libro de Jeff y su próximo contrato para el cine. Jeff había tomado buena nota de algunas sugerencias que Jason Haverton le hizo durante la cena.

Jeff estaba entusiasmado con la idea de su nuevo libro pero no tanto con la de terminar el guión. Tenía ganas de llegar a Malibú y ponerse a trabajar.

—¿Qué harás este fin de semana? —preguntó él.

Los troncos empezaban a crepitar en la chimenea. El calor de las llamas hacía la estancia aun más acogedora.

—He de organizarme para atender todo la semana que viene —dijo ella.

Allie tenía que negociar las condiciones para la nueva película de Carmen y convencer a Alan para un nuevo contrato. Tenía muchas cosas pendientes y trabajo atrasado, sin contar con todo lo que se hubiese acumulado en su mesa durante su ausencia.

—¿Estarás ocupada todo el fin de semana? —le preguntó acariciándole la mejilla.

—Supongo que trabajaré el sábado. Cenaré con mis padres y el domingo veré a Brandon.

—¿No irá a casa de tus padres el sábado contigo? —preguntó él, sorprendido.

—No.

—¿Y tampoco al aeropuerto a esperarte?

—No puede. Está en pleno juicio. Tiene que trabajar incluso el domingo. Y no quiere que lo distraiga.

Jeff arqueó las cejas y bebió un sorbo de vino.

—Pues a mí me encantaría que me distrajeses —dijo sonriente—. Llámame si te sientes sola.

Allie guardó silencio. Él fue a la cocina por hielo y ella lo siguió. Todo estaba inmaculadamente limpio. Su madre era una mujer meticulosa y la asistenta se había ocupado de adecentar todo lo que Jeff ensuciaba o desordenaba. Al dejar la cubitera bajo el chorro del grifo del fregadero y verla a su lado, Jeff no pudo contenerse y la abrazó. Notó que su cuerpo temblaba entre sus brazos, que sus muslos se arrimaban a los suyos.

—Oh, Allie —musitó—, ¿por qué eres tan cruel conmigo?

Había habido muchas mujeres en la vida de Jeff pero ninguna le había hecho sentir aquel anhelo. Quizá se debiera a la resistencia de Allie, a su negativa a seguir viéndolo; al inesperado encuentro. Su mutuo deseo tenía para ambos un sabor agridulce. Allie rozó su boca con los labios. Se besaron. Él fue acercándola a la pared. Ella lo deseaba, pero sabía que era fruto prohibido.

—Deberíamos dejarlo aquí —dijo con voz quebrada.

Pero él le arrimaba la entrepierna y ella se acoplaba a sus movimientos. Le ardían las mejillas y el cuello. Jeff empezó a acariciarle los pechos y la besó en la boca.

—Creo que no podré resistirlo —dijo él con un gemido de placer y dolor.

Tuvo que hacer acopio de toda su fuerza de voluntad para serenarse. Lo consiguió a duras penas, consciente de que era eso lo que ella quería. Pero siguieron besándose y ella deslizó la mano hacia su entrepierna. Fue una dulce tortura.

—Perdona —musitó ella.

Jeff sintió el impulso de poseerla allí mismo en el suelo de la cocina, o en el sofá, encima de la mesa, donde fuese.

—No sé si podré contenerme muchas veces como ahora —graznó él.

—Puede que no sea necesario —dijo ella, sofocada—. Almorzaremos en Spago en Los Ángeles. Y allí sólo podremos hablar.

—Qué desilusión —exclamó él sonriendo—. Prefiero esto —añadió. Volvió a tentarla acariciándole los pechos y la besó.

—Nos estamos torturando —dijo ella entristecida. ¿La habría respetado tanto Brandon en similares circunstancias?

—Tiene su lado interesante; tiene morbo —bromeó él—. Aunque la verdad es que preferiría renunciar a él —añadió mirándola a los ojos—. Pero, en fin, dejémoslo aquí. Te enseñaré el apartamento.

Recorrieron las distintas estancias y luego fueron al dormitorio de Jeff, oscuro, masculino, con cortinas verdes y antigüedades inglesas. Pero se dominaron para no echarse en la cama.

Era más de medianoche y, ya más sosegados, Jeff la acompañó al hotel. Subió en el ascensor con ella y en esta ocasión entró en la habitación, que tenía un pequeño saloncito. Se sentó en el sofá y Allie le mostró el libro que había comprado. Lo había dejado de pie para que se viese la fotografía.

—Me parece que los dos estamos locos —dijo él—. Yo te cortejo como un adolescente y tú te dedicas a mirar mi fotografía.

Había sido una semana muy rara para ambos y, en cierto modo, era como si estuviesen en un crucero, lejos de sus vidas cotidianas y sus obligaciones. Estaba por ver qué ocurriría cuando volviesen a la normalidad en Los Ángeles. Ahora resultaba difícil de imaginar.

Jeff se quedó un rato en la habitación. Tendrían que despedirse, quizá para siempre. Había llegado el momento de la verdad. Y eran conscientes de que, decidieran lo que decidiesen, resultaría doloroso.

Jeff se levantó y la abrazó. Quería pasar la noche con ella y estar siempre a su lado en adelante. Pero era consciente de que no podía.

—Prométeme que me llamarás si me necesitas —dijo—. No tienes que romper con Brandon si no quieres. Pero si me necesitas, llámame.

—Lo haré. Y espero que tú hagas lo mismo —dijo ella, apenada.

Aquello parecía una despedida definitiva. Quizá todo quedase en un bonito recuerdo de unos días felices en Nueva York.

—Te llamaré cuando reciba mi primera amenaza de muerte —bromeó él—. Cuídate.

Allie lo acompañó a la puerta y entonces él volvió a abrazarla. Cerró los ojos y aspiró su aroma.

—Oh, Dios, ¡cómo voy a echarte de menos! —musitó él.

—Yo también, Jeff —dijo Allie, que no estaba segura de si hacía lo mejor. Su intención era buena pero parecía una estupidez.

—Te llamaré de vez en cuando para saber cómo estás —dijo él, que pensaba dejar pasar unos días para que reflexionase y luego llamarla al bufete.

Pero de pronto las palabras parecieron desaparecer de su mundo. Se abrazaron y se besaron enardecidos. Luego se despidieron. Cuando Jeff hubo salido, ella cerró la puerta, se sentó en la cama y se echó a llorar.

Poco después sonó el teléfono, pero Allie no contestó. Le aterraba pensar que fuese Brandon.

8

Como Allie tenía el viernes dos entrevistas en Manhattan y su vuelo partía a las seis, tendría que salir de la ciudad a las cuatro, o puede que antes si hacía mal tiempo, porque el tráfico estaría imposible.

Llamó a Andreas Weissman para despedirse y darle las gracias por su ayuda y sus atenciones. Él le dijo que había sido un placer verla durante aquellos días y le agradeció a su vez su eficaz intervención en el contrato de Jason Haverton.

A las tres, Allie hizo apresuradamente el equipaje, después de almorzar ya muy tarde y, aunque presa de un gran sentimiento de culpabilidad, decidió llamar a Brandon. Hacía varios días que no hablaba con él y se sentía cohibida. Sólo la tranquilizaba pensar que, por lo general, él no se mostraba celoso. No parecía haberle preocupado en absoluto que ella estuviese toda la semana sola en Nueva York. Sabía que iba por trabajo. Y así era. Pero también había sido verdad lo de Jeff.

Allie dudaba que su vida volviese a la normalidad. Jeff la había llamado por la mañana poco después de que ella despertase. Oír su voz la había hecho llorar. Que sólo la llamaba para decirle que pensaba en ella, le había dicho. Seguramente la llamaba desde la cama, y la sola idea la tuvo anhelante toda la mañana.

Al llamar al despacho de Brandon respondió el contestador. Pulsó el botón que pasaba la llamada a su secretaria y le preguntó si Brandon estaba en el juzgado.

—No. Han llegado a un acuerdo esta mañana —repuso la secretaria.

—Estupendo, ¿no? Debe de estar muy contento.

—Muchísimo —dijo con sequedad la secretaria, que a Allie no le caía nada bien.

—Dígale que lo veré esta noche y, por si quiere ir a esperarme, que llegaré en el vuelo 412 de la United. De todas maneras, si no hay retraso y el tráfico no está muy mal estaré en casa antes de las diez.

—No podrá. Tiene un vuelo a San Francisco a las cuatro.

—¿Ah sí?

—Supongo que va a ver a su familia —dijo la secretaria.

Allie reflexionó. Brandon había estado en San Francisco el anterior fin de semana y sabía que ella llegaba aquella noche. Aunque, como hacía varios días que no hablaba con él, no sabía si alguna de sus hijas había tenido un problema.

—Bueno... pues dígale sólo que he llamado —dijo Allie con tono cortante—. Que me llame él.

—Sí, señora —dijo la secretaria con un dejo de sarcasmo.

Allie le había comentado muchas veces a Brandon que su secretaria era muy antipática, pero él siempre replicaba que a él no se lo parecía, que era una excelente secretaria y una mujer agradable. Lo recordó al colgar.

Brandon ya había terminado con aquel caso. Tenía el fin de semana libre y se iba a San Francisco. Pero le había dicho que no podría verla hasta el domingo, de modo que quizá hubiese pensado que ella ya habría hecho otros planes, o acaso le pediría que se reuniese con él en San Francisco... probablemente el sábado. Mientras lo pensaba tuvo una gran idea. Llamó a la compañía aérea y preguntó si tenían plaza para un vuelo a San Francisco. Como Brandon se alojaba siempre en el mismo hotel podría localizarlo. Le daría una sorpresa.

En la compañía aérea le dijeron que había un vuelo a las 17.53, sólo siete minutos antes que el de Los Ángeles. De modo que le daba tiempo. Sólo quedaba una plaza de primera clase, y Allie la reservó. Merecía la pena por darle aquella sorpresa. Necesitaba verlo imperiosamente, después de aquellos días enloquecidos en Nueva York con Jeff. Puede que todo hubiese sido sólo una ilusión romántica. Brandon representaba para ella la solidez. Llevaban dos años de relaciones. Había vivido todo el proceso de separación de él; sus hijas le encantaban y ellas parecían haberle tomado cariño. En cierto modo, ella y Brandon tenían una vida en común. Lo ocurrido con Jeff parecía algo mágico pero fugaz. Ocurría a veces, y no había que forjarse la ilusión de una vida por tales aventuras, se dijo con firmeza mientras llamaba a conserjería para que subieran por su equipaje.

No había telefoneado a Jeff para despedirse. Sabía que él tenía el vuelo a primera hora y, además, ya se habían dicho todo lo que tenían que decirse. Había llegado el momento de volver a la normalidad y ver qué ocurría una vez estuviese en Los Ángeles. No pensaba jugarse su futuro con Brandon y se alegraba de que las cosas con Jeff no hubiesen ido más allá. Habría sido un grave error. Ya tenía suficientes remordimientos por lo poco que había ocurrido. No pensaba contárselo a Brandon. No serviría más que para hacerle daño.

Allie sonrió para sí al pensar en lo contento que se pondría al verla. Decidió no dejarle ningún mensaje en su despacho comunicándole su cambio de planes. Sería más agradable darle una sorpresa.

Salió del hotel y subió al taxi que le había pedido el portero. Era hora punta y el trayecto hasta el aeropuerto fue tan lento que estuvo a punto de no llegar a tiempo de embarcar. Tenía que cambiar el billete, facturar el equipaje y llegar hasta la puerta de embarque, al final del interminable pasillo. Llegó corriendo por la pasarela cubierta, un minuto antes de que cerrasen las puertas del reactor. Las azafatas y los asistentes de vuelo no parecían de muy buen humor. Los viernes, tras una semana de trabajo, todo el mundo estaba cansado, y con el avión al completo no tendrían un momento de respiro.

Tras tanto correr para no perder el vuelo, resultó que no los autorizaban a despegar a causa del mal tiempo. Tuvieron que aguardar media hora. Les pusieron una película, pero tan mala que no logró distraer a los pasajeros, agobiados por la excesiva calefacción.

Allie sacó el libro de Jeff de la bolsa de mano y miró su fotografía. Aquellos ojos y aquella boca la hechizaban. Tenía los labios entreabiertos como si fuese a decirle algo. Estaba recostado contra una pared de ladrillo. La fotografía era muy buena. Pero contemplarla una y otra vez era un modo de torturarse, se dijo Allie, y volvió a guardar la novela en la bolsa.

Al aterrizar en San Francisco los obsequiaron con una nueva espera. Tuvieron que aguardar tres cuartos de hora, hasta que los autorizaron a situarse frente a la puerta de desembarque. Los pasajeros se rebullían en sus asientos, exasperados por el retraso. Además, como ocurría cada vez con mayor frecuencia, el servicio había sido pésimo. Cuando al fin abrieron las puertas del aparato, los pasajeros desembarcaron airados.

Allie fue al departamento de recogida de equipajes y se situó junto a la cinta transportadora. A pesar de todos los contratiempos se alegraba de haber hecho el viaje. Pensaba risueña en la sorpresa que iba a darle a Brandon. Era como una travesura, como si hiciese novillos y en lugar de volver a sus obligaciones cotidianas se tomase unos días libres. Un fin de semana con Brandon en San Francisco. Era lo que más necesitaban los dos en ese momento, más de lo que él pudiera imaginar.

Al recoger su bolsa, Allie volvió sin embargo a pensar en Jeff, que ya debía de estar en Los Ángeles, en su casa de Malibú. ¿Pensaba en ella? Le había dicho que la llamaría dentro de unos días. Pero no estaba segura de querer hablar con él. Ambos necesitaban recuperarse de la pequeña locura que habían cometido. Volver a verse de inmediato podía hacerles daño. Y ahora que acababa de dejar Nueva York, Allie estaba decidida a mantenerse firme y tratar de olvidar todo lo ocurrido.

Se situó en la cola de los taxis y tardó poco en subir a uno.

—Al Fairmont, por favor —le dijo al taxista.

Era un hotel antiguo y lujoso en el que Brandon se alojaba siempre. Sin duda, para las niñas, ir allí con él era como una pequeña aventura. Además, era céntrico. Ella había intentado convencerlo de que se alojase en un hotel más económico, en Pacific Heights, pero Brandon estaba acostumbrado a ir allí y decía que a sus hijas les encantaba.

Se sintió como una espía cuando el portero recogió la maleta, que el taxista había sacado del maletero y dejado en la acera. Se colgó del brazo el abrigo y el impermeable y con la otra mano asió el maletín y una bolsa. Un botones le llevó la maleta hasta recepción y aguardó junto al mostrador.

—Bienvenida, señora —la saludó un recepcionista. Debía de ser nuevo, porque era evidente que no la había reconocido.

Allie le dirigió una fría mirada.

—Tengo reserva a nombre de mi esposo, que ya ha llegado —dijo con desenvoltura.

Pensó que probablemente Brandon estuviese ya durmiendo. Tanto mejor. Pensaba subir y entrar sigilosamente en la habitación, desnudarse y meterse en la cama a su lado. Ansiaba darse una ducha pero no quería despertarlo. Se ducharía por la mañana.

En el vestíbulo había un continuo ir y venir de clientes. Era un hotel muy concurrido porque disponía de un magnífico restaurante con varios salones donde se celebraban banquetes y cenas especiales. La clientela podía elegir entre el Salón Oriental, donde servían especialidades hindús, chinas y polinesias; el Veneciano, famoso por sus entrantes y su música en directo; y el Mason's, para cenas más íntimas.

—Edwards —dijo Allie antes de que el recepcionista le preguntase cuál era su apellido.

La temperatura era allí tan distinta que el solo hecho de llevar colgados del brazo el abrigo y el impermeable la sofocaba.

—Ajá... sí, señora Edwards —dijo el recepcionista al teclear el apellido en el ordenador. Brandon Edwards; una doble, pero sólo había llegado el marido—. La 514, señora Edwards.

El recepcionista le dio una llave al botones y le ordenó que acompañase a la señora. El muchacho volvió a cargar con la maleta, insistió en llevarle también el resto del equipaje y enfiló hacia los ascensores.

Allie estaba hecha polvo. Como remate a sus agitados días en Nueva York, no había parado desde las siete y media de la mañana. Pero la idea de darle aquella sorpresa a Brandon la compensaba. Si él dormía, a lo mejor ni siquiera se despertaba, porque tenía el sueño muy profundo, y la descubriría por la mañana al abrir los ojos. Quizá estuviesen sus hijas con él.

El botones abrió la habitación 514 y Allie le dijo que dejase el equipaje justo en la entrada, le dio una propina y lo despidió. Luego cerró la puerta y encendió la luz del saloncito. Brandon era tan buen cliente que casi siempre le daban una suite de dos piezas por el precio de una habitación doble. No se oía el menor ruido y Allie dedujo que Brandon estaba dormido. Su maletín estaba junto al escritorio, su chaqueta colgada del respaldo de una silla y encima de la mesa varios libros, el *Wall Street Journal* y el *New York Times*. También había dejado allí un par de zapatos y unas zapatillas que solía ponerse cuando trabajaba, debajo de la silla de la que colgaba la chaqueta. En casa era más ordenado.

Allie entró de puntillas en el dormitorio. Sólo quería asomar la cabeza para verlo. Luego se desnudaría y se metería en la cama a su lado. La habitación estaba a oscuras. Pero cuando sus ojos se acostumbraron a la oscuridad, vio que no había nadie en la cama, que estaba sin deshacer y con las chocolatinas que en muchos hoteles tenían por costumbre dejar encima de las almohadas. Pensó que a lo mejor Brandon estaba aún con las niñas o hablando de los temas de siempre con Joanie, a no ser que hubiese ido al cine. Solía ir para desconectar cuando había tenido unos días de intenso trabajo.

Fue una desilusión no encontrarlo. En fin, pensó, por lo menos así podría ducharse y lavarse la cabeza. Estaría más relajada y lo pasarían mejor en la cama cuando él regresase. Aunque al pensarlo, la imagen de Jeff se solapaba con la de Brandon. Por ridículo que pareciese tenía la sensación de serle infiel a Jeff en aquellos momentos. Pura esquizofrenia, se dijo. Desechó la idea y encendió la luz.

Allie se quitó la chaqueta, fue a colgarla al armario y de pronto comprendió por qué no estaba Brandon allí. Se había equivocado de habitación. No. Quizá estuviese trastornada y las cosas del saloncito no fuesen de Brandon.

Media docena de vestidos de mujer colgaban de las perchas del armario, además de unos tejanos. También había varios pares de zapatos de tacón alto. Volvió al salón a recoger sus cosas para salir de allí antes de que volviesen los ocupantes. Pero no. ¿Estaba ciega? La chaqueta que colgaba del respaldo de la silla era de Brandon. Y también el maletín y los zapatos. Por si cabía alguna duda, el maletín llevaba sus iniciales en la cerradura. O sea que... Brandon estaba allí con otra mujer.

Confusa y nerviosa, entró en el cuarto de baño. Había cosméticos de mujer por todas partes, unas sandalias de fantasía, y un «picardías». Brandon la engañaba con otra mujer. No era Joanie, porque los vestidos que había en el armario eran por lo menos tres tallas superiores a la de Joanie, que era menudita. Era otra. Pero ¿quién? Había bragas y sostenes en el taburete del cuarto de baño y en un sillón.

Allie sintió ganas de ponerse a chillar. ¿Qué significaba aquello? ¿Cuánto tiempo hacía que la engañaba? ¿Cuántas veces habría ido a San Francisco con otra, con el pretexto de ver a sus hijas? Jamás lo había sospechado. Siempre había confiado en él. Casi de inmediato, la imagen de Jeff se le representó como si lo tuviese delante. Se había consumido de remordimiento por unos besos y alejado de un hombre que aseguraba haberse enamorado de ella, simplemente por respetar a Brandon. Las lágrimas afloraron a sus ojos mientras recorría la habitación. No hacía falta ver más, ni tenía el menor interés en sorprenderlos cuando regresaran.

Allie se sulfuró al pensar en la eterna excusa de Brandon: que necesitaba «distancia», «un espacio propio», que no se veía con fuerzas de volver a comprometerse demasiado. ¡Menudo cabrón!

Cargó con todo el equipaje y, casi trastabillando, fue hacia los ascensores. Rezaba por que no fuesen ellos quienes bajasen del primer ascensor que llegase, y por no cruzárselos en el vestíbulo. Por suerte, el ascensor iba vacío. Pulsó planta baja. Como había estado muchas veces allí, conocía bien el hotel y sabía que desde planta baja se podía salir por la escalera a la calle de atrás. Por allí debía de haber entrado la furcia que se acostaba con Brandon, pensó indignada, aunque enseguida se arrepintió de despotricar contra ella, que podía ser otra engañada.

Aguardó en la acera a que pasara un taxi libre, muy nerviosa porque en San Francisco era siempre una odisea encontrar uno. Los pocos taxis que pasaban por la zona lo hacían frente a la entrada principal del hotel. Pero por nada del mundo quería tropezárselos. De modo que aguardó allí, viendo pasar los tranvías cargados de turistas.

Allie no acababa de creer que Brandon la hubiese estado engañando de esa manera. O sea que la laboriosa hormiguita era un perfecto canalla.

Al fin pasó un taxi libre. Allie lo paró y el taxista bajó para ayudarla a cargar el equipaje.

—Muchas gracias —dijo ella distraídamente al subir.

—¿Adónde?

—Al aeropuerto, por favor —dijo ella con voz entrecortada. No pudo evitar llevarse las manos a la cara y prorrumpir en sollozos.

—¿Está usted bien, señorita? —preguntó el taxista, un buen hombre que se apenó por ella. Algo debía de haberle ocurrido.

—Sí, no se preocupe —repuso Allie.

Sin dejar de llorar, Allie rehízo el trayecto que había recorrido hacía media hora. De pronto reparó en que aún llevaba en la mano la llave de la habitación. La dejó en el asiento y miró por la ventanilla. ¿Cuánto tiempo hacía que vivía engañada? Quizá la hubiese engañado desde el principio. A lo mejor esa había sido siempre su manera de proceder, la del típico hombre que siempre traiciona a su pareja.

Llegaron al aeropuerto en veinte minutos. El taxista, que la había oído sollozar durante todo el trayecto, la compadeció. La mujer parecía tan desesperada que el buen hombre temió que fuese a hacer una barbaridad.

—Perdone, señorita —le dijo él tras bajar para ayudarla a sacar el equipaje—. No lo considere una impertinencia, pero ¿adónde va?

—A Los Ángeles —repuso Allie con la cara desencajada. No lograba sobreponerse—. No se preocupe... de verdad. Estoy bien.

—Pues nadie lo diría, señorita. Espero que no sea nada grave.

Allie le dio las gracias y, de nuevo cargada con el equipaje, entró en la terminal.

Por lo visto no era su día. En un mostrador de información le dijeron que ya no había vuelo a Los Ángeles aquella noche, que el último había despegado hacía unos minutos. Era ya más de medianoche y lo único que podía hacer era quedarse allí a esperar el primer vuelo de la mañana. En los mostradores de facturación de equipajes no quedaba nadie. En información le sugirieron que podía alojarse en el hotel del aeropuerto, pero no le seducía en absoluto volver a un hotel. No quería ir a ninguna parte, sólo quedarse allí. Tenía mucho en qué pensar y, por un instante, sintió el impulso de llamar a Jeff. Pero no sería muy oportuno llamarlo para lamentarse por lo ocurrido después de lo dura que, en cierto modo, se había mostrado con él en Nueva York. Lo había hecho rogar por cada uno de sus besos mientras Brandon se acostaba con otra. Se preguntaba quién sería la mujer que estaba con él en el Fairmont. Había estado demasiado nerviosa en la habitación para tratar de ver algo que la identificase. Ver su ropa interior por todas partes había sido un trago demasiado fuerte. Daba gracias por no habérselos tropezado. Y no quería ni imaginar cuál podía haber sido su reacción si llega a verlos juntos en la cama.

Optó por dejar el equipaje en consigna para ir a tomar un café sin cargar con todo. Al cabo de un rato logró tranquilizarse un poco. Estaba menos sulfurada pero más triste. Pensó llamar a su madre y contárselo. Pero su madre tenía tan mala opinión de Brandon que no quería darle la satisfacción de decirle que la había estado engañando. ¿O era sólo algo reciente y pasajero? No había modo de saberlo, y dudaba que él fuese lo bastante sincero con ella como para decirle la verdad. Poco sospechaba él que lo iba a pillar in fraganti.

Se tomó varios cafés que la tuvieron despierta toda la noche. Pasó las horas leyendo revistas, pensando en Brandon y paseando de una punta a otra de la terminal. Pensó en escribirle una carta y desahogarse. Pero no le pareció lo más adecuado. Aunque, lo cierto era que no sabía qué hacer. Podía haber regresado al Fairmont o llamarlo allí, a ver qué decía. Podía hacer muchas cosas, pero sólo deseaba llegar a casa y pensar.

A través de los ventanales de la terminal, Allie vio salir el sol. Volvió a echarse a llorar al pensar en Brandon.

A las cinco y media fue por un carrito, recogió el equipaje de la consigna y facturó el equipaje. La empleada comprobó su billete de ida y vuelta y le entregó la tarjeta de embarque. El primer vuelo a Los Ángeles salía a las seis. Iría casi vacío, como era normal los sábados.

Ya en el aparato, la azafata le trajo un café y un donut. Allie ni lo probó. Estaba derrengada. Hacía casi veinticuatro horas que no dormía, pero le fue imposible conciliar el sueño durante el vuelo, que llegó a Los Ángeles a las siete y diez.

De nuevo salía de una terminal por un taxi. Era el tercer aeropuerto que pisaba en menos de dos días. Cuando al fin le tocó el turno y subió a un taxi, se recostó en el respaldo e indicó la dirección con voz desmayada. Y a las ocho en punto entraba en su casa.

Había estado fuera casi siete días, se había enamorado de un hombre nada más conocerlo y había descubierto que el hombre a quien se había consagrado durante dos años la engañaba. No podía haber sido una semana más dura, sobre todo desde la noche anterior en San Francisco.

Dejó el maletín en el suelo y miró en derredor. La mujer de la limpieza le había dejado un montón de correspondencia encima del escritorio. Enseguida pulsó el botón del contestador automático para escuchar los mensajes: de la tintorería, sobre una chaqueta que le extraviaron; de la lavandería, sobre unas fundas de almohada que tampoco encontraban; de un gimnasio que pretendía que se hiciese socia; del taller al que llevaba el coche. Su madre la había llamado la noche anterior para invitarla a cenar con ellos el domingo; y Carmen le decía en tono risueño y misterioso que estaba en casa de «una persona». Le dejaba un número de teléfono que le resultó familiar, aunque no recordaba exactamente de qué. El último mensaje era de Brandon, que le decía que iba a San Francisco a ver a sus hijas porque, al fin, su cliente había aceptado un acuerdo y había terminado el trabajo antes de lo previsto, y que sus niñas tenían muchas ganas de verlo. Añadía que estaba seguro de que habría regresado muy cansada de Nueva York y que tendría trabajo atrasado, que la vería el domingo por la noche cuando regresara.

Allie se preguntó si se molestaría en llamarla otra vez o si consideraría que con dejarle aquel mensaje ya cumplía. Quizá contara con que fuese ella quien lo llamase. Pero en aquellos momentos no tenía ganas de hablar con nadie. Quería estar sola, para lamer sus heridas y decidir qué hacer. Aún no sabía cómo iba a decírselo. Todo estaba bastante claro. No cabía duda de que la engañaba y estaba decidida a romper con él.

Deshizo el equipaje y guardó la ropa. Luego se preparó café y unas tostadas. Después se duchó y se lavó la cabeza. Pensó que, además, le serviría para relajarse. Pero no. Sentía un dolor físico, como si la hubiesen desgarrado por dentro al ver la ropa interior de la mujer que se acostaba con Brandon.

A las diez llamó a sus padres. Pero no estaban, y Allie se alegró. Samantha le dijo que habían ido al club a jugar al tenis. Allie le dijo a su hermana que todo había ido bien en Nueva York y que acababa de regresar, pero que tenía muchas cosas pendientes que solventar y que no podría cenar con ellos el domingo.

—Díselo a mamá, Sam.

—Descuida —le aseguró su hermana con su habitual displicencia.

Nunca podían confiar en que Sam diese los mensajes. Tenía tantos pájaros en la cabeza que más de una vez lo olvidaba.

—Que no se te olvide como otras veces, ¿de acuerdo? No vaya a creer que no he contestado a su mensaje.

—¡Vale, vale! ¡Cómo si tus mensajes fuesen tan importantes!

—Para mamá sí, estúpida.

—Eh, eh, tranquila. Se lo daré. ¿Qué tal por Nueva York? ¿Has comprado algo?

Sí, pensó Allie, un libro de un escritor con quien...

—No he tenido tiempo de ir de compras, nena.

—¡Pues qué aburrimiento!

—No ha sido un viaje de placer, ¿sabes? He ido por trabajo. ¿Qué tal mamá?

—Bien. ¿Por qué?

A Samantha le sorprendió que se lo preguntase. Nunca pensaba que su madre pudiera no estar bien. A sus diecisiete años su mundo se ceñía a sus propios intereses y sus padres no le preocupaban en absoluto.

—Lo digo por si se ha rehecho del disgusto de que no le diesen el premio.

—Pues claro —dijo Samantha encogiéndose de hombros—. No ha comentado nada, pero no creo que le importe mucho.

Estaba claro que Samantha conocía muy poco a su madre. Blaire era una perfeccionista que valoraba el éxito personal y se preocupaba por el menor detalle. Allie sabía que no ganar el premio le había dolido mucho, pero era demasiado orgullosa para reconocerlo. Aunque, claro, era normal que a sus diecisiete años Samantha no reparase en los sentimientos de su madre. Estaba a punto de terminar el bachillerato y sólo podía pensar en los exámenes, en que la llamasen de la agencia para alguna sesión fotográfica y en comprarse ropa. Además, estaba entusiasmada con la idea de ir a la universidad y vivir «por su cuenta».

—Dile a mamá que volveré a llamar en cuanto pueda, y dales un beso a ella y a papá de mi parte.

—¿Algo más, excelencia?

—¡Vete al cuerno!

—¿Se puede saber qué mosca te ha picado?

—Es que me he pasado toda la noche en el aeropuerto. —¡Si supieras!, exclamó Allie para sí. Pero no podía contarle lo de Brandon a la mocosa de su hermana.

—Lo siento.

—Bueno, hasta pronto, Sam.

Después de colgar volvió a cavilar sobre todo lo ocurrido. Al cabo de un rato decidió llamar a Alan. Pero no estaba.

Le habría gustado hablar con él acerca de lo ocurrido. Alan no le tenía ninguna simpatía a Brandon pero era una persona justa y objetiva. Además, también tenía ganas de hablarle de Jeff, a ver qué opinaba. Si le decía que estaba completamente loca o... muy cuerda.

A mediodía se sintió tan agotada que no lograba coordinar

sus ideas y optó por acostarse un rato. No llamó nadie por teléfono ni sonó el timbre de la puerta. Brandon ni siquiera se había molestado en llamar para preguntarle si había llegado bien.

Se despertó a las seis, ya oscurecido. Pero el sueño no había sido del todo reparador. Por lo menos esa era la sensación que tenía. Seguía con el corazón encogido y un nudo en la garganta. Remoloneó en la cama un rato, mirando al techo y pensando en Brandon. Una y otra vez las lágrimas afloraban a sus ojos. La noche anterior había sido muy dolorosa para ella, y seguía sin saber qué hacer.

No quería seguir con Brandon ni empezar una nueva relación, ni volver a confiar en nadie. Puede que Jeff fuese igual que Brandon. Siempre tropezaba con la misma piedra, con hombres que no querían comprometerse a fondo y terminaban por hacerle daño. El único hombre que nunca le había hecho daño ni la había abandonado era Simon Steinberg. Era el único en quien podía confiar y al único que podía querer. Estaba convencida de que jamás la traicionaría.

Y ahora tendría que enfrentarse a Brandon. La sola idea le producía náuseas. No quería volver a ver su cara ni sus ojos cuando le mintiese. Aun lo odiaría más.

No se sentía con ánimo ni para cenar. Se quedó allí echada, sollozando medio adormecida.

Al despertar el domingo por la mañana estaba como si la hubiesen apaleado. Le dolía todo, por dentro y por fuera. No tenía ganas de hablar con nadie y, cuando Carmen llamó, no se puso al teléfono; no contestó a ninguna llamada hasta que a las cuatro la llamó Brandon. Cogió el auricular en cuanto oyó que Brandon empezaba a dejarle un mensaje. Quería zanjar la cuestión cuanto antes. Tendría oportunidad de hacerlo enseguida porque le había dicho que probablemente fuese a verla aquella noche al regresar de San Francisco.

—Hola, Brandon —dijo con naturalidad. Le temblaba la mano pero logró dominar el tono de voz para que no recelase.

—Hola, nena, ¿cómo estás? ¿Qué tal el vuelo?

—Bien, gracias —contestó ella con frialdad.

A Brandon le extrañó un poco su tono pero lo atribuyó a que debía de estar aún concentrada en el trabajo. A él le ocurría a menudo.

—Llamé el viernes por la tarde, pero deduzco que aún no habías llegado —dijo.

—Recibí el mensaje. ¿Dónde estás ahora? —preguntó Allie, ya un poco tensa.

—Todavía estoy en San Francisco. He pasado un fin de semana estupendo con las niñas. Ahora que ya he resuelto lo del caso me he quitado un enorme peso de encima. Ha sido estupendo.

Sí, seguramente, igual que su fin de semana, pensó Allie.

—Me alegro. ¿Cuándo regresas a Los Ángeles?

—Creo que sobre las ocho estaré ahí.

—Estupendo —dijo ella casi maquinalmente.

Brandon acabó por notar algo raro en el tono de Allie.

—¿Te ocurre algo? —dijo él, más sorprendido que preocupado—. Te noto cansada; del viaje, claro.

—Pues sí. Nos vemos luego. —Más que cansada: estaba harta.

—De acuerdo —dijo Brandon, y titubeó un momento con la sensación de que debía decirle algo más que lo de costumbre. Por una vez, estaba dispuesto a hacerlo. Sabía disimular muy bien—. Te he echado mucho de menos, Allie.

—Y yo también —dijo ella tragándose las lágrimas que habían aflorado a sus ojos—. Nos vemos luego —repitió.

—¿Quieres que vayamos a cenar?

Era increíble que tuviese la desfachatez de invitarla a cenar después de pasar el fin de semana con otra mujer.

—No me apetece salir —dijo ella, porque lo que tenía que decirle no podía decírselo en público.

Las cuatro horas siguientes se le hicieron interminables. Tenía que desahogarse lo antes posible para no reventar.

Salió a dar un paseo y llamó a sus padres. Le dijo a su madre que tenía que ir al bufete y que trabajaría hasta tarde.

—¿El domingo? ¡Qué barbaridad! —exclamó Blaire, preocupada por ella. Su hija trabajaba demasiado. Se le notaba en la voz que estaba agotada.

—Es que he estado fuera una semana, mamá. Pero iré a cenar con vosotros la semana que viene.

—Cuídate —dijo Blaire, que por una vez no le preguntó por Brandon. Allie se alegró.

Cenó un yogur y encendió el televisor para ver un informativo. Pero no se enteraba de lo que oía y veía, de modo que optó por apagarlo y se quedó echada en el sofá. A las ocho y cuarto oyó el coche de Brandon subiendo por la rampa de acceso. Al oír que abría la puerta se incorporó. Hacía más de un año que él tenía llave de su casa.

Brandon entró muy sonriente y fue hacia ella para abrazarla y besarla. Pero ella se levantó del sofá, dio un paso atrás y lo miró con fijeza.

Él se quedó de una pieza. Allie solía ser muy afectuosa. Siguieron mirándose en un embarazoso silencio que él se decidió a romper al cabo de unos momentos.

—¿Pasa algo? —preguntó.

—A mí me parece que sí. ¿A ti no, Brandon? —se limitó a decir ella, y notó que su expresión se crispaba.

—¿Y eso qué significa?

—Quizá deberías decírmelo tú. De pronto he tenido la intuición de que ocurre algo que yo ignoraba, algo de lo que creo que tenías que haberme hablado.

—¿Cómo qué? —dijo él mirándola irritado.

Allie notó que era una actitud puramente defensiva. Debía de adivinar que lo había descubierto.

—No sé de qué me hablas —dijo él dando unos pasos hacia el otro lado de la habitación.

Ella volvió a sentarse en el sofá y lo miró.

—Ya lo creo que lo sabes. Sabes perfectamente a qué me refiero, sólo que no estás seguro de cuánto sé, igual que yo. Y eso es precisamente lo que quiero saber. ¿Cuánto tiempo hace? ¿Con qué frecuencia? ¿A cuántas te has tirado? ¿Me has engañado desde el principio, desde hace dos años, o desde hace poco? ¿Cuándo empezó todo, Brandon? De pronto he recordado todas las veces que fuiste a San Francisco, todas las veces que me decías que tenías que estar solo con tus hijas, o que tenías que hablar con Joanie. Eso sin contar con una vez que fuiste a Chicago y otra a Detroit por... tu trabajo, claro. ¿Qué me dices de todo eso? —preguntó mirándolo con frialdad. La tristeza que la había embargado durante aquellos dos días la tenía desencajada—. ¿Por dónde empezamos?

—No tengo ni la menor idea de a qué te refieres —dijo él como si Allie disparatase. Pero estaba pálido. Se sentó.

Allie notó que le temblaban las manos al encender un cigarrillo.

—No me extraña que estés nervioso. Yo también lo estaría en tu lugar —dijo sin dejar de mirarlo—. Y el caso es que no le veo el sentido. ¿Por qué tanta mentira? No estamos casados. No necesitabas engañarme; con haberme dicho que se acabó, listo. No hacía falta llegar a este punto.

—¿A qué punto? —dijo él, que simulaba perplejidad para desconcertarla; por si se trataba de una simple sospecha y podía disiparla. Pero, a juzgar por lo furiosa que estaba, debía de tener pruebas.

—Al de este fin de semana, por ejemplo, en el Fairmont. No creo que necesites los detalles. —Allie llevaba la melena por los hombros. Estaba preciosa con sus vaqueros y su sudadera azul marino.

—Pero... ¿se puede saber qué significa esto?

Por lo visto estaba dispuesto a negarlo todo. Ella le dirigió una mirada de desprecio.

—De acuerdo. Si quieres que te lo diga más claro, lo haré. Aunque yo en tu lugar preferiría no oírlo. Llamé a tu despacho el viernes y tu secretaria me dijo que el caso había concluido mediante un acuerdo, y que ibas a San Francisco a ver a las niñas. Y yo, estúpida de mí, pensé darte una sorpresa y cambié el billete.

Brandon palideció pero siguió mirándola con expresión inquisitiva.

—Fui a San Francisco —prosiguió ella—. El vuelo llegó con retraso... Pero te ahorraré esos detalles. Llegué al Fairmont hacia las once y media del viernes. Quería darte una sorpresa y meterme en la cama contigo. Dije que era la señora Edwards y un botones subió conmigo y me abrió.

—No tenían que haberlo hecho —dijo él exhalando el humo del cigarrillo.

—Supongo que no —repuso ella, destrozada por tener que contarle algo tan doloroso—. El caso es que entré en tu habitación y supongo que, dadas las circunstancias, tuve suerte. Tú y tu amiguita no estabais. Por un momento creí haberme equivocado de habitación, pero entonces reparé en tu maletín y tu chaqueta. Lo que no reconocí fue el resto. No era mío, ni de Nicky ni de Stephanie, y tampoco de Joanie. ¿De quién eran las braguitas, Brandon? ¿Me lo cuentas o decidimos dejarlo correr?

Brandon la miró en silencio, tratando de encontrar una respuesta. No le fue fácil.

—No tenías que haber ido allí, Allie —dijo.

Ella no pudo creer que tuviese tanta desfachatez.

—¿Ah no?

—Nadie te había invitado. Y teniendo eso en cuenta, te has

llevado tu merecido. Yo no me presento de improviso donde sé que estás cuando vas a trabajar. No tenemos ningún lazo que nos obligue, no estamos casados. Tenemos derecho a nuestra propia vida.

—¿Ah sí? —exclamó ella, escandalizada por tanto descaro—. Yo creía que éramos... ¿cómo lo llaman ahora? ¿Una pareja de hecho? ¿O ya está anticuado? Claro que, como no vivimos bajo el mismo techo, nuestra relación debe de pertenecer a otra variedad. Creía que ambos éramos fieles. Pero por lo visto no era así.

—No tengo por qué darte explicaciones. No soy tu marido —dijo él levantándose en actitud airada.

—No, no eres mi marido. Estás casado con otra mujer.

—Eso es lo que te preocupa, ¿verdad? El hecho de que haya mantenido mi independencia. No soy de tu propiedad, ni propiedad de nadie; ni tuya ni de tu familia. Hago lo que me da la gana.

Allie nunca había entendido hasta dónde llegaba el resentimiento de Brandon. No comprendía cómo se sentía.

—Nunca he pretendido que fueses de mi propiedad —repuso ella—. Sólo deseaba quererte y, con el tiempo, quizá ser tu esposa.

—Eso no me interesa. Si me interesara ya me habría divorciado. Y no lo he hecho. Podías haberlo comprendido tú solita.

Allie no sólo se sentía herida sino como una imbécil. El mensaje no podía ser más claro, tal como la doctora Green le había comentado innumerables veces. Pero ella no había querido oírlo, y tampoco ahora.

Estaban ya demasiado crispados para un conversación que le quitase hierro a la situación. Parecía estar todo dicho. Y era muy doloroso.

—Te has aprovechado de mí —lo acusó ella—. Me has mentido. Me has engañado. No tenías ningún derecho a hacerlo. Yo soy una persona honesta, Brandon. Y esto no es justo.

—¿Justo? ¡Menuda palabrita! ¿Sabes tú lo que es o no es justo en este mundo? No me vengas con esas. Cada uno ha de pensar en sí mismo, Allie.

—¿Y eso se traduce por estar tirándote a otras cuando me dices que estás con tus hijas?

—Es asunto mío. Es mi vida. Son mis hijas. Tú siempre has querido entrometerte en todo y ser parte de ello. Y eso es justamente lo que yo no quiero. Y lo sabías perfectamente.

—No, no lo sabía —le espetó ella—. Nunca lo entendí así. Tenías que habérmelo dicho antes de llegar a esto. Porque así, ambos hemos perdido dos años de nuestra vida.

—Yo no he perdido nada —dijo él sin preocuparle el cinismo de su respuesta—. He hecho exactamente lo que quería hacer.

—¡Sal de mi casa! —le espetó Allie con firmeza—. Eres un miserable y un mentiroso. He estado cargando con tu lastre emocional durante dos años. Eres incapaz de darle nada a nadie; ni a mí ni a tus amigos, ni siquiera a aquellas personas que aseguras que te importan. Ni siquiera a tus hijas les das nada. Eres una imitación burda y patética de un ser humano. ¡Sal de mi casa!

Brandon titubeó mirando hacia el dormitorio. Ella fue hacia la puerta y se la abrió.

—Ya me has oído. Haz el favor de marcharte, que no bromeo.

—Me parece que hay ropa mía en tu dormitorio.

—Te la enviaré. ¡Largo!

Ella siguió junto a la puerta. Y, con cara de querer estrangularla, Brandon salió airadamente sin una palabra de excusa, ni una mirada. Estaba claro que era un hombre insensible. Todo lo que le había dicho la había herido en lo más profundo: que nunca le había sido fiel, que había hecho siempre lo que le había dado la gana. Se había comportado como un hombre frío y egoísta. Si, en lugar de furiosa, la hubiese visto abatida y desesperada habría sido incapaz de decirle una palabra de consuelo. Pero lo peor había sido lo que Brandon no había dicho: que sencillamente nunca la había querido. Aunque no hacía falta. Bastaba con los hechos. La doctora Green estaba en lo cierto. Se maldijo por haber sido tan estúpida durante tanto tiempo.

Se sentó en el sofá y reflexionó durante largo rato. Terminó por echarse a llorar. Brandon era todo lo que le había dicho: un miserable y un egoísta. Pero llevaban dos años diciéndose que se amaban. Y la hería profundamente haberse equivocado tanto con él. Ni siquiera tuvo ánimo para llamar a la doctora Green en busca de consuelo. No quería que le repitiese que, de nuevo, había caído en el mismo error. Tampoco quería llamar a su madre y oírle decir que consideraba una bendición que hubiese roto con Brandon. Aunque era consciente de que su vida sería mejor sin él, la hería terriblemente comprender que la había manipulado y engañado. Estaba claro que nunca le importó lo más mínimo. Aunque con otras palabras, él mismo lo había reconocido, destrozando lo que aún pudiera sentir por él. Tenía ganas de desahogarse con alguien, pero no podía decírselo a nadie que de verdad lo comprendiese. Estaba sola, igual que cuando conoció a Brandon, engañada y abandonada por su anterior pareja. Creía haber aprendido la lección, pero estaba visto que no. Eso era lo peor. No podía ocultarse la verdad.

Allie estuvo acostada largo rato, pensando en él. Al recordar cómo se había sentido en la habitación del Fairmont, se dijo que haber roto era lo mejor para ella. Sin embargo, al mirar la fotografía que se habían hecho el año anterior en Santa Bárbara, cuando todo iba bien entre ellos y creía estar muy enamorada de él, se sintió como si la hubiesen desgarrado por dentro.

Se preguntaba si volvería a llamarla, si alguna vez le daría una disculpa, si le pediría perdón por lo injusto que había sido. Pero ella ya había pasado por eso en dos ocasiones y jamás recibió excusas. Simplemente, desaparecían de su vida después de destrozarle el corazón, dispuestos a hacer lo mismo con otra. Acababa de ver como dos años de su vida salían por la puerta con Brandon Edwards.

Allie necesitó de toda su fortaleza interior para levantarse y apagar las luces. Luego miró por la ventana la magnífica vista que tenía desde allí, pensando en él. Sabía que podía llamar a Jeff y decirle que estaba libre, pero no quiso hacerlo. Necesitaba guardar luto por Brandon. Por más decepcionante que hubiese sido y por más que a su familia le desagradase, lo había amado.

9

Cuando Allie fue el lunes a trabajar, después del viaje a Nueva York, parecía que la hubiesen pasado por la escurridora. Estaba demacrada y pálida. Alice le comentó que la notaba desmejorada e incluso más delgada.

—¿Qué te ha ocurrido? —preguntó Alice.

Allie se encogió de hombros. La herida aún sangraba. No paraba de pensar en lo estúpida que había sido y en cuánto tiempo debía de hacer que Brandon la engañaba. Se sentía como una imbécil.

A medida que avanzó la jornada empezó a comprender que a la decepción puramente amorosa se unía su orgullo herido. Quizá no lo hubiese amado tanto como creía ni, en el fondo, estuviese tan destrozada. Eso era lo curioso. Estaba triste pero no sentía demasiado haber roto. En cierto modo era un alivio haber terminado. Durante la semana pasada en Nueva York se había hecho muchas preguntas acerca de su relación con Brandon, y había empezado a reparar en las mismas cosas que otras personas que la querían: en su desapego, su falta de intimidad, en el hecho de que no estuviese nunca a su lado cuando lo necesitaba. Ahora no le parecía sorprendente pues, por lo visto, debía de acostarse quién sabe con cuántas y quizá con alguna tenía una relación más seria que con ella. Pero bastaba con una para que el hecho fuese el mismo y se sintiera igualmente furiosa y burlada.

A mediodía estaba tan enfrascada en el trabajo acumulado en los últimos días que ya no pensaba en Brandon.

Bram Morrison había llamado para decirle que estaba encantado con la gira que le habían organizado ella y los promotores. Y Malachi O'Donovan le había telefoneado desde la clínica de rehabilitación para pedirle dinero. Pero, a petición de su esposa, Allie se había negado a enviárselo.

—Lo siento, Malachi. Pídemelo dentro de treinta días, después de que te hayas desintoxicado, y hablaremos.

—¿Para quién coño trabajas? —exclamó Malachi furioso.

—Para ti —contestó con tono paciente—. Pero necesitas perseverar —añadió.

Se extendió en hablar de su gira y logró distraerlo de su momento de angustia por la abstinencia.

—Ojalá tuviese tiempo de ocuparme más de él, Alice —dijo Allie cuando se hubo despedido de Malachi.

Allie apuró un yogur y bebió un sorbo de café mientras revisaba un contrato para una película de Carmen. Se lo acababan de enviar. Era fabuloso y Carmen se entusiasmaría. Era un papel de gran lucimiento para la protagonista y podía consagrarla definitivamente. Pero al llamarla para comunicárselo saltó el contestador.

—¿Dónde demonios estará? —musitó.

Trató de recordar otros nombres que Carmen le hubiese dado: de amigos, o el de la casa de su abuela en Portland. Jamás había desaparecido de aquella manera. Raro era el día que no la llamaba media docena de veces. Era insólito en Carmen no estar localizable para ella. Parecía que se la hubiese tragado la tierra. Después de la ceremonia de los Golden Globes sólo había aparecido un reportaje acerca de ella en *Chatter*. Incluían una fotografía de Alan Carr con Allie de su brazo al bajar del coche, y Carmen justo detrás de ellos. En el reportaje insinuaban que Allie les servía de «tapadera», pero daban por hecho el idilio entre Alan Carr y Carmen Connors. Lo curioso era que por una vez se habían adelantado a los acontecimientos.

Al leer el reportaje pensó en el mensaje que le dejó Carmen en el contestador cuando estaba en Nueva York, dándole un número de teléfono que le resultaba familiar. Rebuscó en su maletín el trozo de papel en que lo había anotado y entonces recordó por qué le resultaba familiar. Era el número de teléfono de la casa que Alan tenía en Malibú. O sea que Carmen estaba con él. Recordó entonces que Alan le había ofrecido a Carmen pasar unos días en su casa.

Sonrió al pensar en su involuntario papel de celestina. Había llamado a Alan a su casa de Beverly Hills durante el fin de semana y no lo había encontrado. No había pensado en telefonearle a Malibú porque Alan iba poco allí. Pero, en cualquier caso, había sido muy torpe al no reparar en que probablemente no se había separado de Carmen ni un instante.

—Hola, soy yo —dijo Allie como si lo llamase sin ninguna razón especial, sólo por el gusto de charlar con él.

—No disimules —dijo él, que la conocía demasiado para no saber por qué llamaba—. Y la respuesta es una vieja pregunta: ¿y a ti qué te importa?

—¿Y cuál es la pregunta a la que contestas con la vieja pregunta —dijo ella siguiéndole el juego.

A juzgar por su risueña voz, Alan estaba contento y feliz. Se oían risitas de fondo. Seguro que era Carmen.

—La pregunta es ¿dónde he estado todo el fin de semana? Y la respuesta la que te he dicho: ¿a ti qué te importa?

—A ver si lo adivino. Has estado en Malibú con una de las ganadoras de los Golden Globes de este año. ¿Caliente?

—En la pura brasa. Te llamó para darte mi número. O sea que no presumas de detective ni de adivina. Más fácil imposible.

—Ya. El número me sonaba, pero no caí en la cuenta hasta hace un momento. Bueno, ¿qué tal por ahí?

Para Allie era como un bálsamo volver a oír a Alan. Tenía ganas de contarle lo de Brandon, pero no en ese momento y, por supuesto, no delante de Carmen. No le gustaba hablar de su vida privada con sus clientes. Con Alan era distinto.

—La vida es bella —dijo Alan con voz cantarina—. ¡Maravillosa! —exclamó casi a la vez que besaba a Carmen.

—Pero ¿no tenías que trabajar? —preguntó Allie, que no estaba al corriente de sus asuntos, que llevaba una agente.

—No pienso trabajar hasta dentro de un par de meses. Aún no me han concretado fechas sobre la próxima película.

—Pues acabamos de conseguirle un papel excepcional a Carmen. A lo mejor te pisa el superestrellato —dijo Allie, aunque si Carmen aceptaba el papel no tendría que empezar los ensayos hasta junio.

—¿Dónde se hará el rodaje? —preguntó Alan en tono displicente. Pero Allie sabía que ya debía de picarle la curiosidad.

—Aquí mismo, en Los Ángeles. Siento que no sea tu caso —dijo Allie por chincharlo.

Alan Carr parecía destinado a tener que rodar siempre en lugares remotos. Su próxima película se rodaría en Suiza, y recientemente le habían ofrecido otra que se rodaría en México, Chile y Alaska. Era una película de aventuras que le iba a dar mucho trabajo, y era muy peligroso. La última la había rodado en Tailandia y dos de los especialistas que lo doblaban se habían matado. Alan había dicho que en adelante no quería que nadie se jugase la vida por él, que él mismo interpretaría las escenas de riesgo. Pero Allie confiaba en que Carmen lo disuadiese.

—¿Sabe Carmen dónde vas a rodar tu próxima película?

—Sí, se lo he contado. Y dice que irá conmigo.

Por lo menos Suiza era un país civilizado, a diferencia de la mayoría de los países en que Alan solía trabajar.

—A lo mejor terminas a tiempo de verle rodar la suya —dijo Allie, que estaba entusiasmada porque iba a ser una gran producción. Por eso se había apresurado a llamarla—. ¿Puedo hablar con ella?

—¡Vaya! Después de quince años de amistad y de ser tu pareja en los Golden Globes me despachas como a un pelmazo.

Allie se echó a reír. Alan siempre conseguía levantarle el ánimo. Aún sentía una extraña combinación de tristeza y humillación por lo de Brandon. Pero el hecho de haberlo afrontado la había fortalecido. Sentía la tentación de decírselo a Alan, pero aún no estaba preparada. Tardaría en reconocer ante los demás haberse equivocado tanto con Brandon. Pero por lo menos ya había terminado con aquella farsa. Algo era algo.

—¿Qué tal por Nueva York? ¿Has firmado muchos contratos interesantes?

—Alguno. Lo he pasado muy bien. Pero ha estado nevando casi toda la semana. —Uff, ¡si supieras!, pensó Allie. Le daban ganas de decirle que se había ligado a todo un escritor.

—Pues cuando nieva Nueva York se pone imposible.

—Depende —dijo Allie con voz cantarina—. He ido a fiestas, a patinar...

—¿Ah sí? ¡Dios sabe qué habrás hecho tu en Nueva York! No te habrás tirado a esa joven promesa... ¿cómo se llama? ¿Dickens? ¿Tolstoi? —se burló él aludiendo al escritor octogenario.

—Se llama Jason Haverton. Y no me lo he tirado. Eres un irreverente, ¿sabes? Aunque la verdad es que me gusta mucho, y quizá a él le hubiese encantado.

—Los vejestorios hacen lo que sea por el sexo, Allie. Deberías saberlo.

—Ya quisieras tú estar como él a su edad.

—Qué poco amable. ¿Así tratas a tu novio del instituto?

—Ya no eres novio de nadie, a no ser de Carmen —dijo Allie, y pensó que podía serlo perfectamente de varios millones de jovencitas de todo el mundo—. Bueno, ¿me dejas hablar con ella o qué?

—Un momento. Preguntaré si la princesa desea hablar contigo. Y por cierto, ¿cuándo vamos a verte? —dijo Alan hablando en plural, como si Carmen y él fuesen matrimonio.

—A lo mejor este fin de semana, salvo que tenga algo mejor que hacer.

—Si vienes sola, mejor que con ese aguafiestas tuyo.

—¿Por qué has de ser tan desagradable con él? —exclamó Allie más por costumbre que por otra cosa. Aunque la verdad era que le hubiese gustado ser *muy desagradable* con Brandon, contárselo todo a Alan de un tirón. Pero aún no se sentía con ánimo.

—¡Con lo simpático que soy! Es que no me gusta que traigas carabina. Bueno, te paso a Carmen. Un beso.

—Hola —dijo Carmen, más alegre que unos cascabeles. Llevaba nueve días de ejercicios espirituales con Alan.

Sólo habían salido para tomar el sol y bañarse en la playa. Pero nadie se les había acercado a importunarlos. Entre otras cosas, porque muchas de las personas que vivían en la zona eran tanto o más famosos que ellos, y los demás estaban acostumbrados a ver celebridades sin hacer aspavientos. En la playa era frecuente ver a Jack Nicholson, la Streisand, Nick Nolte, Cher, Tom Cruise y Nicole Kidman. De modo que Carmen Connors y Alan Carr se encontraban allí en su elemento. Además, las medidas de seguridad eran excelentes.

—Te he echado de menos —dijo Carmen, aunque la verdad era que había estado *muy ocupada* con Alan.

—Yo también te he echado de menos. Nueva York es cosa de locos, pero me ha encantado pasar allí estos días. ¿Sabes lo que tengo para ti? —dijo Allie, que estaba como una niña con zapatos nuevos por lo que le había conseguido.

—No sé. ¿Lo del perfume? ¿Has hablado con ellos en Nueva York?

—He hablado con ellos. Y es horrible. Pretendían que hicieses un anuncio como si vendieses esa colonia barata en unos grandes almacenes. Así que les he dicho que ni hablar. En lugar de ello... ¿qué te parecería protagonizar una producción de alto nivel? Es un papel maravilloso, perfecto para ti; si no te dan el Oscar me como el maletín.

—¿Con qué reparto?

Allie le dio los nombres de otros cinco actores y actrices muy prestigiosos. Carmen se quedó sin aliento.

—¿Te parece bien cobrar tres millones de dólares por tu trabajo?

—¡Dios mío! —exclamó Carmen, y se lo gritó a Alan—. ¡Es increíble! —añadió.

—Tú lo vales. Te merecías algo así. —¿Por qué siempre creía que las personas que la rodeaban merecían cosas maravillosas, tanto en su vida privada como profesionalmente? ¿Por qué no pensaba igual de sí misma?—. Me gustaría que vinieses y hablases con los productores —añadió.

—Pues claro. ¿Cuándo?

—Cuando quieras, a tu conveniencia —dijo Allie mirando el calendario—. A mí me vendría bien el jueves.

—¿Puedo ir con Alan?

—¿Por qué no?

Alan asintió con la cabeza.

—Dice Alan que sí. Y oye, Allie —añadió un poco titubeante—, ¿qué te parece si en una próxima ocasión trabajásemos juntos Alan y yo en una película?

Oh, Dios, pensó Allie. Eso sí era complicado. A las productoras no les gustaba nada. Y menos aún a los fans de ambos. Sus fantasías se venían abajo si creían que eran pareja en la vida real.

—Bueno, Carmen, ya lo hablaremos. Estas cosas no son tan sencillas. Pero se puede estudiar. En fin... si lo dices en serio. —En estos casos había que andar con pies de plomo, pensó. Se corría el riesgo de que, después de conseguirles un contrato millonario, rompiesen y se negasen a cumplir el contrato. No pensaba complicarse la vida innecesariamente—. Demos tiempo al tiempo —concluyó.

—Ya sé por qué lo dices. Crees que romperemos, ¿verdad? —dijo Carmen con perspicacia—. Pues no vamos a romper. Estoy segura. Es el hombre más maravilloso que he conocido —musitó en tono conspiratorio—. No podría vivir sin él.

—¿No más anónimos? ¿Te han dejado tranquila?

—Completamente.

Desaparecer de Los Ángeles había funcionado. Además, desde la concesión de los Golden la prensa del corazón no se había metido con ella.

—Aquí me siento muy segura —dijo Carmen.

¿Y quién no se sentiría segura con Alan?, pensó Allie.

—Me alegro mucho por vosotros —dijo sinceramente.

—Gracias, Allie. A ti te lo debemos. ¿Te vienes a cenar con nosotros este fin de semana para celebrarlo?

—Me encantaría.

—Si puedes, ven el sábado. Porque el domingo Alan quiere ir a la bolera.

—Pues entonces casi prefiero el domingo. Me encantaría ganarle.

—Podemos ir también a la bolera el sábado. Pero vente a cenar.

—¿Quién va a cocinar? —bromeó Allie.

—Los dos —dijo Carmen—. Me está enseñando —añadió—. Ah, y gracias por lo de la película.

—A los productores has de darles las gracias, no a mí. Me llamaron ellos. Me parecen que es gente que te gustará.

—Seguro.

—El sábado entonces. Y vosotros procurad venir el jueves. Llámame si necesitas algo —dijo Allie, aunque consciente de que Alan se bastaba de sobras para cuidar de ella.

Carmen había llamado sólo una vez en una semana y, además, su mensaje no podía haber sido más escueto. Buena señal. Que estaba bien. Eso lo resumía todo. En cuanto a ella... necesitaba un poco de tiempo para sí misma, para lamer sus heridas y analizar las cosas.

Durante aquella semana Allie no hizo más que trabajar y ver a sus clientes. Carmen y Alan estuvieron allí el jueves, y el contrato para la nueva película de Carmen podía darse por firmado. Y aquella misma tarde, Allie fue a ver a la doctora Green, después de armarse de valor para encajar el rapapolvo que le esperaba. Pero se llevó una agradable sorpresa. La doctora Green le dijo que estaba orgullosa de ella por el modo en que había afrontado y resuelto la situación. Sólo le reprochó no haberla llamado.

—Ha debido de ser muy duro para ti.

—Sí ha sido duro, pero no había mucho que decir. Lo que

más me ha dolido ha sido pensar que, probablemente, ha estado engañándome durante estos dos años, y haber sido tan imbécil de no darme cuenta. Siempre me decía que necesitaba tiempo, cariño... pero lo cierto es que yo no le importaba lo más mínimo.

—Puede que sí que le importases —la corrigió la doctora. Allie estaba tan furiosa al saberse traicionada que ahora pasaba de un extremo al otro—. Le importabas, a su manera. Puede que no signifique gran cosa, pero no debes pensar que no has despertado en él ningún sentimiento.

—Pero ¿por qué he sido tan estúpida? ¿Cómo he podido estar tan engañada durante dos años?

—Porque querías engañarte. Necesitabas una pareja, sentirte protegida. Lo malo es que él no es de los que tienen vocación de proteger a nadie. Eras más bien tú quien lo protegía a él. Era una relación descompensada. Pero lo que importa es el presente. ¿Cómo te sientes ahora?

—Furiosa, imbécil, resentida, independiente, libre, triste, alegre... y aterrada al pensar que el próximo vuelva a hacerme lo mismo. Puede que todos sean iguales o, por lo menos, los que yo encuentro. Creo que eso es lo que más me asusta, la idea de que pueda sucederme de nuevo, de estar condenada a no encontrar más que frutos agrios.

—No tiene por qué ser así, entre otras cosas porque creo que esta vez has escarmentado —dijo la psicóloga, que ahora parecía tener más confianza en la fortaleza de Allie, sorprendida al oírla hablar así.

—¿Y por qué lo crees?

—Porque en cuanto has descubierto lo que ocurría, lo has afrontado y no has vacilado en romper. Te has encarado con él sin arrugarte. Ha sido él quien no ha sabido hacer más que escabullirse. No has disfrazado la situación queriendo creer que podía ser una aventura sin importancia. Y ese es un gran paso.

—Puede —dijo Allie, no muy convencida—. ¿Y ahora qué?

—Eso has de decirlo tú. ¿Qué quieres? Sea lo que sea, puedes conseguirlo si te lo propones. Todo depende de ti. Puedes encontrar a alguien maravilloso.

—Me parece que ya lo he encontrado, en Nueva York —dijo Allie—. Aunque... aún no estoy segura.

Después de lo ocurrido, Allie recelaba de todo, por más maravilloso que fuese el recuerdo de los días pasados con Jeff. Podía resultar como todos.

—Mantener una relación a distancia es otra manera de eludir la intimidad —le recordó la doctora Green.

—No —dijo Allie risueña—. Es de Nueva York pero ahora vive aquí.

—Ah, eso es otra cosa —dijo la psicóloga.

Allie le contó todo lo que sabía de él, y cuál había sido su impresión. El romántico paseo en berlina y haber ido a patinar con él le sonaba ahora como irreal. Y, al evocarlo, notó que echaba de menos a Jeff. Pero se había prometido no llamarlo de momento, y lo había cumplido. Necesitaba tiempo para digerir lo de Brandon.

—¿Por qué no has de llamarlo? A lo mejor cree que no te interesa —dijo la doctora—. A juzgar por lo que me cuentas parece una buena persona, y muy normal. ¿Por qué no lo llamas?

—Todavía no me siento con ánimo —dijo Allie. Nada de lo que la psicóloga le dijese aquella tarde la iba a convencer—. Necesito tiempo.

—A mí me parece que no. Has estado justificando a Brandon durante dos años ante todos los que se preocupan por ti, pero no has necesitado más que una semana para colarte por otro en Nueva York. Y ahora no parece que estés muy triste por lo de Brandon.

Allie sonrió. La psicóloga era muy perspicaz.

—Puede que sólo quiera ocultarme durante una temporada.

—¿Por qué?

—Por miedo, supongo. Jeff me parece tan fantástico que no quiero llevarme un desengaño. ¿Y si no es como creo? Me destrozaría.

—No lo creo. A lo mejor resulta que simplemente es humano. ¿Te decepcionaría eso? ¿Prefieres convertirlo en alguien con quien fantasear o en una compensación por lo de Brandon?

—La verdad es que no sé definir lo que siento por Jeff —dijo Allie—; sólo que, cuando estaba con él, lo hubiese seguido al fin del mundo. Me inspira total confianza. Pero al saber que está aquí, tan cerca, me asusta.

—Es comprensible. Pero por lo menos podrías verlo.

—No me ha llamado. Puede que tenga otra.

—Pero también puede que esté muy ocupado, concentrado en su libro, o temeroso de interferir en tus relaciones con Brandon. Creo que le debes la cortesía de decirle que has roto con él.

Pero Allie prefería jugar a ver quién llamaba primero.

El viernes recibió una llamada de Jeff, a media tarde. Alice le dijo quién era y Allie suspiró al ponerse al teléfono. Le temblaban las manos. Se sintió renacer al oír su voz.

—¿Allie?

—Hola, Jeff, ¿qué tal?

—Ahora mejor. Ya sé que te dije que no te llamaría en una temporada, pero no he podido resistir la tentación. Te echo de menos.

Esas eran las palabras que, durante dos años, Allie había esperado de Brandon. ¡Era todo tan fácil con Jeff! Sintió remordimientos por no haberlo llamado tal como la doctora Green le había aconsejado.

—Yo también —reconoció ella quedamente.

—¿Qué tal tu *troupe*? ¿Ha sobrevivido sin ti? ¿No ha habido más amenazas de muerte ni *paparazzi* apostados en la puerta?

—Ha sido una semana tranquila —contestó Allie, que se abstuvo de decirle que la tranquilidad no la incluía a ella—. ¿Y tú? ¿Cómo va el guión?

—Fatal. He sido incapaz de escribir una línea desde que he regresado. Sólo puedo pensar en ti. ¿Qué tal tu fin de semana?

—Interesante —repuso ella—. Te lo contaré algún día.

—Eso me suena a que vamos a tardar en vernos —dijo él entristecido. Había estado toda la semana esperando llamarla. Se moría de ganas de verla.

—¿Por qué ha de ser así? —lo animó ella al recordar los consejos de la psicóloga—. ¿Qué haces este fin de semana? —añadió y contuvo el aliento, temerosa de que Jeff fuese como los demás.

—¿Es una invitación? —preguntó él sorprendido. ¿Y Brandon?, pensó. Pero se abstuvo de preguntarlo por temor a estropear la perspectiva.

—Puede. Mañana he quedado en cenar con unos amigos en Malibú. ¿Quieres venir? Una cena informal; pantalones vaqueros y una vieja sudadera. A lo mejor incluso vamos a la bolera.

—Me encantaría —dijo él entusiasmado. Casi no podía creer que Allie lo invitase—. ¿Puedo preguntar quiénes son tus amigos? Es pura curiosidad.

—Alan Carr y Carmen Connors. Pero no deberás contarle a nadie que los has visto juntos. ¿De acuerdo? Se han escondido en Malibú, huyendo de los *paparazzi*.

—Sabré guardar el secreto —dijo Jeff riendo. Porque, ¿quién

le iba a preguntar a él semejante cosa?—. Puede ser una estupenda velada.

—Lo dudo —bromeó Allie—. Los dos cocinan fatal. Pero son buena gente.

El solo hecho de hablar con Jeff le había devuelto la alegría. Siguieron charlando con desenfado. Luego, él se decidió a preguntarle lo que en el fondo más le interesaba:

—¿Qué tal fue todo a tu regreso?

—Bien —repuso ella escuetamente. Entendió enseguida qué era lo que en realidad le preguntaba, pero no quería contárselo por teléfono. Sería más fácil decírselo el sábado, antes de ir a casa de Alan.

Siguieron charlando unos momentos y se despidieron hasta el sábado.

Allie había pensado ir a cenar a casa de sus padres pero recordó que aquel viernes habían quedado en salir con unos amigos. De modo que volvió a su casa y se preparó unos huevos revueltos. No podía dejar de pensar en Jeff y en Brandon. No quería volver a cometer el mismo error; engañarse de nuevo, idealizando a alguien que luego resultase de lo más prosaico.

El sábado, Jeff llegó a casa de Allie con el uniforme aconsejado: unos vaqueros azules descoloridos y recién planchados, camisa blanca y una chaqueta. Pero ni así perdía su elegancia. También ella se había puesto vaqueros y camisa blanca, y un jersey rojo por los hombros.

Al principio, Allie se sintió un poco cohibida, porque era como volver a empezar. Pero en cuanto Jeff la estrechó entre sus brazos y la besó, casi todos sus temores se disiparon.

Jeff le elogió la casa. Sólo había visto el vestíbulo y el salón, pero se notaba que Allie era mujer de buen gusto.

—No sabes cuánto deseaba verte y acariciarte. La espera se me ha hecho interminable —musitó él.

—Sólo has tenido que esperar nueve días —dijo ella risueña.

—No, no... treinta y cuatro años.

—¡Qué barbaridad!

Se sentaron en el sofá, frente al ventanal, contemplando la vista. Allie se sentía tan a gusto con él como en Nueva York, como si no hubiesen dejado de verse durante aquellos nueve días.

—¿Tienes algo fresco? —preguntó él.

—Sólo coca-cola *light*.

Allie fue a la cocina y él la siguió, impaciente por hacerle una pregunta.

—Perdona por la indiscreción, Allie, pero ¿dónde está él?

—¿Quién? —exclamó ella, que se hizo la desentendida mientras abría una lata y la servía en un vaso.

—Pues Brandon, mi rival. —Sentía curiosidad por saber lo ocurrido y por qué estaba ella libre un sábado por la noche. Allie no le había dado ninguna explicación por teléfono. A lo mejor Brandon estaba en San Francisco—. ¿Está de viaje?

—Para siempre —repuso ella con una maliciosa sonrisa, como una niña que acabase de hacer una travesura—. Se fue. Olvidé decírtelo.

Jeff la miró a los ojos y dejó el vaso encima de la repisa de granito.

—Un momento... —dijo—. A ver si lo entiendo: se largó... *bye bye*. ¿Y no me dices nada? ¡Increíble! ¡Tú eres un demonio! —exclamó risueño. Se le había iluminado la cara. La miró y volvió a estrecharla entre sus brazos—. Algo intuí ayer al invitarme tú a cenar. ¿Por qué no me has llamado antes? Quedamos en que nos llamaríamos si ocurría algo importante, ¿no?

—¡Uy! Han ocurrido muchas cosas desde mi regreso, pero necesitaba tiempo para digerirlo antes de llamarte.

Jeff pensó que era lógico, aunque para él hubiese significado pasar toda la semana sin pegar ojo. Se habría ahorrado mucha ansiedad de haber sabido enseguida que Allie había roto con Brandon. Y ahora tenía miles de preguntas que hacerle a Allie.

—¿Qué fechorías debo agradecerle, si alguna vez me lo echo en cara?

—Bastantes... que yo ignoraba. Lo descubrí porque el viernes no vine aquí sino que fui a San Francisco, con la intención de darle una sorpresa. Fui al hotel Fairmont y prácticamente lo pillé *in fraganti*. Y entonces comprendí que me había estado engañando desde siempre.

—Vaya... Esos tipos son los que hacen que todos tengamos mala fama. Prometo que cuando quiera engañarte, te pediré que te pongas una peluca —bromeó para desdramatizar, aunque furioso con Brandon por haberla hecho sufrir tanto y pasar por aquella humillación. Aunque habría sido una hipocresía por su parte negar que, en el fondo, se alegraba.

—No sé, Jeff, quizá yo esté anticuada. Pero creo en los principios, en la fidelidad, en la ética. Y por lo visto tiendo a engañarme con las personas; las idealizo.

—A lo mejor ahora es todo distinto —dijo él, y la atrajo hacia sí y la besó—. Quizá te hayas vuelto más perspicaz.

—¿Tú crees?

—No sé... eso eres tú quien ha de verlo.

—Pero te lo pregunto. No me veo con fuerzas de pasar por lo mismo otra vez. Sería la tercera. Y ya sabes lo que dicen, que no hay dos sin tres. Dudo que me rehiciese.

—También se dice que a la tercera va la vencida, ¿no? —dijo él mirándola a los ojos—. Eres muy joven. Considéralo un entrenamiento. Ahora podemos empezar el verdadero encuentro. Y vas a ganar.

Los ojos de Allie se llenaron de lágrimas al mirarlo. Acercó los labios a su boca y lo besó con toda su alma, con una fe ciega en aquel hombre. Estaba segura. Jeff tenía razón: aquel era el verdadero encuentro. El corazón le decía que él no iba a defraudarla.

Volvieron al sofá y luego Allie le enseñó el resto de la casa, con la extraña sensación de que Jeff iba a pasar mucho tiempo allí.

—Me encanta —le aseguró él. Se notaba el toque femenino. Era una casita muy acogedora. Era evidente que Allie se sentía allí muy a gusto, y él también.

Al cabo de un rato salieron hacia Malibú. Tardaron sólo tres cuartos de hora en llegar a casa de Alan. Durante el trayecto, Allie le habló de él y las locuras que habían hecho juntos desde que se conocían. También le habló de Carmen. Pese a ello, Jeff se quedó sin habla al verlos a ambos.

Carmen era de una belleza turbadora. Y con pantalones vaqueros y camiseta sus formas se marcaban aun más. Irradiaba la misma sensualidad que la legendaria Marylin, pero era mucho más hermosa. En cuanto a Alan Carr... era como acabar de irrumpir en una película. Pese a que la casita que Jeff tenía alquilada en Malibú estaba cerca de la de Alan nunca habían coincidido. Pero allí estaba Alan Carr, mirándolo con sus intensos ojos azules y sonriéndole. Tenía una dentadura tan perfecta que parecía cincelada. Le recordaba al Clark Gable de sus mejores tiempos. Carmen y Alan formaban una pareja explosiva. En cuanto los *paparazzi* se enterasen de sus relaciones no iban a darles ni un momento de respiro.

Los anfitriones condujeron a Allie y Jeff al interior. Alan había preparado unas empanadillas, que allí llamaban tamales; y guacamoles, a base de aguacate molido y cebolla.

Alan le sirvió a Jeff un tequila. Pero, aunque se mostrase muy hospitalario, no pudo evitar poner cara de perplejidad al ver la pareja que Allie se había agenciado para la velada. En cuanto tuvo ocasión de hacer un aparte con ella, la miró con el ceño fruncido y expresión inquisitiva.

Allie se limitó a dirigirle una mirada maliciosa.

—¿Qué puñeta pasa aquí? Te lo tenías muy callado, bonita. ¿Quién es? ¿Y el mentecato dónde está?

Alan no perdía ocasión de referirse a Brandon en los términos más descalificadores. Era incapaz de aludir a él de manera educada. Le había caído mal desde el principio. Y en esta ocasión Allie no se molestó en defenderlo. Es más: le dirigió a Alan una sonrisa radiante.

—Este sí me gusta. ¿Qué has hecho con el otro? ¿Te lo has cargado?

—Casi. Llevaba dos años engañándome —contestó Allie, y se lo explicó a grandes rasgos—. Lo pillé con uno de sus ligues en el Fairmont de San Francisco el pasado fin de semana. No exactamente, porque en aquellos momentos no estaban en la habitación. Pero había bragas y sostenes por todas partes.

—¿Y por qué no me lo has contado antes, borrica? —le reprochó él.

—Necesitaba tiempo para digerirlo. —Lo miró ahora muy seria—. Y sí que te he llamado; una vez, pero no estabas. No tuve ánimos para dejar un mensaje, ni a ti ni a nadie. He estado lamiéndome las heridas toda la semana.

—Pues... considéralo una bendición —dijo Alan, y le sirvió un refresco. A Allie no le gustaba el tequila—. Ese tipo te habría hecho una desgraciada. Créeme. Estoy seguro.

Allie lo estaba ahora también. Siguieron hablando unos momentos, hasta que Carmen y Jeff se les acercaron.

—Conspirando, ¿eh? —dijo Jeff, y le pasó a Allie el brazo por los hombros y sonrió—. ¿Crees que puedo fiarme de él? No podría competir.

Alan rió y se apresuró a tranquilizarlo.

—Por lo menos desde hace quince años soy de fiar. Cuando ella tenía catorce era una monada, pero lo único que conseguí fueron unos cuantos besos babosos. Supongo que desde entonces habrá aprendido.

—Eres un descarado, ¿sabes? —protestó ella—. ¿Y tú qué? No hacías más que dejarme la cara irritada. Pinchabas como un erizo.

—Y sigue pinchando —terció Carmen, sonriente.

Parecían muy a gusto los cuatro. Allie nunca había visto a Carmen ni a Alan tan alegres.

Para cenar, Alan había preparado tacos y tostadas, Carmen una ensalada, y como plato especial había hecho una paella. Dieron cuenta de todo con verdadero apetito. Para postre Alan sirvió helado con crema de caramelo y luego tostaron melcocha en la chimenea.

Después de charlar un rato salieron a dar un paseo por la playa. Los cuatro estaban de muy buen humor. Era evidente que se sentían felices y cualquiera que los hubiese visto allí en la orilla, persiguiendo las olas hasta mojarse los tobillos y huyendo de ellas cuando contraatacaban, los habría tomado por un grupo de adolescentes.

Fue una noche deliciosa.

Al volver a la casa, Carmen le sonrió a Allie y luego le susurró a Alan al oído si «podía decirlo». Él titubeó. Miró a su amiga y a Jeff y se preguntó si ella lo aprobaría y si él era de fiar. Pero pensó que sí. Además, Carmen estaba tan entusiasmada que dudaba que fuese capaz de callárselo.

—Vamos a casarnos en Las Vegas el día de San Valentín —anunció Carmen.

Allie fingió desmayarse.

—¡Madre mía! ¡Lo que acaba de hacerle Cupido a esta pobre abogada! —exclamó Allie pensando en la que se le venía encima. Luego miró a Alan preguntándose si de verdad estaba tan convencido como para casarse.

Por lo visto sí. No lo recordaba tan feliz. Además, ya era mayorcito. Con treinta años ya debía de saber qué le convenía y qué no.

—Los reporteros os van a devorar. Espero que os caséis de incógnito y que vayáis disfrazados. ¡Menuda bomba! Ya podéis tener cuidado.

—Lo tendremos —la tranquilizó Alan—. ¿Querrás ser nuestra testigo, dama de honor o algo así? Estás invitado tú también, Jeff, si la soportas hasta entonces —añadió—. Nos encantaría.

Jeff se sintió halagado. Desde luego aquella pareja era encantadora. Aparte de muy simpáticos, parecían muy francos y abiertos. Les habían regalado una velada deliciosa, nada sofisticada. Allí era todo mucho más íntimo y cálido que en Nueva York. Esa fue en principio la razón de que Jeff se instalase en California. Carmen y Alan le habían caído muy bien. En cuanto a Allie, le parecía increíble haber tenido tanta suerte, que hubiese roto con Brandon tan rápidamente.

Estuvieron una hora hablando de la boda. Alan quería ir con Carmen a pescar a Nueva Zelanda en su luna de miel. Había rodado allí una película y le había gustado mucho. Pero Carmen prefería ir a París, porque no lo conocía.

—Bueno... pues vamos tú y yo a Nueva Zelanda, Jeff —bromeó Alan, que encendió un cigarro y le guiñó el ojo a Jeff—. Y ellas que se queden aquí y vayan de compras.

Aunque sin dramatizar, Allie les advirtió que tuviesen cuidado, que los reporteros les harían la vida imposible en cuanto se enterasen. Era vital mantenerlo en secreto lo más posible.

—¿Y cómo pensáis ir a Las Vegas?

—Pues en coche —dijo Alan.

—Yo de ti alquilaría una caravana, como hace Bram. Te conseguiré una... como regalo de boda.

Le iba a costar unos cinco mil dólares alquilarles una *roulotte* para el desplazamiento. Pero era fabuloso; como ir en yate o en avión privado. Y si la alquilaba a su nombre nadie sospecharía.

—Puede ser divertido —reconoció Carmen.

—De acuerdo —accedió Alan—. Gracias Allie.

Jeff y Allie ayudaron a recoger la mesa y llevar los platos a la cocina (la asistenta se ocuparía de adecentarlo todo por la mañana) y, poco después de las once, se marcharon.

La luna aún brillaba y Jeff le preguntó a Allie si quería conocer su casa. Estaban a sólo medio kilómetro. Allie titubeó un momento, pero accedió. Era todo tan reciente que, en cierto modo, se sentía ahora más retraída con él que en Nueva York. Allí todo parecía tan fugaz que inducía a dejarse llevar para vivir el momento, como si de una aventura veraniega se tratase. Pero no. Era algo más, y estaba segura de que él también lo consideraba así. Sentía vértigo.

—Hace dos semanas que los presenté —le dijo a Jeff con incredulidad cuando él detuvo el coche frente a una casita de la playa.

—Esto es Hollywood —exclamó él riendo. Lo curioso era que Carmen y Alan parecían de verdad hechos el uno para el otro. Casarse un mes después de haberse conocido era arriesgado, pero tenía el presentimiento de que iba a funcionar. Y Allie también.

—Son dos personas excelentes. Aunque yo preferiría que se lo tomasen con un poco más de calma.

De Carmen no le sorprendía; de Alan sí, porque él solía ser muy cauto. Pero, lo dicho, quizá intuyese que iba a funcionar.

—¿De verdad irás conmigo a la boda? —preguntó ella mientras iban hacia la puerta de la casa.

Jeff abrió y miró a Allie, preguntándose si era el momento de entrar con ella en brazos. Era lo que deseaba hacer, pero temió asustarla por lo que implicaba el gesto, sobre todo después de acabar de saber que Alan y Carmen pensaban casarse de inmediato.

—Si quieres que vaya iré. No conozco Las Vegas.

—¡Pues ya verás! —exclamó Allie sonriendo—. A su lado Los Ángeles parece Boston.

—Ya estoy impaciente por verlo —bromeó él. Por lo que de verdad estaba impaciente era por todas las cosas que deseaba hacer con ella.

Jeff le enseñó la casa. Era pequeña y pulcra y sorprendentemente ordenada para un escritor. Había alfombras de pita en el suelo y sofás confortables, con tapicería de lona de color teja. La había alquilado porque tenía un aire a las de Nueva Inglaterra, y le gustaba. A Allie le recordaba las de Cape Cod en Massachusetts. Era perfecta para él; un buen lugar para escribir, y muy acogedor para pasar el día leyendo un libro si hacía mal tiempo. Tenía chimenea y varios sillones tapizados de piel, muy cómodos. En el dormitorio había una cama hecha de troncos, estilo Oeste. El cuarto de baño era enorme, con bañera de mármol y jacuzzi. También la cocina era muy grande, de estilo rústico y con una mesa para doce personas. Además tenía un despacho y una habitación de invitados. Era perfecta.

—¿Cómo la encontraste? —preguntó ella, impresionada. Porque encontrar una casa en Malibú era como encontrar una pepita de oro entre los cereales del desayuno.

—Es de un amigo que regresó al Este el pasado verano. Accedió a alquilármela. Va a quedarse definitivamente en Boston y puede que acabe queriéndola vender. Si es así, a lo mejor la compro. Pero, de momento, con que me la alquile me conformo.

Allie miró en derredor sonriente. Le gustaba. Armonizaba con él. Era muy distinta a la de Alan, típicamente californiana.

Fueron a dar un paseo por la playa pero refrescó enseguida y regresaron. Estuvieron sentados un rato en el sofá, charlando y haciéndose carantoñas. Hacia la una, Allie pensó que debía ya regresar. Le sabía mal hacerlo conducir a aquellas horas pero habían ido en su coche y no tenía otro medio de volver a Beverly Hills.

—No lo pensé —se excusó Allie—. Tenía que haber venido en mi coche.

—No me importa conducir. Es lo único que hace todo el mundo en California, ¿no? —bromeó él.

No cabía duda de que Jeff tenía muy buen carácter. Siempre estaba de buen humor. La diferencia con Brandon era abismal, que raro era el día que no se enfadaba por algo. Con Jeff era todo distendido y agradable. Tenía la sensación de que llevaban muchos años juntos.

Se besaron. Pero en esta ocasión, su beso estuvo impregnado de un ardor especial. Allie estaba totalmente desinhibida. Era maravilloso estar con él allí sin pensar en nadie más que ellos dos. El solo hecho de estar juntos le parecía un lujo.

—No me iré nunca, si no me decido pronto —dijo Allie quedamente.

Volvieron a besarse.

—Ojalá no te vayas nunca —musitó él.

—Es lo que me gustaría —repuso ella—. Pero creo que he de marcharme ya.

—¿Por qué? —dijo Jeff, que se arrimó más a ella y se recostaron en el respaldo, tan ladeados hacia uno de los brazos del sofá que casi estaban acostados.

Siguieron así un rato, contemplando las llamas del fuego que Jeff había encendido al poco de entrar. Oír el murmullo de las olas y ver rielar la luna a lo lejos hacía que la casa resultase más acogedora.

—Debiste de tomarme por loco cuando te dije que te quería —dijo él.

Se lo había dicho de corazón, y ahora lo sentía con más fuerza. Todo parecía natural entre ellos, como si estuviesen destinados el uno para el otro. Quizá por eso sintió tan buenas vibraciones en casa de los Weissman.

—No. ¿Te sorprende? Es como si hiciese tanto tiempo que te conozco como a Alan.

—Lo envidio. Me hubiera gustado conocerte con pecas y trenzas. Debías de ser la jovencita más bonita del instituto.

—No sé si habría resultado, con mis besos babosos... Éramos unos críos. Era todo natural, como un juego.

—También es natural ahora —dijo él—. En realidad, sólo es complicado cuando es equivocado. Pero esto es de verdad, y tú lo sabes.

—¿Sí? —dijo ella mirándolo a los ojos. Él se apretó más contra ella y la besó en la boca—. Es que a veces tengo miedo —confesó.

El resplandor de las llamas creaba un ambiente voluptuoso. Ambos estaban anhelantes, enardecidos.

—¿De qué?

—De cometer un error; de equivocarme de persona. No quiero destrozar mi vida, casarme con el hombre equivocado y lamentarlo luego toda la vida. No quisiera verme nunca en ese trance.

—Y no te verás —le aseguró él—. De momento no has cometido ningún error irreparable.

—Por miedo. No me he atrevido a acertar ni a equivocarme; hasta ahora.

Jeff comprendió lo que ella quería, y lo que ambos necesitaban. Había llegado el momento. No podían darle la espalda al destino. Y, con toda delicadeza, la tomó en brazos y la llevó al dormitorio. La dejó en aquel rústico pero comodísimo lecho. Allie no puso objeciones. Lo deseaba. Lo miró con sus grandes ojos verdes y se entregó a él sin reparos cuando volvió a besarla. Jeff la fue desnudando lentamente, contemplando cada centímetro de su cuerpo mientras la abrazaba y se besaban, ebrios de pasión.

Hicieron el amor durante horas. Luego, cuando ya salía el sol, Allie se quedó dormida en sus brazos como un bebé. También él se quedó dormido, pero se despertó al cabo de un rato y se levantó. Preparó el desayuno y lo llevó a la cama en una bandeja. Despertó delicadamente a Allie, besándola en los labios y los pechos. Ella entreabrió los ojos y le dirigió una mirada de intensa satisfacción. Nunca olvidaría aquella noche. Jeff tenía razón. Su momento había llegado.

Desayunaron en la cama y estuvieron un largo rato hablando. Después se levantaron, se bañaron juntos en el jacuzzi y luego salieron a pasear por la playa. A lo lejos vieron a Carmen y Alan, pero se abstuvieron de ir a su encuentro. En lugar de ello, regresaron a la casa y de nuevo hicieron el amor. Pasaron casi toda la tarde del domingo entrelazados.

—Estoy segura de haber visto a Allie esta mañana pasear con Jeff —dijo Carmen en casa de Alan.

—Pero ¿no sabes que regresaron anoche a Los Ángeles? —la corrigió él—. Allie sería incapaz. Por lo menos, de momento. Suele tomarse estas cosas con mucha calma. Además, creo que todavía no se ha rehecho de lo de Brandon.

—Puedes estar seguro de que los he visto —insistió Carmen.

Luego, cuando a media tarde Jeff y Allie pasaron por delante de la casa de Alan de vuelta a Los Ángeles, Alan y Carmen estaban en el jardín. Alan se quedó de una pieza.

—¿Lo ves? —exclamó Carmen al ver que la flamante pareja los saludaba con la mano y pasaba de largo.

—Si no lo veo no lo creo —dijo Alan, que se alegró y les deseó lo mejor. Jeff parecía una buena persona y Allie merecía ser feliz. Se lo deseaba de todo corazón, porque la quería como a una hermana.

—Quizá podríamos tener doble boda en Las Vegas —aventuró Carmen. Pero Alan dudaba que Allie y Jeff fuesen a darse tanta prisa como ellos.

10

A principios de febrero Allie tenía una enorme sobrecarga de trabajo. Debía organizar la gira de Bram, concertar todo lo relativo a los
contratos para la nueva película de Carmen, negociar los de otros
clientes y despachar asuntos corrientes del bufete. Pero no había
dejado de sonreír en todo el día. Alice nunca la había visto tan feliz.

Jeff solía pasar a verla unos momentos cuando se permitía un
respiro o tenía alguna entrevista cerca, y siempre que le era posible iban a almorzar juntos, en algún restaurante del barrio o en
casa de Allie si tenían más tiempo.

Al regresar al despacho, Allie tenía que hacer un esfuerzo
para dar impresión de seriedad y concentrarse en el trabajo. Sólo
podía pensar en Jeff. Jamás se había sentido tan dichosa. Parecían
estar hechos el uno para el otro; tenían los mismos gustos, les
gustaban los mismos libros y compartían las mismas ideas y aficiones. Jeff siempre se mostraba amable y flexible con ella y tenía
un delicioso sentido del humor.

Tras su primera semana de intensa intimidad, que pasaron
casi entera en la casa de Malibú, Allie invitó a Jeff a cenar en casa
de sus padres. Aún no les había hablado de su ruptura con Brandon, pero estaba impaciente por presentárselo.

—¿Estás segura de que quieres que vaya? —preguntó él con
cierta cautela.

Jeff estaba loco por ella, pero no quería precipitar las cosas.
Sabía lo apegada que estaba a su familia y temía que presentarse
fuese interpretado como una intrusión.

—No seas bobo. A mi madre le encanta que vayamos a casa con amigos.

Así había sido siempre. A sus padres les gustaba acoger en su casa a las amistades de sus hijos y las recibían con los brazos abiertos.

—Pero... ¿no crees que a lo mejor prefieren dedicar sólo a sus hijos el poco tiempo que tienen? —dijo él, titubeante y un poco nervioso. Le importaba mucho que los padres de Allie aprobasen sus relaciones, pero pensaba que, a su edad, «ir a conocer a los padres de la novia» estaba un poco fuera de lugar.

—Estoy segura de que les encantará conocerte —dijo ella en tono cariñoso.

Pese a las reservas de Jeff, Allie terminó por convencerlo de que la acompañase a cenar el viernes por la noche.

Jeff pasó a recogerla a la hora convenida. Llevaba una chaqueta azul marino y pantalones de franela gris. Estaba tan elegante como cuando Allie lo conoció en Nueva York.

—Te noto nervioso —dijo ella.

—Un poco.

Era como volver a tener dieciséis años, pensó Allie risueña. Estaba convencida de que a sus padres les encantaría Jeff, sobre todo teniendo en cuenta que detestaban a Brandon. Su padre se había mostrado indiferente con él, pero su madre le tenía verdadera ojeriza. Lo caló desde el principio.

—Estaba pensando en cuando le envié a tu padre mi primer libro —dijo Jeff mientras cruzaban Bel Air—. ¿Y si cree que es por algún interés profesional por lo que voy a cenar contigo?

A Allie le hizo gracia que se comportase como un adolescente inquieto por la reacción de los padres de su novia.

—No temas. Mi padre es muy perspicaz, y a donde él no llega, llega mi madre —bromeó.

La perspicacia era quizá la característica más acusada de Blaire Scott. Aunque tenía otras, claro, que podríamos llamar más... aparatosas (cuando llegaron estaba enfrascada con los planos de la nueva cocina. Los tenía desplegados en el suelo del salón. Iba a gatas de un lado para otro del papel parafinado, explicándole los detalles a Simon).

Al verlos entrar, Blaire le sonrió cariñosamente a su hija mayor. Al reparar en su acompañante la miró sorprendida, pero no hizo ningún comentario.

—Hola, cariño. Le estoy enseñando a papá los planos de la nueva cocina —dijo Blaire sonriéndole. Se incorporó entonces y Allie los presentó.

Allie había dicho que iría acompañada a cenar y su madre dio por sentado que el acompañante sería Brandon. Pero Blaire disimuló su sorpresa, aunque no la curiosidad que sentía por saber quién era aquel hombre.

Simon se incorporó también y besó a su hija.

—Tu madre me está enseñando qué aspecto tendrá la sala de pucheros dentro de seis meses, y la salita de la parte de atrás en la que desayunábamos —dijo Simon, y sonrió a Jeff y le tendió la mano.

Jeff se la estrechó con cordialidad y firmeza. Simon recordaba la buena impresión que le había causado el novelista tiempo atrás.

—Nos conocimos hace años —dijo Jeff—. Fue usted tan amable de leer un guión mío adaptado de mi novela *Aves de verano*. Pero imagino que ha de leer tantos que quizá no lo recuerde —añadió con sencillez.

—Pues la verdad es que sí lo recuerdo —lo contradijo Simon con expresión reflexiva y sonriente—. Sus ideas para el guión eran muy buenas pero, como a todo primer borrador, le faltaba elaboración. Ocurre con todos los libros —comentó con gentileza.

—He seguido trabajando en esa idea —dijo Jeff a la vez que estrechaba la mano de Blaire. Se notaba que Jeff había recibido una educación exquisita.

Al poco se les unió Samantha y se sentaron en un sofá a charlar antes de disponerse a cenar. Hablaron de todo un poco: de los proyectos de Jeff, de la nueva cocina y de lo que se cocía en el mundillo de Hollywood.

En el fondo, Jeff Hamilton echaba de menos el ambiente de Nueva York pero había muchas cosas que le gustaban de la vida en California. En principio, había proyectado pasar un año en Los Ángeles y volver luego a Nueva York para escribir su siguiente libro. También había pensado instalarse en Nueva Inglaterra, en alguna cala de Cape Cod. Pero de momento tenía que estar pendiente del rodaje de la película basada en su novela, que empezaría en mayo y finalizaría en septiembre. Allie se inquietó un poco al oírle exponer sus planes. No tenía ni idea de que Jeff pensara regresar al Este y se sintió muy abatida.

—No es una buena noticia —musitó Allie mientras se dirigían a la mesa. Le entristecía pensar que tendrían que separarse pronto, pese a que sus relaciones iban tan bien.

—Puedo dejarme convencer para quedarme —le susurró él, que se acercó tanto que le rozó el cuello con los labios.

—Ojalá —dijo ella.

Durante la cena Blaire no les quitó ojo. Mostró mucho interés en saber cosas de Jeff y le preguntó a Allie todo tipo de detalles sobre su trabajo y su familia. ¿Qué significaba para ella aquel apuesto escritor? ¿Dónde estaba Brandon? Aunque, al estar Jeff presente, Blaire no pudo preguntárselo así a su hija.

El ambiente fue muy cordial y espontáneo. Allie reparó en que Samantha se comía con los ojos a Jeff y, al volver al salón, Blaire se decidió a satisfacer su curiosidad.

—¿Ha habido algún cambio en tu vida, Allie? —le preguntó aprovechando que Jeff y Simon habían salido al jardín, enfrascados en una conversación sobre cuestiones sindicales y de los costes y problemas de producción—. ¿Por qué no me lo cuentas? —añadió mirando a su hija a los ojos. Estaba claro que, si como suponía, había una historia entre ellos, se había perdido varios capítulos.

—¿Qué quieres decir, mamá? —exclamó Allie, que fingió sorpresa y miró a su madre y a su hermana, que se había pegado a ellas como una lapa.

Allie puso los ojos en blanco con expresión teatral y las tres se echaron a reír.

—Empezaba a temer que nunca te desharías de Brandon —dijo Blaire con alivio—. Es decir... si ocurre lo que imagino. ¿O simplemente es que ha ido a pasar otro de sus fines de semana en San Francisco?

—Más bien lo primero —dijo Allie por echarle un poco de intriga a la cosa. No pensaba explicarles nada con claridad. Era demasiado pronto. Sólo había querido que lo conocieran.

—Podías habernos dicho algo —la reconvino su madre.

Samantha se dejó caer en el sofá desmayadamente. Pensaba que la vida amorosa de su hermana era una lata, aunque Jeff le gustaba mucho más que Brandon.

—*Este* está mejor —dijo Sam—. ¿Qué ha ocurrido? ¿Te ha plantado Brandon?

—Esa pregunta es una impertinencia —la riñó su madre, que miró a Allie y le sonrió—. ¿Qué ha ocurrido, cariño?

Aunque más educadamente, Blaire estaba tan ansiosa por saberlo como Sam. Confiaba en que no hubiese ocurrido nada desagradable para Allie. Pero, en cualquier caso, se alegraría mucho si de verdad Brandon había desaparecido de la vida de su hija. No creía que Brandon la amase de verdad. Siempre se había mostrado indiferente, distante y crítico con ella. Y el hecho de que no hubiera llegado a divorciarse los tenía realmente preocupados.

—Supongo que había llegado el momento —dijo Allie crípticamente.

—¿Cuánto hace? —preguntó Sam impaciente. Estaba segura de que su hermana tenía mucho que contar.

—Poco. Conocí a Jeff en Nueva York —dijo Allie como quien accede a darles un caramelo a unas niñas golosas pero se guarda la bolsa.

A Blaire se le iluminó la cara. Jeff le caía bien y estaba claro que a Simon también le parecía agradable.

—Es guapísimo —dijo Samantha, pero se interrumpió al ver que Jeff y Simon volvían a entrar.

—Me gustaría leer su libro, Jeff —dijo Simon—. Lo compraré. Acaba de salir, ¿verdad?

—Hace varias semanas. Acabo de terminar una pequeña gira de promoción. Pero no sé cómo tiene usted tiempo para leer, haciendo tantas cosas.

—Yo tampoco —dijo Simon, y miró a su esposa de una manera que a Allie le produjo extrañeza. No era una mirada de animosidad ni de ira. Era como una brisa tenue pero gélida.

Allie jamás había visto a su madre mirar así a su padre. Se preguntó si habría ocurrido algo entre ellos, quizá por culpa de la cocina. Porque su padre odiaba todo lo que fuesen cambios en el hogar. Pero, como a su madre le encantaban, de vez en cuando reñían.

Allie no hizo ningún comentario al respecto. Luego, durante un aparte con su madre en la cocina, no advirtió nada anormal. Sin embargo, cayó en la cuenta de que últimamente su madre daba la impresión de estar más cansada. Quizá fuese un ligero decaimiento por su preocupación por la serie, que le daba mucho trabajo.

—¿Está bien papá? —preguntó Allie con discreción. Era consciente de que todos los matrimonios tienen sus problemas, y no quería entrometerse. Puede que hubiesen discutido antes de que ellos llegasen.

—Claro que está bien. ¿Por qué lo preguntas?

—No sé... Me ha parecido un poco frío esta noche. Pero deben de ser figuraciones mías.

—No me extraña que hayas notado algo —dijo Blaire en tono despreocupado—. Está furioso por lo del jardín. A él le gusta tal como está y dice que los cambios que quiero hacer no van a mejorarlo.

Lo del jardín era la única manzana de la discordia. Nunca discutían por nada más grave. No podían llevarse mejor.

—Me gusta tu amigo. Es inteligente, agradable y simpático. Y muy atractivo —dijo Blaire. Se sirvió un vaso de agua y miró a su hija complacida—. Estoy muy contenta.

Allie se echó a reír. Entendía perfectamente que su madre quería tirarle de la lengua. Para ella, la sola idea de perder de vista a Brandon era un alivio.

—Lo imaginaba —dijo Allie a modo de implícita confirmación.

En cierto modo le entristecía un poco que todos se alegrasen tanto de su ruptura con Brandon. Entre otras cosas porque le parecía penoso no haber sabido ver antes lo que todo el mundo veía.

—Estas últimas semanas han sido una especie de terremoto. Jeff y yo nos conocimos en Nueva York en casa de un agente que me invitó a una fiesta en su casa. Desde entonces casi no nos hemos separado —explicó Allie, y miró un poco cohibida a su madre. Blaire se enterneció al notarlo—. Es encantador conmigo. Jamás he conocido a nadie como él... salvo a papá.

—Oh, Dios —exclamó Blaire mirándola a los ojos—. Entonces la cosa va en serio. Las mujeres sólo comparamos a un hombre con papá si vamos a casarnos con él.

—No exageres, mamá —dijo Allie, ruborizada—. Sólo hace tres semanas que nos conocemos.

—¡Uy! ¡No sabes lo rápido que pueden ir las cosas cuando encontramos al hombre de nuestra vida!

Oírselo a su madre le recordó la fulminante decisión de Carmen y Alan. Estuvo tentada de contárselo a su madre, pero había prometido guardar el secreto.

Volvieron al salón junto a Simon y Jeff. Samantha había optado por ir a hacer llamadas a sus amigas.

Jeff y Allie se quedaron hasta las once charlando animadamente. Era obvio que la velada les había resultado agradable a los cuatro.

Cuando se hubieron marchado, Blaire miró a su esposo muy sonriente. No hizo falta decirle nada para que él comprendiese qué pensaba.

—Bueno, Blaire, no te precipites. No lo des ya por hecho. Apenas lo conoce —dijo Simon, risueño al ver la cara de felicidad de su esposa ante el nuevo romance de su hija.

—Eso me ha dicho ella. Pero creo que ambos olvidáis lo más importante: Jeff parece estar loco por ella.

—No lo dudo. Pero... ¡hombre!, ¡dadle una oportunidad al pobre chico antes de ponerle la soga al cuello! —exclamó Simon. Aunque fuese en son de broma, comprendió enseguida que no tenía que haberlo dicho—. No, en serio... —trató de rectificar.

Pero ya había metido la pata. Blaire se encogió de hombros con cara de circunstancias. Lo había interpretado de la peor manera. Simon no era dado a hacer comentarios así. Y tampoco ella. Pero últimamente ambos los hacían. Simon insistió en que bromeaba, pero Blaire sabía que sus palabras revelaban algo más que una broma, algo que aludía a que su matrimonio empezaba a deteriorarse. Blaire creía saber por qué. No estaba segura, pero al mirarlo creyó ver en sus ojos una frialdad y un distanciamiento que le encogió el corazón. Fue como si un duende dejase resbalar por su espalda unos dedos de hielo.

—¿Subes? —preguntó ella refiriéndose a su dormitorio. Llevaba los planos de la cocina enrollados bajo el brazo.

—Luego —dijo él, y al reparar en la contrariedad de su esposa se corrigió—: Subiré dentro de un minuto.

Blaire asintió con la cabeza y subió hacia su dormitorio, entristecida. No habían tenido ninguna discusión importante, nada grave. Pero desde hacía cierto tiempo menudeaban aquellos momentos de alejamiento. Se preguntaba si era sólo una de esas malas épocas por las que pasa todo matrimonio, como un bache en la carretera, o una señal de que realmente ocurría algo grave.

—¿Qué te han parecido mis padres? —preguntó Allie durante el trayecto de vuelta. Dormirían en su casa de Beverly Hills aquella noche, porque estaba más cerca que el apartamento del amigo de Jeff.

—Creo que son extraordinarios —repuso él sin ocultar su admiración. Eran amables, cordiales y nada pretenciosos; encantadores. Era gente de trato exquisito. Aprovechó para contarle la conversación que había tenido con Simon en el jardín—. Dice que quiere leer mi libro, aunque creo que lo ha dicho sólo por ser amable.

—No creas. Siempre anima a mis amigos en sus películas, en sus obras de teatro; en cualquier proyecto que emprendan. Lo apasiona y lo hace sentirse joven —explicó Allie.

Lo cierto era que su padre no aparentaba los sesenta años que tenía; ni siquiera cincuenta.

—En cambio mi madre... no sé. Me preocupa —añadió Allie.

—¿Por qué? —exclamó Jeff sorprendido. Blaire le había parecido una mujer todavía hermosa, jovial y de aspecto saludable. Además, era una persona con talento y con éxito. No inspiraba preocupación—. Parece estar perfectamente.

—Ya lo sé, pero no estoy segura de que lo esté. Creo que no haber ganado el Golden Globe la ha afectado mucho. Además, los problemas de su serie se multiplican. En realidad, tengo el presentimiento de que algo le ocurre. Últimamente siempre se la ve triste, aunque sonría. La conozco, Jeff. Estoy convencida de que algo la preocupa mucho.

—¿Y no se lo has preguntado? —dijo él, porque le pareció que era el medio más sencillo de saberlo.

—No. Dudo que me lo contase. Le he preguntado si tenía algún problema con papá, porque me ha parecido que estaba un poco serio esta noche. Y me ha dicho que no, que sólo le ocurría lo de siempre: que estaba que trinaba por sus planes para modificar el jardín.

—Pues probablemente a eso se reduzca todo —la animó él—. Los dos trabajan mucho, y eso crispa.

Simon era el productor de Hollywood más importante y ella dirigía una de las series de televisión de mayor audiencia. Era difícil mantenerse un año tras a otro a tan alto nivel. No le sorprendía que ninguno de sus hijos hubiese querido seguir sus pasos. Habían puesto el listón demasiado alto.

—Ah, por cierto, Samantha también me ha caído muy bien —añadió Jeff.

No era de extrañar. Samantha era una adolescente de belleza explosiva.

—A mí también me cae bien... a ratos —bromeó Allie—. Últimamente está imposible. No es bueno para ella estar continuamente sola con mis padres, porque la consienten. Cuando Scott y yo vivíamos en casa era distinto. Tenía más disciplina. Es la niñita de los ojos de papá, y ella lo sabe. Mamá es más dura con ella, pero mi hermana siempre termina por salirse con la suya. Yo no tuve tanta suerte a su edad.

—Es lo que suele ocurrir con los hermanos menores. Siempre pagan el pato los mayores y ellos se salen de rositas. Aunque, la verdad, Samantha no me ha dado la impresión de ser una niña mimada. Ha estado muy correcta y educada en todo momento.

—Ya. Porque le has gustado y ha querido causarte buena impresión —dijo Allie sonriéndole.

—¿Y si no le llego a gustar?

—Te hubiese ignorado.

—Pues me alegro de que no lo haya hecho.

Ya en casa de Allie se metieron enseguida en la cama. Estaban cansados, pero a ella le gustaba estar acostada con él, abrazándose. Sus caricias rara vez quedaban en castos contactos y al cabo de un rato los embargaba la pasión. Eran momentos felices. Además, a Allie le gustaba despertar a su lado. A veces, él ya se había levantado y hacía el café. Parecía una vida perfecta para ambos.

El sábado por la mañana llamó Alan y los invitó a cenar.

—Esto sí que es vida, ¿eh? —exclamó Jeff mientras ella le servía el desayuno en la cocina sin más prendas que un delantal anudado a la cintura—. Ajá... —añadió simulando sacarle una fotografía—. ¡Menuda portada!

Allie adoptó una pose insinuante. Jeff la atrajo hacia sí y la sentó en sus rodillas. Esto tuvo unos efectos inmediatos que los condujeron de nuevo al dormitorio.

Era ya mediodía cuando volvieron a levantarse y Allie empezó a pensar en el almuerzo.

—No hacemos más que hacer el amor y comer —dijo él.

—¿Ya te estás quejando? —dijo ella, risueña y mordiendo una manzana.

—¡Estoy encantado!

—Y yo —dijo ella, y de pronto recordó la invitación de Alan—. ¿Te apetece ir a cenar con Alan y Carmen?

Allie no quería presionarlo. Pero, aunque lógicamente Jeff

también tenía sus amigos y acaso tuviese otros planes, le constaba que había simpatizado mucho con Alan y Carmen.

—Claro que me apetece —le aseguró él.

Allie le ofreció la manzana y él tomó un bocado y la besó. Sus labios sabían ahora a aquel fruto jugoso y aromático. Y, sin dejar de besarse, casi sin darse cuenta, volvieron al dormitorio.

—No conseguiremos nada si no paramos —dijo ella, echándose a reír mientras Jeff la besaba de nuevo apasionadamente en el cuello y la atraía con fuerza hacia sí.

Luego llamaron a Alan. Quedaron en estar a las siete en su casa de Malibú y en ir a la bolera después de cenar.

Llegaron puntualmente. Carmen estaba preparando *fettucine* y Alan hacía la salsa mientras canturreaba un aria.

—Será mejor que pongas algo más afinado —le dijo Alan a Jeff—. Allí... sólo has de pulsar el botón verde —añadió señalando la cadena que tenían en un estante de la librería.

Hacía una temperatura tan agradable que estuvieron tentados de cenar en el jardín. No lo hicieron porque sobre las ocho solía soplar la brisa. Cenaron en la mesa de la cocina (demasiado, según convinieron los cuatro con risueña mala conciencia).

—Me temo que no voy a tardar en tener que ponerme a régimen —se lamentó Alan. Había hecho una salsa tan deliciosa que ninguno resistió la tentación de rebañar el plato—. Tenemos ensayos de rodaje a finales de marzo; y a mediados de abril vamos a Suiza, a escalar como las cabras.

Se trataba de otra película de aventuras, con un papel de mucho lucimiento para Alan, que iba a cobrar una verdadera fortuna.

—¿Y no crees que vas a correr peligros innecesarios? —dijo Carmen aludiendo a su propósito de que no lo doblasen.

—No... si no resbalo —repuso él.

A Carmen no le hacía ninguna gracia que se negara a que lo doblasen en aquella película. Luego, Allie le oyó decirle a Alan que quería ir con él. Si insistía le crearía un problema, porque el director no quería ver a nadie ajeno a la película en los rodajes. Aparte de que Alan era muy independiente y no le gustaban estas actitudes, lo cierto era que muchas escenas se rodarían en sectores de una montaña muy escarpada y peligrosa.

—No olvides que también tú has de empezar a rodar muy pronto —dijo Allie con la intención de desviarla de su propósito—. No vas a tener tiempo para ir con él.

—Tengo tiempo de sobras. Puedo disponer por lo menos de seis semanas antes de caer en las garras de mi director.

—Pues estupendo —dijo Alan.

A Allie le extrañó un poco que Alan no pusiera objeciones, y estaba segura de que se arrepentiría. Pero la conversación no tardó en seguir otros derroteros.

Después del postre, que en esta ocasión consistió en helado de plátano, perfecto para acabar con cualquier régimen, Alan propuso ir a la bolera. A Alan le gustaban las distracciones más sencillas: ir de copas, jugar a ping-pong y a dardos; o a los bolos, que era uno de sus pasatiempos predilectos. Todos aceptaron de buena gana ir a la bolera y salieron hacia Santa Mónica en su Lamborghini, un coche blindado como un tanque, fabricado especialmente para un multimillonario árabe. Debía de haber sólo una docena como aquel en todo el mundo. Alan lo había comprado en San Francisco. Era tan potente como un Ferrari y podía alcanzar más de 300 kilómetros por hora. Llamaba bastante más la atención que su vieja camioneta Chevrolet.

—¿Cómo has conseguido este bólido? —preguntó Jeff, que jamás había visto un coche semejante.

—En San Francisco. Lo fabricaron especialmente para un príncipe kuwaití que luego no lo quiso. Lleva un blindaje increíble.

Era de verdad un coche formidable. A Alan le gustaba sobre todo por su velocidad y aceleración más que por su seguridad.

Aparcaron frente al hotel Hangtown y entraron para alquilar el calzado especial y reservar pista. La bolera estaba atestada. Mientras aguardaban fueron a tomar unas cervezas y, al cabo de veinte minutos, les dijeron que ya tenían pista.

Alan jugaba bastante bien. Carmen no tenía ni idea pero lo pasaba en grande. Jeff podía competir con Alan, y Allie se defendía. Pero el único que se tomaba la partida en serio era Alan. Le gustaba ganar y reconvenía continuamente a Carmen porque se distraía.

—No, si... fijarme ya me fijo, pero es que soy malísima —se justificó ella risueña.

Allie reparó en que la gente los miraba. Un nutrido grupo se había congregado a su alrededor. Era obvio que no sólo habían reconocido a Alan sino también a Carmen.

—Hola —saludó Carmen a uno de los curiosos.

La joven estrella llevaba unos pantalones y una camiseta tan ajustados que realzaban exageradamente sus formas. Estaba arrebatadora. La mayoría de los hombres se la comía con los ojos.

Al reparar en ello, Alan la situó entre él y Jeff, pero la gente estaba también muy pendiente de Jeff, que por el rabillo del ojo vio que un tipo con el pelo peinado hacia atrás le decía algo a Allie. Le había preguntado por el coche que tenían aparcado fuera. Que lo habían alquilado para aquella noche, contestó ella. No era extraño, porque en Los Ángeles hay empresas que alquilan coches de lujo de cualquier marca, incluso Rolls-Royces y Bentleys antiguos. De modo que, ¿por qué no un Lamborghini?

—Esa se cree muy lista, ¿verdad? —le preguntó otro tipo a Allie al mirar a Carmen, que trataba de ignorarlo y concentrarse en el juego—. Sabemos quién es. ¿Qué se cree? ¿Que no la hemos reconocido?

Allie lo ignoró y se alejó, aunque no tenía la menor intención de hacerlos enfadar. Los dos tipos que la habían abordado estaban borrachos. De pronto una mujer pidió un autógrafo y se le unieron varias y, al cabo de unos momentos, Carmen se vio prácticamente acorralada por varias decenas de personas. Sin mediar palabra, un tipo se acercó a Alan y le lanzó un puñetazo. Pero estaba demasiado borracho para acertar. Alan lo esquivó.

Allie sabía cuál iba a ser la «secuela» de aquella película. Llevaba bastante tiempo en aquel mundillo para ignorar que habría problemas y, sin pensarlo dos veces, fue a uno de los teléfonos públicos del local y llamó a la policía. Nadie reparó en ella mientras le decía a un agente quiénes eran ella y sus acompañantes y lo que ocurría.

—Tiene pinta de degenerar en una batalla campal —le dijo Allie al agente sin alterarse—. Y la señorita Connors podría resultar malparada. Hay aquí unos cincuenta tipos dispuestos a echársele encima.

—Estaremos ahí enseguida —le aseguró el agente. Allie lo oyó dar órdenes—. Pero no se retire, señorita Steinberg. ¿Cómo está el señor Carr?

—Pues... hace lo que puede. De momento resiste —contestó Allie.

Nadie había vuelto a intentar pegar a Alan pero se había formado un círculo que se estrechaba alrededor de él, Carmen y Jeff. Querían verlos de cerca, tocarlos. Jeff buscó a Allie con la mirada y la vio hablando por teléfono. Fue a abrirse paso para acercarse a ella, pero no quería dejar sola a Carmen.

Mientras Allie seguía aún al teléfono irrumpieron tres agentes uniformados. Enfilaron hacia el grupo congregado alrededor de los tres y esgrimieron las porras con cara de pocos amigos. Uno fue derecho hacia Carmen y otro habló con Alan Carr, y en menos de un minuto tuvieron controlada la situación. Aunque sólo relativamente. No podían descuidarse ni un momento, pues aún había muchos que trataban de acercarse a las estrellas a toda costa. Además, Allie había quedado aislada.

—¡Ella está con nosotros! —le gritó Jeff a uno de los agentes señalando a Allie—. ¡Ayúdenla!

El agente y Jeff lograron abrirse paso hacia donde se encontraba Allie, la flanquearon para protegerla y avanzaron hacia la puerta, detrás de Carmen y Alan, que habían logrado adelantarse, protegidos por los otros dos agentes.

Frente a la puerta se había situado otro agente. A Alan le temblaban las manos al abrir el coche. Los cuatro agentes los rodearon mientras subían. Luego les hicieron ostensibles ademanes de que se alejaran rápidamente. La pesadilla había terminado y Alan arrancó sin que apenas tuviesen tiempo de darles las gracias a los agentes.

—¡Dios mío! —exclamó Jeff—. ¿Os ocurre esto a menudo? —añadió mirando a Carmen y Alan. Se remetió la camisa y se alisó la chaqueta.

A juzgar por el aspecto que tenían los cuatro en aquel momento, cualquiera hubiese dicho que venían de una batalla; con la ropa desaliñada y desgreñados. A Alan le habían quitado las gafas oscuras y a Jeff un zapato.

—¿Cómo lo soportáis? —dijo Jeff.

Carmen sollozaba y Allie la consolaba. Así era la Bestia que amaba a la Bella, se dijo Jeff. Era como si los fans más fanáticos les profesaron una especie de amor-odio, como si los considerasen de su propiedad y se creyesen con derecho a devorarlos o destruirlos.

—Es espantoso —dijo Allie. Aquellos lamentables episodios la exasperaban. Pero a Carmen la aterrorizaban.

—Son como animales. ¿Os habéis fijado en esos tipos? —dijo Carmen mirando a Alan llorosa—. Habrían sido capaces de violarme. Uno me ha sobado las tetas y otro me ha metido la mano por dentro del pantalón. ¡Asquerosos!

Carmen solía reaccionar a aquella histeria con una increíble candidez. No entendía que pudiera despertar semejante estallido de lujuria colectiva.

—No pienso volver jamás a una bolera —dijo Carmen—. ¡Qué horror!

—Ni yo —dijo Alan—. Está visto que no podemos dejarnos ver en público con naturalidad.

Para Alan no poder ir a la bolera era una auténtica contrariedad, porque le gustaba mucho. Quizá por eso había tantos famosos que tenían en casa todo tipo de entretenimientos, no sólo para ellos sino para sus hijos. No podían llevar la misma vida normal de cualquiera.

—Pues no sabéis por lo que ha de pasar Bram Morrison en sus conciertos —dijo Allie por si les servía de consuelo.

A Jeff le parecía admirable que Allie hubiese tenido suficiente presencia de ánimo para llamar a la policía de inmediato. Pero no era de extrañar, porque la abogada se había visto en muchas situaciones como aquella y sabía lo que había que hacer. Enseguida intuía lo que iba a pasar, sobre todo cuando la estrella a la que acompañaba era una mujer. Había advertido a Carmen de lo que solía ocurrir; la había aleccionado e incluso la había hecho ir a clases de defensa personal. Pero de poco servía todo ello contra una multitud.

—Gracias por haber llamado a la policía, Allie —dijo Alan, aún no repuesto del todo.

Era degradante verse acosado de esa manera, aunque en principio la intención de la gente fuese buena.

Durante el trayecto de regreso Allie notó que a Jeff le había impresionado mucho lo ocurrido. En definitiva, tanta admiración les había amargado la noche.

Minutos más tarde, Alan los dejó en casa de Jeff y lamentó que la noche hubiese acabado en un incidente. Jeff y Allie le dijeron que se hacían cargo, que también ellos lo sentían y les dieron las gracias por la cena.

—No comprendo que les guste vivir así. ¿Es que no pueden ir nunca a ninguna parte sin arriesgarse a lo que ha ocurrido? —preguntó Jeff cuando Alan y Carmen se hubieron alejado en el coche.

—Incluso cuando asisten a los estrenos han de tener cuidado —contestó ella—. Cuando se sabe con antelación que van a aparecer en público corren un gran riesgo de salir malparados. Y cuando no se sabe, e intentan ir a cualquier parte con normalidad, la cosa puede terminar como esta noche, a no ser que vayan a un restaurante como Spago —añadió sonriente. Porque Spago está siempre lleno de famosos y, por lo tanto, nadie molesta a nadie, y fuera hay tantos guardaespaldas que los curiosos se contentan con expresar su admiración a distancia.

Pero en una bolera como a la que acababa de ir no había apenas defensa. Y a veces, como habían comprobado, la situación se ponía difícil. Por suerte Allie supo reaccionar a tiempo. Llevaba años presenciando escenas como aquella con sus padres, pues aunque, al estar al otro lado de las cámaras, no eran tan famosos como las grandes estrellas, los actores y actrices con quienes trabajaban eran un blanco permanente.

Ya en casa de Jeff se dirigieron al dormitorio. Estaban rendidos.

—Me he asustado al perderte de vista entre la gente —dijo él mientras se desnudaban. —Tenía cierto morbo ver sus ropas semidesgarradas. Jeff se miró los pies. Le habían birlado un zapato—. Los muy imbéciles... A lo mejor creen que el zapato es de Alan —dijo risueño.

—Quizá puedas recuperarlo algún día en una subasta —bromeó ella. También Allie se había asustado. El gentío siempre la asustaba porque era imprevisible. Bastaba que alguien se pasase de la raya para que muchos lo secundaran.

—Me parece increíble. Me siento como una verdadera estrella. Y con franqueza, Allie, te lo regalo —dijo Jeff dejándose caer en la cama.

—¿A mí? Te garantizo que no me gusta en absoluto. Por eso soy abogada y no actriz. No soportaría estas cosas ni un minuto.

—Pero se te da bien afrontarlas —la elogió él—. Has sido la única que ha pensado en llamar a la policía. Yo me quedé como un pasmarote, boquiabierto, sin saber qué hacer para salir de allí sin que nos linchasen amorosamente.

—Hay que reaccionar enseguida. En cuanto vi cómo pintaba la cosa fui derecha al teléfono.

Se abrazaron. ¿Cómo se las iban a componer en la boda?, se preguntó Jeff.

—Creo que Alan y Carmen deberían casarse en una isla desierta, a juzgar por lo de esta noche —dijo.

—No sería mala idea. En las bodas es peor. Los fans enloquecen. Las bodas de famosos son una pesadilla, casi peor que los conciertos. Pero díselo a Carmen y verás. A mí no va a hacerme caso, y Alan quiere que la boda se celebre donde ella elija. Ya he hablado con varios expertos en seguridad.

—¿Y qué opinan?

—¿Qué van a opinar? Que será todo un acontecimiento. Como siempre en Las Vegas, puedes estar seguro.

—No me gustaría una boda así para nosotros —dijo él acariciándole las nalgas.

—Porque eres listo. Y si ellos lo fuesen, se esfumarían; irían a cualquier pueblo perdido en Dakota del Sur. Claro que no es tan divertido. Pero tampoco lo es que la gente te zarandee.

Las caricias no pudieron con el agotamiento y el sueño los sorprendió entrelazados bajo las sábanas.

11

La caravana que Allie había alquilado recogió a Alan y a Carmen en Malibú, frente a la casa de Jeff. Se habían puesto sendas pelucas, vaqueros, sudaderas y gafas de sol. La peluca de Carmen era castaño oscuro y la de Alan negra. Jeff y Allie también llevaban peluca y prendas holgadas (las de Allie tachonadas con piedras de bisutería).

—No sabía yo que fuésemos a un baile de disfraces —ironizó Jeff. Estaba seguro de que nadie iba a reconocer a Carmen ni a Alan.

Se sentaron en un compartimiento de tabiques acolchados del fondo de la *roulotte*. Durante el trayecto se entretuvieron con una charla amena y divertida. No podían contener la risa cada vez que se miraban en el espejo. De vez en cuando hacían pequeñas incursiones a la cocina en busca de sándwiches, helados, fruta o taquitos de queso. No era de extrañar que las estrellas del rock y del cine utilizasen *roulottes* como aquella para sus desplazamientos. Tenían de todo, incluso un cuarto de baño que no desmerecía del de muchos apartamentos. Aquella no era tan lujosa como la de Eddy Murphy, de dos pisos y decorada con antigüedades y objetos preciosos, pero era de las mejores, muy cómoda.

Las dos parejas se felicitaban por haber optado por aquel medio de transporte.

Ya en Las Vegas fueron directamente al hotel MGM Grand. En el vestíbulo les aguardaban seis guardaespaldas (dos mujeres y cuatro hombres) que, en cuanto los vieron, se confundieron con los anónimos rostros que los rodeaban. No exteriorizaron el menor indicio de haberlos reconocido mientras los acompañaban a la suite y luego se instalaban en las dos habitaciones que la flanqueaban.

La habitación de Jeff y Allie estaba en el mismo pasillo, frente por frente. A ella no le había parecido ver *paparazzi* en las inmediaciones del hotel ni del vestíbulo. La prensa del corazón había aireado durante una temporada el «supuesto» romance entre Carmen y Alan, pero ya hacía un par de semanas que se habían olvidado de ellos. Nadie parecía sospechar que iban a casarse.

Una vez instalados se cambiaron de peluca. Jeff, Allie y Carmen se convirtieron en pelirrojos y Alan en un rubio oxigenado de lo más llamativo.

—¡Dios mío! —exclamó Allie al verlo—. ¡Estás horrible!

—Pues a mí me encanta —le aseguró él, que le guiñó el ojo y amagó una palmadita en el trasero. Luego se quitó la peluca, volvió a ponerse la negra e imitó a Elvis.

—¡Menos mal que ya tienes profesión! —dijo Allie con fingida consternación—. Porque dudo que con esa pinta te consiguiese trabajo en ninguna parte.

—¡Uy! Eso nunca se sabe, nena. Nunca se sabe...

Carmen desapareció en el cuarto de baño con la bolsa de plástico en la que llevaba la ropa. Media hora después, salió con un vestido blanco y corto de satén, velo y un peinado de graciosos tirabuzones. Iba impecablemente maquillada. La falda corta dejaba ver sus estilizadas y bien torneadas piernas. No parecía la misma que con pantalones vaqueros y peluca. Estaba preciosa. Los zapatos, de tacón alto, eran también de satén blanco. Alan se quedó boquiabierto al verla. Con pantalones y chaqueta de hilo blanco y unos zapatos de ante beige habría estado bastante elegante, de no ser por su insistencia en llevar la peluca.

—Así tendremos hijos rubios —le dijo a Carmen.

—¡Qué bobo eres! —exclamó ella, y se le colgó del cuello para besarlo.

Media hora después, apareció el juez de paz con el que Allie concertó la ceremonia. No había delegado la gestión en nadie porque temía que se filtrase información a los reporteros. Aunque la verdad era que también podía filtrar la información el propio juez, pues tendrían que dar sus verdaderos nombres para que les extendiese el certificado de matrimonio. Sin embargo, para entonces difícilmente podría importunarlos nadie, pues pensaban desaparecer enseguida.

También Allie optó por seguir vestida como iba. Se había comprado una falda de *lamé* y se la puso con la peluca y unas sandalias. No podía estar más extravagante.

—Me muero de ganas por ver las fotografías de la boda —dijo Jeff, que sería el testigo de Alan. Allie estaba muy contenta de que Alan se lo hubiese pedido.

—Tampoco tú estás muy presentable —se burló Alan. Porque Jeff llevaba un *blazer* de Ralph Lauren con una camisa a cuadros y una peluca parecida a la de Alan.

El juez de paz, que ignoraba quiénes eran, pensó que debían de estar mal de la cabeza. Despachó la ceremonia en menos de tres minutos; declaró a los novios marido y mujer y firmó el certificado de matrimonio.

En cuanto la ceremonia hubo terminado, Allie llamó al servicio de habitaciones para que les trajesen caviar y champán.

—Carmen Carr... Suena bien. Me gusta —dijo Allie besándola.

—A mí también —dijo Carmen. Se le habían saltado las lágrimas de pura felicidad. Le habría gustado casarse por la iglesia en Oregón, pero era consciente de que la boda se habría convertido entonces en una romería, con *paparazzi*, helicópteros de las revistas del corazón, fans vociferantes y cordones policiales. Habría sido horrible.

—Buena suerte —dijo el juez de paz—. Ah... y no teman: Seré discreto —añadió. Le entregó a Alan el certificado de matrimonio y se marchó para seguir con su ronda de bodas del día.

Una hora después salieron todos para cumplir con el ritual de ir al casino. Allie indicó a los guardaespaldas que los siguieran. Hasta el momento todo había ido como una seda. Sólo *hasta el momento*... porque poco antes de medianoche una mujer reconoció a Carmen y le pidió un autógrafo. Carmen siempre se mostraba amable cuando se lo pedían. Se había quitado el velo pero aún llevaba la faldita corta del traje de boda. En cuanto vio que un hombre le hacía una foto comprendió que convenía poner pies en polvorosa.

—¡Te ha llegado la hora de desaparecer, Cenicienta! —musitó Allie—. Ya aguarda la carroza.

Otros dos guardaespaldas vigilaban la *roulotte*, en cuyo interior dormitaba el chófer, que no estaba al corriente de nada.

—Todavía es muy temprano —se lamentó Carmen.

Pero el casino estaba de bote en bote, y la perspectiva de un estallido de entusiasmo era temible. «¡Eh, miren! ¡Es Carmen Connors! Se acaba de casar... Y Alan Carr...» En pocos instantes podían verse envueltos en un rifirrafe como el de la bolera.

Ni hablar.

—¡Vamos, señora Carr! ¡Levante sus posaderas! —dijo Alan—. Es mi noche de bodas y no pienso *jugármela* —bromeó señalando una mesa de ruleta.

Alan besó a Carmen, le dio una palmadita en el trasero y salieron los cuatro del local hacia la *roulotte*. Al poner Carmen el pie en el peldaño inferior del estribo, miró hacia atrás a Allie y Jeff y les lanzó un beso con la mano antes de desaparecer con Alan en el interior del vehículo. Alan descorrió la cortina de una ventanilla y siguieron despidiéndose por señas, muy sonrientes.

Jeff y Allie siguieron el vehículo con la mirada junto a los guardaespaldas.

Listo. Misión cumplida, pensó Allie. No había tenido el menor tropiezo, ni visto merodear a nadie con pinta de reportero. Allie lo había organizado todo sin dejar ningún cabo suelto.

—Eres genial —la elogió él mientras veían alejarse a la *roulotte*. Llegarían a casa de Alan a las cuatro de la madrugada y todo lo que tendrían que hacer entonces sería recoger el equipaje, cambiarse de ropa y salir para embarcar en el vuelo que salía a las nueve con destino a Tahití. Fin.

—No ha estado mal, ¿verdad? —dijo Allie sonriéndole, satisfecha de que todo hubiese salido tan bien.

—No habrían podido celebrar una boda como todo el mundo, ¿verdad? —dijo Jeff pensativo.

No le cabía duda de que sin las pelucas, los disfraces y la discreción con que se hicieron todas las reservas (de la *roulotte*, de la suite y de la hora convenida con el juez) no habrían conseguido celebrar la boda en la intimidad.

—Imposible no —dijo Allie, que primero había convencido a Alan y él se encargó de convencer a Carmen—. Pero habría sido una pesadilla; con fotógrafos y helicópteros por todas partes. Los medios se las habrían compuesto para obtener información de todos y cada uno de los proveedores contratados. Alan y Carmen no habrían tenido un buen recuerdo de su boda, te lo garantizo. Además, me pareció que así sería más divertido.

Jeff asintió. No ponía en duda nada de lo que ella dijese sobre estas cuestiones. Lo ocurrido en la bolera lo había aleccionado.

Puede que si la gente supiera lo que tan a menudo tenían que soportar los famosos no les envidiaran tanto la vida que llevaban.

Entraron de nuevo en el hotel. Los guardaespaldas se despidieron discretamente. Ya no los necesitaban. Por fin podrían estar Allie y Jeff a solas en su habitación. Pensaban regresar por la mañana a Los Ángeles en limusina. Para entonces Alan y Carmen volarían con destino al archipiélago paradisíaco donde pasarían su luna de miel. Allie y Alan convinieron en no hacer pública la noticia de la boda hasta que él y Carmen regresaran. No era imposible que un empleado del hotel, o un cliente, filtrasen a la prensa la información de que las dos famosas estrellas estaban allí. Pero Bora Bora estaba lo bastante lejos como para disuadir a la mayoría...

Cuando regresaran a Los Ángeles, Carmen y Alan convocarían una conferencia de prensa para anunciar el matrimonio, contestar algunas preguntas y dejarse fotografiar. Eso sí debían concederles a sus admiradores, les aconsejó Allie.

Luego, ya en la cama, Allie se sintió muy feliz en brazos de Jeff. Y muy contenta de que su mejor amigo se hubiese casado con una mujer tan encantadora.

El calor de Jeff la envolvía. Pero estaba tan cansada que se quedó dormida enseguida y no movió ni un músculo hasta la mañana siguiente. Soñó que le había regalado a Carmen un ramo de flores de plástico y que, al final de la ceremonia, Carmen se lo lanzaba y ella lo atrapaba riendo. Pero al coger aquel ramo sin vida veía cómo Jeff se alejaba en un autobús y luego ella pasaba toda la noche corriendo para alcanzarlo. En sus sueños, al igual que la vida real, las personas siempre se alejaban de ella. Pero no. Ya no, pensó al despertar. Jeff seguía allí, a su lado.

12

Carmen y Alan regresaron de Bora Bora a mediados de marzo, y en esta ocasión no pudieron eludir a los *paparazzi*. Las listas de nominados para los Oscar de la Academia se habían dado a conocer mientras ellos estaban fuera, y ambos figuraban en las de actriz y actor principal respectivamente. De modo que, al desembarcar, les aguardaba un ejército de reporteros. Un empleado de la compañía había filtrado la información a los medios. Pero los recién casados estaban sobre aviso de lo que podían encontrar y, confiados en las medidas de seguridad que se habían adoptado, se dejaron fotografiar y filmar mientras cruzaban entre la multitud de curiosos y admiradores que se había formado en la terminal. Ambos tenían un aspecto magnífico, muy bronceados y con cara de felicidad.

Allie había enviado una limusina para que los recogiese, y la pareja subió en cuanto pudo, después de posar para un par de revistas. Subieron al vehículo y dos guardaespaldas aguardaron a que trajesen su equipaje. Carmen y Alan respiraron con alivio. En pocos minutos estarían en casa sin haber sufrido el menor tropiezo.

La flamante pareja apenas tuvo un par de días de tranquilidad en su nuevo estado, pues los medios empezaron a montar guardia frente a la casa de Beverly Hills. Decenas de reporteros y fotógrafos aguardaban a que saliesen, y helicópteros de las distintas publicaciones sobrevolaban la casa tratando de captar alguna instantánea de Carmen y Alan en el jardín o la piscina.

El asedio de los medios se hizo tan insoportable que optaron por trasladarse a Malibú. Pero allí fue aun peor, hasta el punto de tener que ocultarse unos días en casa de Allie mientras pensaban en una solución definitiva.

—Es increíble —dijo Jeff, que prácticamente vivía ya con Allie.

Al escritor le resultaba difícil aceptar que fuera posible invadir la intimidad de los demás de esa manera. Seguía trabajando en la corrección de su guión. Él y Allie habían pasado un mes maravilloso, sin más contrariedad que una nueva amenaza contra Bram Morrison, que había obligado a Allie a tomar algunas medidas. La familia del cantante había vuelto a Palm Springs y él se había instalado en la casa que un amigo había puesto a su disposición en un lugar desconocido. Morrison no iba a ninguna parte sin guardaespaldas. Una serie de artículos aparecidos en los medios aseguraban que la gira le iba a proporcionar unos beneficios de cien millones de dólares, lo que empeoró las cosas. Corría peligro de que lo secuestrasen o chantajeasen, porque tanto la delincuencia organizada como la que iba por libre estaba siempre al acecho para exigir una parte de la tarta.

El 1 de abril, dos semanas después de que Alan y Carmen regresaran de su luna de miel, Allie y Carmen se vieron una tarde para repasar detalles del nuevo contrato de la actriz. Ya lo había firmado antes de salir de viaje de bodas, pero había algunos aspectos que Allie quería comentar. Faltaba concretar el programa de trabajo a lo largo de las semanas de rodaje y cuestiones aparentemente menores, pero importantes en la práctica, como las características del camerino que le sería asignado. Dejar claras estas cosas de antemano evitaba posteriores fricciones por malentendidos. Mientras las comentaban, Carmen le dirigió una maliciosa mirada a su abogada.

En California y en otros estados el 1 de abril se celebraba el día de los Inocentes. De pequeños, Allie y Alan aprovechaban para gastarse, y gastar, bromas realmente pesadas. Le sorprendía que Alan no la hubiese llamado aún, porque raro era el año que no le daba un buen susto. Había pretendido hacerle creer casi de todo: que estaba en una cárcel mejicana, que acababa de casarse con una prostituta o que estaba en San Francisco para una operación de cambio de sexo. Pero Allie no se había quedado corta.

—Hay algo que quería decirte, Allie —dijo Carmen con una sonrisa de oreja a oreja.

Allie se echó a reír sin dejarla continuar.

—Déjame que lo adivine: tú y Alan os vais a divorciar. ¿No ves que ya sé que es el día de los Inocentes?

Carmen rió a su vez. Alan ya le había gastado dos bromas aquella mañana. Primero le dijo que un antiguo novio suyo quería verla y estaba esperándola en la puerta, y luego que su madre iba a ir a vivir con ellos durante seis meses. Ambas noticias sobresaltaron a la pobre Carmen que, sin embargo, supo encajar las bromas con sentido del humor.

—No, ¡qué va! —exclamó Carmen en un tono ingenuo que no hacía sospechar que fuese una broma. Pero Allie no se fiaba—. Estoy encinta —añadió radiante.

—¿Embarazada? ¿Tan pronto? —dijo Allie, que sabía que Carmen quería tener hijos, aunque había supuesto que ambos preferirían esperar un poco.

Por lo pronto, Carmen empezaba una película en junio. El rodaje duraría tres meses y no iba a ser fácil.

—¿De cuánto estás? —preguntó Allie, y contuvo el aliento al pensar que aquello podía hacerles perder el contrato para la película.

—De un mes —contestó Carmen, cohibida—. Alan me ha dicho que era prematuro decir nada, pero contigo no he podido callármelo. Además, he pensado que a lo mejor los estudios ponen inconvenientes. Sólo estaré de tres meses cuando empecemos el rodaje, pero de seis cuando lo terminemos. ¿Crees que rescindirán el contrato?

—No lo sé —repuso Allie honestamente—. Quizá no. Es probable que no se te note hasta que estéis terminando el rodaje.

Algunas películas tardaban ocho o nueve meses en rodarse, lo que en este caso habría sido un desastre. Carmen era el centro de gravedad de la película aunque no aparecía continuamente.

—Puede que lo más sensato fuese aplazar el rodaje —prosiguió Allie—. Los llamaré esta tarde. Pero no te preocupes, porque lo primero es lo primero. Te felicito. Estoy muy contenta, y supongo que Alan estará como loco. Pero... ¿no será una broma, eh?

Alan era perfectamente capaz de haberse puesto de acuerdo con Carmen para gastarle esa broma. Pero no. Porque, de ser así, Carmen le habría dicho que no llamase a los estudios todavía.

Además, no era de extrañar que Carmen se hubiese quedado encinta. A Alan le encantaban los niños y quería formar una familia.

—El ginecólogo no bromeaba. Estuve ayer en la consulta. Exactamente estoy de cinco semanas —explicó Carmen risueña.

Allie se sintió de pronto muy vieja. Carmen tenía sólo veintitrés años y ya había triunfado como actriz, acababa de casarse y dentro de nada sería madre. En cambio, ella tenía casi treinta años y su único logro era ejercer una profesión que le gustaba y su relación con un hombre a quien conocía desde hacía dos meses y del que, desde luego, estaba enamorada. Pero ¿quién sabía en qué acabaría su relación? Era demasiado reciente para aventurar nada.

Allie se quedó en el despacho pensativa y un poco celosa de Carmen, cuando la actriz y amiga se hubo marchado.

Era una bobada sentir celos por tales cosas, se dijo Allie. A cada persona le llegan las cosas importantes en momentos distintos. Y puede que el suyo también estuviese próximo. De momento, se había librado de Brandon y de seguir esperando su postergado divorcio. Desde que se marchó sólo la había llamado una vez, y únicamente para preguntarle si podía ir a recoger su raqueta de tenis y la bicicleta de Nicky. Allie le dijo que no tenía inconveniente y, el siguiente fin de semana, Brandon se presentó de improviso.

Brandon coincidió con Jeff y ambos se miraron con curiosidad, pero apenas cruzaron más palabras que las justas para saludarse con corrección. Brandon parecía seguir muy enfadado con ella y al marcharse se despidió con suma frialdad de los dos. En fin. Por lo visto, para Brandon todo lo que quedaba de aquellos dos años de relaciones era una raqueta, una bicicleta y un enorme vacío. A Allie le daba igual. Ahora tenía a Jeff, y su relación con él era mucho más satisfactoria que con Brandon. Era tal como siempre deseó que fuesen sus relaciones con un hombre: rebosante de comprensión, compañerismo y apoyo emocional. Jeff se interesaba por su trabajo, le gustaban sus amistades y no le temía a la intimidad ni a amarla. Habían bastado dos meses para que su unión con Jeff fuese la más sólida que nunca había tenido.

Allie llamó a Alan para felicitarlo y él pareció complacido, aunque también un poco contrariado.

—Le pedí que no se lo dijese a nadie. Pero creo que, al confirmárselo ayer el ginecólogo, se entusiasmó tanto que no ha podido callárselo. ¿Creerás que ya quería salir a comprar una cuna? —le explicó Alan.

—Es mejor que me lo haya dicho, para informar a los estudios con antelación —dijo Allie, algo nerviosa. Trataba de combatir la sensación de vacío y la envidia que sintió al contárselo Carmen. Estaba desconcertada. Nunca había sido muy sentimental con respecto a los niños. Puede que en este caso fuese distinto porque se trataba de Alan.

—¿Crees que los estudios pueden ponernos inconvenientes? —preguntó él. Estaba preocupado porque temía perder el contrato. Pero ya era demasiado tarde. Carmen esperaba el bebé para diciembre.

—Confío en que no. Te llamaré en cuanto haya hablado con ellos. Creo que no habrá problemas. Si el guión le exigiese aparecer en biquini durante tres meses habría sido distinto. Pero todo el vestuario es invernal; prendas holgadas y recias, abrigos largos...

La historia transcurría en Nueva York. Salvo un par de exteriores, todo se rodaba en los estudios, y ni siquiera en el plató tendría que aparecer ligera de ropa.

—Carmen está contentísima, Allie —dijo Alan.

Era obvio que tanto él como Carmen se sentían tan felices como si fuesen los únicos en esperar un hijo.

—Ya lo sé. Incluso me ha hecho sentir celos —le confió Allie.

—Pues aprovecha ahora para tenernos celos. Porque me parece que cualquier día de estos vas a caer tú.

—Confío en que no. Prefiero esperar a que estemos casados.

—Creo que deberías cazar a Jeff antes de que se vaya a Nueva Inglaterra. Es un buen partido.

—Gracias por el consejo, ¡oh, guía sapientísima! —dijo ella sonriente. Era cierto que Jeff era un buen partido, pero no era asunto de Alan.

—Ya sabes... estoy a tu disposición. Mi consultorio está permanentemente abierto para ti. Y, por cierto, hoy he visto a Samantha. ¡Menudo brillante lleva!

—¿Qué brillante? —exclamó Allie perpleja.

—El del anillo, el de su anillo de compromiso. ¿Por qué no me habías dicho nada? Samantha está eufórica.

—¿Sam? —exclamó Allie horrorizada—. No nos ha dicho una palabra. *¿Prometida?* ¿Desde cuándo?

—Desde ayer, según ella —contestó Alan. Y entonces Allie cayó en la cuenta.

—¡Eres el colmo! ¡Ya me la has vuelto a jugar con lo de los inocentes! Porque... no será verdad, ¿eh?

—¿Tú qué crees? Has picado como una bendita. Tenía que haberte dado más carrete.

—Eres un imbécil, ¿sabes? Ojalá tengas cuatrillizos —dijo Allie. No pasaba año sin que Alan lograse engañarla.

Después, Allie llamó a los estudios para comunicarles que Carmen estaba embarazada. La jefa de producción, que fue quien se puso al teléfono, no dio saltos de alegría pero le agradeció haber avisado de inmediato. Tras consultar con la dirección de los estudios, la jefa de producción le aseguró a Allie que el contrato se respetaría escrupulosamente. Eso era lo más importante. Quedaron en reunirse con el director de la película para analizar qué problemas podían surgir y cómo superarlos.

—Se lo agradezco mucho —dijo Allie.

—Gracias por habernos informado tan pronto —dijo la jefa de producción, que era una persona con la que Allie simpatizaba y con quien había tratado anteriormente, aunque no en representación de los intereses de Carmen.

—Informaré a Carmen. Se alegrará mucho, porque está preocupada.

—A veces no hay más remedio que obedecer a la madre naturaleza. El mes pasado tuve que trabajar con Allyson Jarvis, que había olvidado decirnos que le estaba dando el pecho a su bebé. Se le han puesto... ¡madre mía! Hemos tenido que cambiarle todo el vestuario.

La conversación telefónica con la jefa de producción terminó en el mismo tono risueño y amable. Luego, Allie llamó a Carmen para tranquilizarla y decirle que no se preocupara por la película, que no iba a perder el contrato.

Al final de la jornada, al volver Allie a casa a reunirse con Jeff, se sintió abatida. No había tenido un mal día y todo había salido bien para Carmen.

Durante el trayecto a casa en coche, Allie se dijo que acaso fuesen los celos lo que provocaba su abatimiento, aunque le parecía una estupidez. Puede que la relación entre Alan y Carmen le pareciese tan perfecta que la suya se le antojase mediocre.

Allie aún asistía a la consulta de la doctora Green, que estaba muy contenta con ella; impresionada por su relación con Jeff. Allie jamás había tenido una relación tan plena como aquella; nunca había querido a nadie como quería a Jeff, que era para ella todo lo que siempre había soñado.

—¿Hay alguien en casa? —canturreó Allie yendo hacia el despacho que Jeff tenía instalado en la parte trasera.

Jeff se asomó con un lápiz en la oreja y muy sonriente. Había trabajado todo el día y la había echado de menos. La atrajo hacia sí y la besó en la boca. Cualquier nubecilla que pudiera empañar la vida de Allie desapareció al instante.

—A ver si lo adivino: hoy se te ha dado muy bien escribiendo, o muy mal, ¿acierto?

—Claro. Ambas cosas, como de costumbre. Pero lo peor es que te he echado mucho de menos. ¿Qué tal te ha ido a ti?

—Bastante bien —dijo ella, y sacó una botella de agua mineral del frigorífico para ella y un refresco para él. Luego le dio la noticia de que Carmen estaba embarazada.

—¿Tan pronto? A eso se le llama rapidez. Han debido de pasarlo muy bien en Bora Bora. Quizá podríamos ir nosotros en nuestra luna de miel.

—Uff... Cuando yo me case seré tan vieja que en lugar de cochecito para el niño necesitaré silla de ruedas —dijo ella, pues sabía que Jeff bromeaba acerca de lo de la luna de miel.

—¿Por qué dices eso? —exclamó él al sentarse ambos en sendos taburetes frente a la repisa de la cocina.

—Tengo casi treinta años y le he dedicado mucho a mi profesión, sin acabar de conseguir el éxito; ni siquiera soy aún socio del bufete. Me quedan muchas cosas por hacer. No sé...

Puede que a causa de sus negativas experiencias con los hombres, Allie tendiese más a vivir el presente que a sentarse a esperar el príncipe Azul (lo que no significaba que no pensase en el futuro).

—Me decepciona un poco oírte decir eso —dijo Jeff con una mirada entre sorprendida y maliciosa.

Allie empezó a temer que también Jeff quisiera gastarle una broma.

—¿Qué? ¿No irás a decirme que hoy pensabas proponerme matrimonio? ¡No te creo! Es el día de los Inocentes.

—Pues, mira... eso es justamente lo que iba a proponerte. Creo que hoy es un gran día para comprometerse. Porque nadie sabe si el otro se compromete en serio.

—Muy gracioso. Pero se te ha adelantado Alan —dijo ella. Lo miró risueña y bebió un buen sorbo de agua mineral.

—¿Te ha pedido que te cases con él? Lo de ese hombre es puro vicio. ¡Menuda afición al matrimonio!

—No, tonto, no —dijo Allie riendo—. Me ha dicho que Samantha se prometió ayer. Y me lo he creído. No sé cómo he vuelto a picar. Cada año me hace lo mismo.

Jeff la miraba sonriente.

—¿Me creerías si justamente hoy te pidiera que te casases conmigo? —le preguntó Jeff, y se le acercó tanto que casi se besaban.

—No, no te creería —contestó ella, aunque dispuesta a seguirle la corriente.

—Bueno... en tal caso tendré que pedírtelo mañana —dijo él. Meneó la cabeza con fingida resignación y la besó.

—No hablarás en serio, ¿verdad? —dijo ella—. Es una broma, ¿no?

—Bueno, la verdad es que casarse conmigo tiene algo de broma pesada. Pero lo he dicho en serio. Si te parece precipitado podemos aguardar cincuenta o sesenta años. Tengo tiempo de sobras. —Jeff lo dijo con tal ternura que Allie se quedó sin aliento al comprender que hablaba en serio.

—¡Oh, Dios mío! Pero... —Se llevó las manos a la cabeza y añadió—: ¿En serio?

—¡Claro que en serio! Nunca se lo he propuesto a nadie. Y he pensado que era un buen día para hacerlo. Porque así siempre lo recordarás.

—Estás loco... —dijo ella colgándose de su cuello.

Era increíble: hacía poco más de dos meses que se conocían y ya les parecía natural casarse. Todas las relaciones que Allie había tenido antes la habían mantenido a prudente distancia, por así decirlo.

—Te quiero tanto, cariño... —musitó ella.

Nunca se había sentido tan dichosa (más de lo que imaginaba que podía sentirse Carmen por ir a tener un hijo): Jeff acababa de decirle que quería estar con ella el resto de su vida. Eso era lo que ella siempre había deseado que le dijese un hombre. Era un sueño hecho realidad y, además, que se materializaba ante ella del modo más sencillo. No había nada que pensar. No necesitaban ponerse a prueba. Tampoco necesitaba comentarlo con la doctora Green para cerciorarse de si era eso realmente lo que quería, si de verdad amaba a Jeff. Tampoco él había necesitado mucho tiempo para saber que la amaba. Se querían. Lo natural era casarse. E iban a hacerlo.

—Aún no me has contestado —dijo él.

—¿No? Pues la respuesta es sí. ¡Sí! ¡Sí! —exclamó jubilosa, loca de contenta.

—¡Te lo has creído, tonta! ¡Era una inocentada! —bromeó él.

—Ahora no me la das —dijo ella. No había más que mirarlo para saber que se lo había dicho en serio.

Sonó el teléfono y Allie contestó.

—Hola, Scott —dijo al oír la voz de su hermano—. ¿Qué hay de nuevo?... ¿Yo? Pues... ¡que me voy a casar con Jeff! Ah, y no es una inocentada, que conste.

Scott no la creyó.

—Quieres quedarte conmigo, ¿eh? Hasta yo me casaré... algún día.

—¡De verdad! —dijo ella—. Acabamos de decidirlo.

—Bueno, pues no olvides invitarme a la boda —dijo Scott en tono sarcástico—. Hasta la próxima.

Scott colgó sin más.

—No te ha creído, ¿verdad? —dijo Jeff riendo.

—No, ni una palabra. Ya veremos qué cara pone cuando sepa que es verdad, salvo que ya hayas cambiado de opinión.

—No espero cambiar de idea por lo menos en un par de días. No había estado nunca prometido y de momento me encanta.

—A mí también —dijo ella.

Volvieron a besarse y, al cabo de unos momentos, la pasión volvía a enardecerlos. Él le quitó los pantalones y la blusa de seda y ella los *shorts* y la camiseta. Jeff tenía las piernas muy bronceadas. Solía tumbarse en la arena y tomar el sol cuando necesitaba pensar y tomarse un descanso en su trabajo en el guión. En cambio ella estaba blanca como la leche.

Ya había oscurecido cuando dejaron de hacer el amor en la alfombra del salón.

—¿Seguiremos haciendo estas cosas cuando estemos casados?

—Eso espero —dijo él con picardía.

Se levantaron y fueron al cuarto de baño. Hasta muy entrada la noche no pensaron en la cena, ni en ir a ninguna parte ni en la boda.

—Me encanta la idea de ser tu esposa —dijo Allie; se había llevado a la cama un paquete de galletas saladas y una botella de champán que abrió para brindar por su compromiso.

—¿Crees que debo pedir tu mano a tu padre? —dijo él a la vez que brindaban.

—De momento será mejor que disfrutemos. No vaya a ser

que luego nos pongan impedimentos —bromeó ella. Porque estaba segura de que a sus padres les encantaría que se casase con Jeff—. ¿Cuándo piensas que podemos casarnos?

—¿Qué tal junio? Aquí en tu tierra es el mes de las bodas, ¿no? Me gustan las tradiciones. Aún estaré rodando la película, pero podremos hacer un hueco. Es decir, si no te importa aplazar la luna de miel hasta septiembre. ¿Qué te parece? Porque a mí se me hace muy cuesta arriba esperar hasta septiembre para casarnos.

Jeff estaba tan impaciente que esperar dos meses le parecía mucho. Y en cuanto a ella, la idea de contraer matrimonio tan pronto no la asustaba en absoluto. Estaba entusiasmada. Además, prácticamente ya vivían juntos. ¿Por qué esperar más? Ya había esperado demasiado en sus anteriores relaciones, y en vano. Con Jeff no necesitaban darse un tiempo de reflexión. Se habría casado con él ese mismo día.

—Podríamos pasar nuestra luna de miel en Bora Bora. A lo mejor tenemos la misma suerte que Carmen y Alan —dijo Jeff sonriente.

—¿Quieres que tengamos hijos tan pronto? —preguntó Allie sorprendida, aunque a ella tampoco le importaba tenerlos pronto.

—Si tú quieres, sí. Yo tengo treinta y cuatro años y tú veintinueve. No creo que convenga esperar mucho más. De modo que, en cuanto creas estar preparada, los tendremos. Sería bonito tenerlos mientras aún somos jóvenes. Tener mi primer hijo a los treinta y cinco me encantaría.

—Pues... en tal caso será mejor que pongamos manos a la obra. Dentro de seis meses será tu cumpleaños. Podría llevarnos cierto tiempo... —dijo ella con una sonrisa maliciosa—. Ah, lo olvidaba: mis padres nos han invitado a cenar mañana. Quizá podríamos decírselo ya. ¿O prefieres esperar un poco?

—¿Por qué esperar? No necesito ningún período de reflexión. Por mí, está todo decidido.

—Claro que... bien mirado, quizá deberíamos hacer algunas pruebas —bromeó ella—, sólo para asegurarnos de que todo funciona correctamente.

—No temas. Este aparato está garantizado a prueba de años —dijo él. Dejó su copa de champán en la mesita de noche y la besó.

Al cabo de un momento volvieron a hacer el amor.

—Me parece que vas a acabar conmigo mucho antes de la boda —se quejó él—. Quizá deberíamos reconsiderarlo.

—¡Ni hablar! —exclamó ella—. Ya es más de medianoche, o sea que nada de inocentadas. Lo he atrapado, señor Hamilton.

—No pienso escaparme —dijo él.

—¿Quieres que sea una boda íntima o por todo lo alto?

—No creo que nos dé tiempo a organizar nada multitudinario con sólo dos meses por delante.

—Es verdad. Ni falta que hace. Con cuarenta o cincuenta personas en el jardín de casa de mis padres es suficiente. O aunque seamos menos —dijo ella, y enseguida cayó en la cuenta en que sólo había pensado en amigos y familiares de su lado—. Cuarenta o cincuenta sólo por mi parte, claro. ¿Cuántos querrías invitar tú?

—¿Yo? Con mi madre y los pocos amigos que tengo aquí me basta. Casi todas mis amistades viven en Nueva York, Nueva Inglaterra, Europa... Sería demasiado pedir que se desplazasen hasta California para asistir a mi boda. Llamaré a mi madre enseguida para decírselo. Porque va a Europa todos los años en junio.

—¿Crees que le gustará la idea de que te cases? —preguntó Allie algo preocupada, recordando la fotografía de su futura suegra que había visto en el apartamento de Jeff en Nueva York. Parecía tan fría y sería, tan diferente de Jeff, que no quería ni imaginar lo que podría ser la convivencia con ella.

—Sí. Hasta hace cuatro años no hacía más que preguntarme cuándo pensaba casarme. Y aunque desde que cumplí los treinta parece haber desistido, lo más probable es que se alegre.

Lo cierto era que a la madre de Jeff no le había gustado ninguna de sus novias. Pero estaba seguro de que Allie le gustaría.

—Estoy impaciente por decírselo a mi madre —dijo Allie radiante—. Se alegrará muchísimo, porque le caes muy bien.

—Eso espero —dijo él. Volvió a besarla y la miró con dulzura—. Cuidaré de ti durante el resto de mi vida, te lo prometo.

—Y yo de ti. Siempre estaré a tu lado, Jeff.

—¿Y si hiciésemos como Alan y Carmen y fuésemos a Las Vegas en *roulotte*? Y con pelucas —bromeó él. A su madre le habría dado un ataque.

—Puede que no sea mala idea. Porque, a poco que nos descuidemos, mi madre querrá organizarnos la boda. De modo que a lo mejor sí tenemos que esfumarnos y casarnos en Las Vegas.

Se echaron a reír. Parecían dos adolescentes que fantaseasen con grandes aventuras.

Por la mañana, al salir de casa para ir al trabajo, Allie estaba tan ensimismada que olvidó las llaves del coche y tuvo que volver a por ellas. Jeff casi tuvo que echarla para que no llegase tarde.

Allie estuvo toda la mañana muy contenta. Pero no quería decírselo a nadie hasta que no les diesen la primicia a sus padres durante la cena. Le resultaba muy difícil mirar a Alice y no decírselo, y abstenerse de llamar a Carmen, que estaba como en una nube desde que sabía que iba a ser madre.

Le habría gustado almorzar con Jeff cerca del trabajo pero él le había dicho que no podía, que le faltaba mucho para acabar su guión.

—Es que entonces tendré que almorzar sola —se lamentó Allie—. No podría callármelo. Así que... anda, ven a almorzar conmigo.

—No puedo, si quieres que esta noche cenemos en casa de tus padres, señora Hamilton —dijo él.

Ella tuvo que resignarse. Iría de tiendas a Rodeo Drive para distraerse. Les echaría un vistazo a los trajes de novia de Ferre, Dior, Valentino, Fred Hayme y Chanel, sólo para hacerse una idea. Quería algo sencillo, en blanco. Pero no vio nada que le gustase. En Valentino tenían un bonito traje sastre, pero no acabó de convencerle para una ceremonia; y en Ferre una preciosa blusa de organdí, pero nada que armonizase con ella. Daba igual porque sólo había pretendido distraerse. Casi le parecía increíble estar haciendo lo que hacía: ir de tiendas pensando en lo que se pondría para su boda, sólo dos meses después de haber conocido a Jeff. Casi estaba tentada de telefonear a Andreas Weissman a Nueva York para darle las gracias.

Había pensado saltarse el almuerzo, pero cambió de idea y fue a The Grill, un buen restaurante muy céntrico. Allí casi siempre encontraba a algún conocido, abogados de su bufete, agentes literarios o representantes artísticos. También frecuentaban el local muchos actores y algunos de sus amigos. Allie le echó un vistazo a la carta pero sólo pidió un sándwich y un café.

En una de las mesas del fondo vio a su padre, que estaba con una mujer a la que no reconoció. Le habría gustado darle la noticia de su compromiso con Jeff pero sabía que su madre no le hubiese perdonado que se lo dijese a él primero. Tendría que aguardar hasta la noche y comunicarlo a todos durante la cena. Pero eso no le impedía ir a saludarlo, ¿no? De modo que dejó su chaqueta azul colgada del respaldo de la silla y se acercó a su padre.

Allie llevaba una falda corta beige, jersey azul celeste y zapatos planos de Chanel a juego con una mochila también de Chanel. Con su estilizada figura y su indumentaria moderna parecía más una modelo que una abogada.

A Simon se le iluminó la cara al verla. Entonces reconoció Allie a la mujer que almorzaba con él. Era la directora británica que había visto hablar con él en la ceremonia de los Golden Globe, Elizabeth Coleson. Era muy alta, muy joven y bastante bonita. Tenía una risa sensual y era poco mayor que Allie.

—¡Vaya! ¡Qué sorpresa! —exclamó Simon, que se levantó y besó a su hija.

Simon las presentó. Elizabeth tenía un aspecto tan poco sofisticado como la noche en que la vio por primera vez. Tenía cara de persona inteligente y práctica. Parecía muy a gusto con Simon.

—Esta es mi hija Allie —dijo él, y enseguida le explicó a Allie que hablaban de una película—. Llevo meses intentando que Elizabeth trabaje para mí, pero no hay manera.

Simon volvió a sentarse y Allie los miró. Daban la impresión de ser viejos amigos que hiciese mucho tiempo que no compartían un buen rato juntos.

—Siéntate con nosotros —la invitó Simon.

—No, no quiero interrumpir —dijo Allie—. Además, he de estar de vuelta en el despacho dentro de diez minutos. Sólo he pedido un sándwich.

—¿Y qué haces por estos barrios? —preguntó su padre.

Allie le sonrió. Se moría de ganas de decírselo, pero no podía.

—Esta noche te lo diré.

—Te tomo la palabra, ¿eh? —dijo él.

Allie le estrechó la mano a Elizabeth y regresó a su mesa. Justo en ese momento llegaba el camarero con su sándwich y el café.

Un cuarto de hora después iba de camino a su despacho en el coche. Ver a su padre en The Grill con Elizabeth Coleson la había mosqueado. Había sentido lo mismo que en el auditorio de los Golden Globe. No cabía duda de que se conocían mucho y de que estaban muy a gusto juntos. Quizá su madre fuese también amiga de Elizabeth. Se lo preguntaría.

Por la tarde, Allie llamó tres veces a Jeff sólo por el gusto de bromear acerca de su secreto. Estaba tan impaciente que los nervios se la comían.

—Tranquila, tranquila... —le había dicho Jeff, aunque estaba casi tan nervioso como ella.

¿Y si los padres de Allie ponían objeciones, creían que era demasiado precipitado o sencillamente él no les gustaba? Pero al llegar por la noche a casa de los padres, Jeff reparó enseguida que no tenía nada que temer.

Salió a recibirlos Simon, que le dijo que Blaire estaba hablando por teléfono en la cocina, con el arquitecto; y, por lo que Allie pudo oír desde lejos, no era una conversación amigable. El arquitecto acababa de explicarle que, como los muebles que había elegido habría que hacerlos a medida, tardarían por lo menos cinco meses en terminar la cocina.

Blaire estaba al borde del ataque de nervios.

—Puede que nos instalemos en el Bel Aire durante unos meses —dijo Simon entre bromas y veras—. ¿Qué quieres tomar, Jeff?

—Whisky con hielo.

Charlaron amigablemente durante unos minutos y luego se les unió Blaire, que estaba furiosa.

—¡Es absurdo! —clamó—. ¡Cinco meses! Ese tipo debe de estar loco. Perdona, Allie —añadió al ver a su hija. La besó a ella y a Jeff y trató de recuperar la compostura—. Es que me parece increíble...

—¿Y por qué no dejamos la cocina tal como está? —sugirió Simon.

Blaire lo miró con cara de pocos amigos y le dijo que ni hablar, que la cocina estaba muy anticuada. Pero enseguida desviaron la conversación. Se sentaron a la mesa y, mientras aguardaban a que sirvieran la cena, Jeff dejó el vaso de whisky en la mesa y miró a Simon y a Blaire.

—Allie y yo tenemos algo que decirles o... bueno, que preguntarles... Es decir... ya sé que hace poco que nos conocemos pero... —Jeff nunca se había sentido tan cohibido.

Blaire lo miraba con expresión de incredulidad y Simon le sonreía. Le daba pena verlo tan apurado. De haber estado Samantha, que había salido con unos amigos, probablemente no habría podido contener la risa.

—¿Me estás pidiendo lo que creo? —dijo Simon para facilitarle las cosas.

Jeff le dirigió una mirada de agradecimiento.

—Sí señor —contestó—. Nos gustaría... —añadió mirando a Allie—. Vamos a casarnos.

—¡Oh cariño! —exclamó Blaire, que se levantó y fue a abrazar a Allie.

Madre e hija rompieron a llorar. Allie miró a su padre, que también estaba lloroso, aunque irradiaba satisfacción.

—¿Qué te parece, papá? —le preguntó, pues quería contar también con su aprobación, aunque enseguida vio que la tenía.

—Lo apruebo de todo corazón —contestó Simon, y le estrechó firmemente la mano a Jeff como si acabasen de llegar a un trato importante, como así era en realidad, pues la decisión afectaba al resto de la vida de Jeff y Allie—. Os felicito.

—Gracias —dijo Jeff, sintiendo un gran alivio.

Decírselo a los padres de Allie le había resultado mucho más difícil de lo que imaginaba, pese a la buena disposición que tanto Simon como Blaire habían mostrado. Pero era uno de esos momentos que imponen, y que raramente se olvidan porque se refieren a una decisión trascendental.

Apenas hablaron de otra cosa durante toda la velada.

—Bueno... —dijo Blaire cuando hubieron terminado el primer plato—, creo que convendría empezar a concretar los detalles. ¿Cuántos invitados? ¿Dónde? ¿Cuándo? ¿Qué vestido piensas llevar? Parece increíble el trabajo que da una boda... —Estaba tan contenta que se le saltaban las lágrimas. Tuvo que secárselas con la servilleta. Era uno de los días más felices de su vida y, sin duda, de la vida de su hija, que intentó contestar a todas las preguntas.

—Querríamos que no fuesen más de unas cincuenta personas, y celebrarlo aquí en casa, en el jardín —dijo Allie—. Nada ostentoso sino algo íntimo. En... junio —añadió mirando radiante a Jeff y a su madre.

—No lo dirás en serio, ¿verdad? —repuso Blaire, porque le parecía obvio que su hija bromeaba. Pero Allie la miró con expresión candorosa, como si no la hubiese entendido.

—Claro que lo digo en serio. Lo hablamos anoche y así es como nos gustaría.

—¡Ni hablar! Olvídalo.

—Vamos, mamá, que no es tu boda sino la mía —le recordó Allie amablemente—. ¿Qué quieres decir con «olvídalo»?

—Pues que el jardín estará completamente patas arriba dentro de dos semanas. O sea que podéis descartar celebrarlo en el jardín. Y espero que no digas en serio que no vais a ser más de cincuenta personas. ¿Tienes idea de cuánta gente conocemos? Tus clientes, tus ex compañeros del colegio, nuestros amigos... Y, por supuesto, Jeff y sus padres tendrán sus invitados. Dudo que podamos ser menos de cuatrocientos. No me extrañaría que rondásemos los seiscientos, lo que significa que no podemos organizarlo aquí. Y tampoco puedes decir en serio que os queréis casar en junio. No se puede organizar una boda así en dos meses. Así que, Allie, cariño, hablemos en serio. ¿Dónde y cuándo podemos hacerlo?

—*Hablo en serio*, mamá —replicó Allie, empezando a crisparse—. Es nuestra boda, no la vuestra; y no queremos más de cincuenta personas. Si organizásemos algo por todo lo alto, habría que invitar a todo el mundo. Si nos limitamos a invitar a nuestros amigos íntimos, será algo mucho más nuestro, más íntimo. Y no se necesitan seis meses para celebrarlo casi en familia.

—Bien, hija, tú misma. No sé por qué me preocupo por ti —dijo Blaire, que pareció tomarlo como una ofensa.

Simon nunca la había visto tan enfadada. Últimamente se enfurecía por cualquier contrariedad.

—¡Mamá, por favor! —exclamó Allie—. ¿Por qué no te limitas a dejar que nos organicemos como queramos?

—¡Es que es ridículo, Allie! ¿Y se puede saber dónde pensáis celebrar la ceremonia? ¿En tu despacho?

—Puede. O quizá en la casa de Jeff en Malibú. Sería perfecto.

—Mira, Allie, tú no eres una *hippie*. Eres una abogada con muchos clientes importantes; y nuestros amigos significan mucho para nosotros, y para ti —replicó Blaire, y miró a Jeff como en busca de apoyo—. Tenéis que reconsiderarlo.

Jeff asintió con la cabeza y miró a Allie.

—¿Por qué no lo hablamos esta noche? Quizá podamos organizarlo de otro modo —propuso con tono conciliador.

Simon los miró a los tres expectante.

—No quiero organizarlo de otra manera. *Ya lo hemos hablado*, y queremos una boda íntima, en junio y en el jardín —persistió Allie, ya acalorada.

—No hay jardín —le espetó su madre—. Y en junio tengo rodaje. Por el amor de Dios, ¿por qué lo pones tan difícil?

—Está bien, mamá —dijo Allie. Se levantó con gesto airado y miró a Jeff sollozante—. Iremos a Las Vegas. No os necesito.

Todo lo que quiero es una boda íntima. He esperado muchos años este momento y quiero hacerlo tal como Jeff y yo queremos, no como quieras tú, mamá.

Blaire se sulfuró. No esperaba que su hija reaccionase así. Simon trató de mediar.

—¿Por qué no lo hablamos luego? No tenéis por qué poneros así —dijo Simon con tono reposado.

Allie volvió a sentarse y ambas mujeres parecieron calmarse un poco. Pero estaba claro que no iba a ser fácil ponerlas de acuerdo.

Madre e hija apenas se hablaron durante el resto de la cena. Y cuando les sirvieron el café en el salón volvieron a la carga. Allie insistió en una boda íntima y su madre en organizarla por todo lo alto, con no menos de cuatrocientos invitados. Incluso sugirió que podían celebrar la boda en su club o en el hotel Bel Air. Pero Allie quería celebrarla en casa. Por otra parte, su madre insistió en que casarse en junio era un despropósito, porque ella no podía estar pendiente de su serie de televisión y de la boda al mismo tiempo.

Durante un buen rato pareció que hubiese posibilidad de llegar a un acuerdo. Pero, aunque a regañadientes, Allie terminó por aceptar la componenda de que no fuesen menos de ciento cincuenta invitados ni más de doscientos. Y, concesión por concesión, su madre dijo que si esperaba a casarse en septiembre, cuando ya no tuviese que estar tan pendiente de la serie y el jardín estuviese en condiciones, podrían celebrarlo en casa.

Allie titubeó y lo consultó con Jeff por lo bajo. No habían pensado en tener que aguardar cinco meses. Pero Jeff le comentó que en septiembre también habrían terminado la película sobre su novela, y que así podrían salir enseguida en viaje de novios en lugar de tener que esperar tres meses. Lo cierto era que el nuevo planteamiento tenía sus ventajas y, aunque no le gustaba ceder a las exigencias de su madre, Allie aceptó.

—De acuerdo, mamá. Pero ni uno más: ciento cincuenta invitados en el jardín y en septiembre. Punto. Y conste que lo hago por ti.

Simon las miró risueño.

—¿Significa eso que voy a poder quedarme con mi cocina? —dijo Simon—. Porque, a juzgar por lo que te han dicho antes, es imposible que la tengan para septiembre.

—¡Cierra la boca, Simon! —le espetó Blaire—. Sólo falta que

me chinches —añadió, sonriente. Por lo menos en buena parte se había salido con la suya.

Al cabo de un rato el ambiente entre ellos era mucho más distendido.

—No imaginaba que una boda fuese para tanto —dijo Jeff, y aceptó otro whisky mientras Simon se servía un coñac.

—Ni yo tampoco —admitió Simon risueño—. La nuestra fue muy sencilla. Pero ya sabía yo que, cuando alguno de nuestros hijos se casara, querría algo por todo lo alto.

—Pues que lo haga cuando le toque a Sam —dijo Allie, que aún no estaba del todo calmada.

Blaire y Allie tenían mucho carácter y la componenda no había sido fácil. Lo que más sulfuraba a Allie era tener que esperar cinco meses cuando ya se había hecho a la idea de casarse dentro de dos.

—Todo saldrá bien —le dijo Jeff para tranquilizarla.

Allie fue entonces a la cocina. Su madre estaba allí sonándose la nariz, llorosa.

—Lo siento, mamá —dijo, lamentando haberle hablado con dureza—. Quería hacer las cosas a mi manera, pero no darte un disgusto.

—Es que yo quiero que sea algo hermoso, algo especial para ti.

—Y lo será.

Todo lo que necesitaba era a Jeff, pensaba Allie. Quizá tenían que haber hecho como Carmen y Alan: desaparecer y casarse en secreto. A partir de ahí podían organizar lo que quisieran. En cambio ahora temía que la suma de pequeños problemas creasen uno grande.

—¿Y el vestido? —preguntó su madre por cambiar de tema—. ¿Supongo que me dejarás que te ayude a elegirlo?

—Ya he empezado a ver cosas este mediodía —contestó Allie sonriente. Le dijo en qué boutiques había estado, qué había visto y qué quería.

Blaire opinó que un vestido corto era una buena idea, pero a condición de que fuese muy elegante, quizá con un sombrero de ceremonia o velo corto.

—Hice un alto en The Grill para comer algo y me encontré con papá. Tuve que morderme la lengua para callármelo hasta esta noche.

—¿Y qué hacía él de compras en Rodeo Drive? —preguntó

Blaire extrañada. Simon odiaba ir de compras; cuando necesitaba algo se lo compraba ella.

—No iba de compras. Estaba en The Grill almorzando con Elizabeth Coleson. Me parece que papá quiere contratarla —explicó Allie sin darle importancia.

Tampoco su madre pareció dársela, pues enseguida cambiaron de conversación. ¿Quería Allie damas de honor? Aún no lo había decidido. Mientras lo comentaban, Allie notó algo raro en los ojos de su madre y, al volver al salón, vio que miraba a su padre de un modo extraño.

Siguieron hablando de la boda hasta que, a las once, la joven pareja se despidió. Blaire le dijo a Allie algo que a Jeff le extrañó.

—Tendrás que llamar a tu padre.

Allie la miró un poco violenta y asintió con la cabeza.

Minutos después, ella y Jeff iban en el coche de regreso a Malibú, agotados por su primera sesión de preparativos de boda.

—¿Qué ha querido decir tu madre? —preguntó él mientras se dirigían hacia la autopista.

Allie iba con la cabeza recostada en el respaldo del asiento y los ojos cerrados.

—Teníamos que haber ido a Las Vegas y llamarlos después de la boda —dijo Allie en tono abatido.

—¿Qué ha querido decir con que tendrás que llamar a tu padre?

Allie no contestó. Seguía con los ojos cerrados y fingía dormitar. Pero él notó que estaba tensa. Sin perder de vista la carretera, Jeff alargó la mano un momento para acariciarle la mejilla.

—Eh, no disimules —le dijo cariñosamente—. ¿Qué ha querido decir? —añadió convencido de que se trataba de algo preocupante.

Allie abrió los ojos y lo miró.

—No quiero hablar de eso ahora, Jeff. Ya he tenido bastante por esta noche.

Siguieron en silencio unos minutos. Pero Jeff no se resignó a su silencio. La reticencia de Allie lo molestó.

—¿Acaso no es Simon tu padre?

Allie siguió en silencio. Pero comprendió que no había medio de eludir decírselo. Detestaba tener que hacerlo. Le resultaba demasiado doloroso hablar de ello, incluso con Jeff. Meneó la cabeza, entristecida, mirando por la ventanilla.

—Mi madre se casó con él cuando yo tenía siete años —dijo Allie. Era una terrible confesión.

—¿Ah sí? —dijo él sin darle importancia. No era dado a hurgar en los secretos de los demás, pero iba a casarse con ella y debía saberlo, con mayor razón si se trataba de algo doloroso pues así podría confortarla.

—Mi verdadero padre es un médico de Boston. Nos odiamos —dijo Allie mirándolo al fin.

Estaba claro que era un tema muy difícil para ella y Jeff prefirió dejarlo correr de momento. Se limitó a volver a acariciarle la mejilla, y aprovechó el siguiente semáforo en rojo para inclinarse y besarla.

—Mira, sucediese lo que sucediese, quiero que sepas que yo siempre estaré a tu lado, porque te quiero. Nadie volverá a hacerte daño, cariño.

Allie tenía lágrimas en los ojos.

—Gracias, Jeff —le dijo. Lo miró a los ojos y lo besó con dulzura.

Durante el resto del trayecto hasta Malibú guardaron silencio. Era lo mejor.

En aquellos mismos momentos, Simon y Blaire estaban en su dormitorio de su casa de Bel Air. Ella lo observó quitarse la corbata.

—Tengo entendido que has almorzado hoy con Elizabeth —dijo Blaire con frialdad, fingiendo hojear una revista—. Creía que eso se había terminado —añadió mirándolo.

—No se ha terminado porque nunca empezó —replicó él, y fue hacia el cuarto de baño desabrochándose la camisa.

Simon notó que ella lo seguía y se dio la vuelta. Ella lo fulminó con la mirada.

—Ya te dije que es una relación estrictamente profesional —protestó él con tono pausado.

Blaire era la viva imagen del abatimiento. El solo hecho de mirarlo la hacía sentirse vieja. Simon había almorzado con una mujer que era casi de la edad de su hija, y él seguía siendo un hombre atractivo. En cambio ella se consideraba acabada, incluso profesionalmente. Ahora no era más que «la madre de la novia». Se sentía como una anciana.

—Lo de estrictamente... vamos a dejarlo —dijo de mal talante.

—Blaire, por favor... —dijo él desviando la mirada. No quería volver a entrar en aquel juego. Ya habían discutido innumerables veces a causa de Elizabeth—. Pero tienes razón en lo de que no es *estrictamente* una relación profesional. También somos amigos, *amigos.* Así que no volvamos a las andadas, en bien de los dos. Por lo menos me debes eso.

—No te debo nada —replicó Blaire. Dio media vuelta y antes de salir del cuarto de baño se giró para mirarlo—. Por lo visto le has ofrecido una película, ¿no? Eso me ha dicho Allie.

—Sí, se lo he comentado. ¿Y qué? Además, regresa a Inglaterra.

—¿Y tú? ¿Vas a rodar tu próxima película en Inglaterra?

—Rodamos nuestra próxima película en Nuevo México —repuso él, y se acercó para rodearla con sus brazos—. Te quiero, Blaire. Deberías saberlo... Así que por favor, no vuelvas con lo mismo. No sirve más que para hacernos daño.

Pero eso era precisamente lo que quería Blaire: hacerle daño; tanto como le había hecho él cuando, seis meses atrás, descubrió que se entendía con Elizabeth Coleson.

Simon lo había llevado con mucha discreción. No había trascendido. Pero ella se había enterado. Una persona los vio en Palm Springs y se lo dijo a Blaire, que enseguida comprendió qué ocurría. Sintió un escalofrío al saberlo. Simon lo negó, por supuesto. Pero, luego, al oírles una breve conversación durante una fiesta, ella tuvo la plena seguridad. Se miraban como quienes han compartido su intimidad en la cama. Era una mirada inconfundible. Y cuando le pidió explicaciones él se cerró en banda.

Allie lo ignoraba, igual que los demás. Blaire no lo había comentado con nadie. Y no haberse desahogado la reconcomía por dentro, igual que haber sabido por Allie que habían almorzado juntos en The Grill.

—¿Por qué has de ir a un restaurante con ella? ¿Por qué no puedes verla en tu despacho?

—Porque si la viese en mi despacho creerías que me acuesto con ella. Me parece mejor verla en público, cuando tenga que hacerlo.

—Lo mejor sería que no la vieses nunca —replicó Blaire. Se sentó en la cama con tal abatimiento que tuvo la sensación de pesar el doble—. Puede que ya dé lo mismo —añadió.

Blaire fue al tocador y él no la siguió. Las cosas estaban muy difíciles entre ellos. Llevaban meses sin hacer el amor. Sin llegar a hablar de ello dejaron de tener relaciones íntimas desde que Blaire supo que se acostaba con otra. Creía que ya no la amaba, que ya no la deseaba, que la consideraba vieja.

Simon estaba leyendo al volver ella al dormitorio en camisón. Él alzó la vista y la miró sonriente. Sabía lo doloroso que había sido para ella. La verdad era que estaba arrepentido pero había sido una de esas cosas que ocurren, y ya no tenía remedio. Estaba seguro de que Blaire no lo olvidaría y puede que lo mereciese. No se quejaba, aunque confiaba en que, por lo menos, creyese que aún la quería. Pero en vano. Desde que supo lo de Palm Springs, Blaire no pensaba más que en su serie y en Elizabeth Coleson. Quizá la boda de Allie lograra distraerla, levantarle el ánimo.

—Me alegro mucho de que Allie vaya a casarse —dijo Simon—. Jeff parece buena persona. Tengo el presentimiento de que será un matrimonio feliz.

Blaire se encogió de hombros. Simon había sido un buen esposo durante más de veinte años. Pero ahora las cosas habían cambiado.

Lo lamentaba porque habían sido muy felices. Habían estado siempre muy unidos. Se consideraban un matrimonio distinto, muy afortunado y sin nada que lo enturbiase. Pero los nubarrones habían terminado por aparecer. Y ahora todo era distinto. Nada volvería a ser como antes. Simon era consciente de ello y, aunque después de lo de Palm Springs, hubiese roto con Elizabeth, el mal estaba hecho y era demasiado tarde para remediarlo.

Blaire se metió en la cama y cogió un libro que tenía en la mesilla de noche. Lo había comprado la semana anterior. Era la nueva novela de Jeff, su futuro yerno. Pero ahora su estado de ánimo no estaba para pensar en él. La imagen de Simon y Elizabeth almorzando juntos volvía a su mente una y otra vez. No podía dejar de pensar en la intimidad que habían tenido. Puede que dejarse ver en público no fuese más que una artimaña para disimular el trasfondo de su relación.

Blaire ladeó la cabeza y miró a su esposo, que se había quedado dormido con las gafas puestas y un libro entre las manos. Lo siguió mirando unos momentos con un dolor en el corazón tan intenso como el amor que sentía antes por él. Se sentía así desde hacía meses.

Al quitarle las gafas y cerrarle el libro, Blaire se preguntó si también se quedaba dormido así cuando estaba con Elizabeth Coleson. En fin... Dejó también su libro en la mesilla de noche y apagó la luz. Ya empezaba a habituarse al sufrimiento y la soledad. Pero recordaba muy bien cómo habían sido las cosas entre ellos. Y, mientras rumiaba acerca del pasado, se obligó a pensar en algo positivo, en la boda de Allie. Quizá su matrimonio fuese más feliz que el suyo. Puede que Allie nunca tuviese que pasar por lo mismo. Se lo deseaba de todo corazón.

13

Durante la semana siguiente a su compromiso Allie se sintió como si un huracán se hubiese abatido sobre su despacho. Tenía que gestionar cuestiones importantes de buena parte de sus clientes, enfocar las negociaciones para nuevos contratos, estudiar ofertas para la cesión de derechos, y un sinfín de papeleo. Era como si alguien se complaciese en agobiarla cuando más tranquilidad necesitaba.

Al llamar Jeff a su madre para anunciarle su compromiso, las cosas se complicaron aun más. El único comentario de la señora Hamilton fue que le parecía un poco precipitado, y que le extrañaba que Jeff nunca le hubiese hablado de la joven abogada. Que esperaba que luego no tuviese que arrepentirse, le dijo. Luego habló con Allie unos minutos, antes de hacerlo otra vez con su hijo para despedirse y decirle que esperaba que fuesen a Nueva York a pasar unos días, para poder conocer a Allie.

—La verdad es que deberíamos ir antes de que empiece el rodaje en mayo —le dijo Jeff. Pero Allie no veía cómo se las iba a componer con el ingente trabajo que tenía.

—Te prometo que dentro de un par de semanas, de tres a lo sumo, iremos; salga el sol por donde salga, Jeff.

Lo único que no hizo aquella semana, de nuevo con la excusa de tener demasiado trabajo, fue llamar a su padre. Jeff se abstuvo de presionarla, pero ella había terminado por explicarle que sus padres se divorciaron y que persistía un fuerte rencor entre ambos.

En los últimos veinte años, Allie sólo había visto a su padre unas pocas veces y nunca había sido agradable. Su padre parecía culparla del comportamiento de su madre.

—No paraba de decirme lo mucho que me parezco a ella; que somos una gente muy consentida y que detesta nuestro mundillo de Hollywood. Me trata como si fuese una animadora de discoteca en lugar de una abogada.

—A lo mejor es que ignora la diferencia —dijo Jeff tratando de quitarle hierro al asunto con un poco de humor.

Sin embargo, Jeff tenía muy claro que Allie no estaba para bromas. Tampoco a su propia madre le gustaba Hollywood ni todo lo que según ella representaba. Pero la situación entre Allie y su padre era mucho peor. Además, Jeff tenía la impresión de que había algo más que Allie no le había revelado. Estaba seguro de que se lo contaría espontáneamente cuando lo considerase oportuno. No podía evitar preguntarse si por esa razón Allie se había complicado la vida con los hombres con quienes había mantenido relaciones. Era posible que, si su padre la había rechazado, Allie buscase hombres que hiciesen lo mismo, en cuyo caso se iba a llevar una gran decepción con Jeff. Porque él no tenía el menor deseo de rechazarla.

Por el contrario, el joven novelista adoraba estar con ella, disfrutar de los ratos de ocio que podían permitirse, pasar la tarde los sábados haciendo el amor, salir a cenar, remolonear en la cama el domingo por la mañana. El solo hecho de estar a su lado lo hacía feliz.

El viernes siguiente a haberles comunicado el compromiso a los padres de Allie, tuvieron una velada tranquila en casa, y el sábado fueron al cine. Se habían metido en la cama nada más regresar (nunca podían resistir el deseo de hacer el amor), cuando de pronto sonó el teléfono.

Jeff no quería contestar, pero a Allie le resultaba imposible desentenderse de las llamadas. Siempre temía que se tratase de algún problema serio. No quería correr el riesgo de dejar en la estacada a quien pudiera necesitarla. Muchas veces era algo importante, en efecto, pero otras simplemente se habían equivocado de número.

—Diga —contestó Allie con voz adormilada. No oyó nada—. Diga —repitió, con el mismo resultado. Cuando ya iba a colgar oyó un sollozo—. ¿Quién es? —preguntó. Volvió a oír sollozar y, ya alarmada, insistió—: ¿Quién es?

—Soy Carmen, Allie.

—¿Estás bien? —preguntó Allie con el corazón encogido. Jeff refunfuñaba a su lado.

—Me deja, Allie —repuso Carmen con voz entrecortada. Se oían gritos de fondo.

—¿Qué ha pasado? —preguntó Allie con tono pausado para tranquilizarla—. ¿Que te deja, has dicho?

—Sí, me deja, me...

—¡Yo no dejo a nadie! —tronó la voz de Alan, que acababa de arrebatarle a Carmen el auricular de las manos. Estaba furioso—. No dejo a nadie, ¡por el amor de Dios! Voy a Suiza a rodar una película; y ni me voy a matar ni voy a tener un lío con otra —añadió. Era la enésima vez que lo decía aquella noche y estaba exasperado—. Voy a trabajar, eso es todo. Y cuando termine el trabajo volveré a casa.

Alan le devolvió el auricular a Carmen, que lloraba con un desconsuelo enternecedor.

—Es que estoy embarazada.

Allie suspiró. Ahora lo entendía. Carmen no quería que Alan fuese a rodar la película. Pero Alan tenía que cumplir el contrato que, además, era muy sustancioso. No tenía más remedio.

—Vamos, Carmen, sé justa —dijo Allie—. Alan ha de cumplir con su trabajo. Puedes ir a verlo antes de que empieces a rodar tú en junio. Incluso ahora mismo. Puedes estar allí con él durante un mes, antes de que empiecen los ensayos de plató.

Las palabras de Allie surtieron un efecto balsámico, porque cesaron los sollozos.

—¿Claro, verdad? Oh, Dios, gracias Allie. ¡Eres un tesoro!

Allie no estaba muy segura de que a Alan le hiciese mucha gracia su proposición, porque a veces Carmen se comportaba de un modo demasiado absorbente.

—Te llamaré mañana —añadió Carmen, que estaba tan nerviosa que colgó sin despedirse.

Allie meneó la cabeza, apagó la luz y volvió a acurrucarse junto a Jeff, que murmuraba por lo bajo.

—Has de acabar con la costumbre de que te llamen de madrugada, como si esto fuese el teléfono de la esperanza. No sé cómo lo soportas.

Allie sabía que Jeff no lo decía porque lo molestase a él sino por ella, porque no la dejaban descansar. Pero Jeff se mostraba comprensivo. Pensaba que no debía de ser fácil terminar de la noche a la mañana con un hábito de varios años. Había acostumbrado mal a sus clientes. No era sólo Carmen quien llamaba con frecuencia a altas horas de la noche. También llamaban Bram Morrison y su esposa; Malachi, cuando estaba colocado, borracho y se metía en problemas; y el propio Alan. Por lo menos en Los Ángeles actores y actrices parecían siempre al borde de la angustia. Si no llamaban a sus abogados llamaban a sus agentes.

—Es inherente a la profesión, al mundillo de los artistas. Con una vida tan llena de contrastes no es fácil conseguir que se comporten de un modo equilibrado.

—Pura histeria. ¿Qué pasa con esos dos? Me parece que discuten por todo.

—Carmen no quiere que Alan vaya a Suiza la próxima semana. Quiere que se quede aquí con ella y el bebé.

—¿Qué bebé? Todavía no hay bebé. —Jeff empezaba a exasperarse, pese a su buen carácter—. ¡Menuda tontería! Lleva diez minutos embarazada y le sale con esas. ¿Qué quiere?, ¿que se pase los nueves meses en casa?

—No, sólo siete meses y tres semanas —bromeó Allie. Estaba visto que era mejor tomarlo con humor. Pero no le extrañaba que Jeff no le viese la gracia. Nadie suele reaccionar bien cuando lo despiertan en plena noche, que era la especialidad de Carmen.

—Quizá sería mejor que te dedicases al derecho mercantil —ironizó Jeff.

En fin, pensó. Ya que los habían desvelado, aprovecharía el tiempo. Se arrimó más a Allie y empezó a acariciarla. Enseguida los enardeció el deseo. Volvieron a hacer el amor y, cuando al fin se quedaron dormidos, no hubo más interrupciones.

Los Oscar de la Academia los distrajeron de sus problemas durante toda la semana siguiente. Carmen ya hacía planes para su viaje a Suiza. Saldrían dentro de dos días. Ella y Alan estaban nominados, aunque ninguno de los dos esperaba ganar. Pero profesionalmente era muy positivo que los nominasen, aunque en aquellos momentos a Carmen no parecía preocuparle en absoluto su carrera. El bebé que esperaba y Alan la absorbían por completo.

Allie y Jeff vieron a los padres de ella en la ceremonia de entrega de los premios. La película de Simon ganó cinco Oscar, incluyendo el concedido a la mejor película. Allie estaba contentísima y también su madre, aunque seguía tensa; puede que a causa de los problemas con su serie, o simplemente a su estado de ánimo. A lo mejor no eran más que figuraciones suyas. Era más una sensación que una opinión basada en algo concreto. Lo comentó con Jeff, que le aseguró no tener la misma sensación.

—Algo le ocurre —dijo Allie—. No sé si está enfadada, preocupada o triste, pero algo le ocurre.

—A lo mejor no se encuentra bien. Quizá esté enferma —aventuró Jeff.

—Espero que no —dijo Allie, más preocupada aun de lo que estaba.

Tal como era previsible, ni Alan ni Carmen obtuvieron ningún premio, pero no pareció afectarles lo más mínimo.

Después de la ceremonia, Blaire le preguntó a Allie si había llamado a su padre para decirle que se casaba.

—No, mamá, no lo he llamado —contestó Allie, y frunció los labios entristecida.

Allie llevaba un vestido de color plateado muy ceñido que realzaba sus formas. Estaba espectacular. No tenía el menor deseo de hablar de su padre, ni de comentar si lo había llamado o no.

—He de saberlo para las invitaciones —persistió Blaire.

—Está bien, mamá, está bien —dijo Allie con cara de fastidió—. Lo llamaré. —Pero enseguida lo pensó mejor—. Bien mirado, ¿por qué no lo llamas tú y le preguntas si quiere asistir? Por mi parte está de más. Mi padre es Simon. No necesito a ese miserable. Lo mejor que puedes hacer es no llamarlo. Al fin y al cabo ni siquiera uso su apellido.

Todo el mundo conocía a Allie como Allegra Steinberg, aunque Simon no había conseguido adoptarla legalmente. Blaire nunca quiso abordar la cuestión con el verdadero padre de Allie, Charles Stanton.

—Ah... y por si te había pasado por la cabeza: no pienso ir del brazo de él en la boda. Iré con papá, con Simon.

Blaire no tuvo opción a réplica porque un torrente de invitados las separó. Luego, cuando el vestíbulo empezó a vaciarse, Allie vio a Elizabeth Coleson, que iba a felicitar a su padre. Los vio hablar desenfadadamente en un grupo mientras Blaire departía con unos amigos. Pero Allie la vio mirar de reojo a Simon. No cabía duda de que estaba tensa. Allie empezaba a temer que Jeff tuviese razón y que acaso su madre no se encontrase bien.

Luego, casi todos los invitados fueron a distintas fiestas. Allie y Jeff fueron a la que ofrecía Sherry Lansing en Le Bistro, justo después de terminar la ceremonia, y luego a otra en Spago. Eran fiestas brillantes y con mucho colorido, aunque ninguna comparable a las que organizaba Irving Lazar en los viejos tiempos.

Dos días después, Carmen y Alan viajaron a Suiza con una montaña de maletas, bolsas y cajas. Parecían un circo ambulante. Carmen irradiaba felicidad por haber conseguido ir con Alan.

—No os perdáis por Europa, ¿eh?, que tenéis mucho que hacer aquí —les dijo Allie al despedirlos en el aeropuerto.

Alan estaba desbordado por la ingente cantidad de equipaje que Carmen llevaba. Además, el viaje había trascendido a la prensa y los asaltó un enjambre de reporteros. Allie y los empleados de relaciones públicas de la compañía, encargados de atender a los *vip*, consiguieron a duras penas hacerlos embarcar.

Allie regresó a la ciudad con la sensación de haberse quitado un gran peso de encima. Por el camino llamó a Jeff.

—¿Qué tal ha ido? —le preguntó Jeff.

—Increíble, como siempre —contestó Allie.

—¿No iban disfrazados? —bromeó él.

—No, pero hubiese sido lo mejor. Si los hubieses visto... Alan cargaba el enorme oso de peluche que Carmen lleva a todas partes, ella llevaba un vestido tan ceñido que ha debido de dejar bizcos a todos los hombres. Cada vez me inclino más a pensar que nos convendría casarnos en Las Vegas como hicieron ellos.

—Y yo. Ah, a propósito —dijo él—, he hablado hoy con mi madre. Y está empeñada en que vayamos a verla a Nueva York. Me gustaría ir antes de empezar a rodar.

Eso significaba tener que dejar Los Ángeles antes de dos semanas. Allie no quería ni pensarlo. Estaba en plena organización de la gira de Bram Morrison. Supervisar las medidas de seguridad previstas para cada una de sus actuaciones y examinar con lupa la letra pequeña de sus contratos necesitaba más tiempo del que tenía. Además, Tony Jacobson, el amigo de Jeff que iba a coproducir una película con él, había llegado de Nueva Inglaterra. Allie sabía que tendrían los dos mucho que hacer antes del rodaje. No imaginaba de dónde iba a sacar Jeff el tiempo para visitar a su madre en Nueva York.

—No sé, Jeff, pero lo intentaré, te lo prometo.

—Le he prometido que iríamos el último fin de semana de abril, ¿qué te parece? —propuso Jeff, que esperaba que Allie aceptase, pues su madre estaba muy molesta porque no le hubiese consultado sobre la boda.

—No sé cómo, pero me las compondré —le aseguró ella.

Faltaban sólo dos días para el primer concierto de la gira de Bram. Por suerte estaba programado en una pequeña localidad, pero aun así implicaba mucho trabajo.

—Si quieres, podemos reducir el viaje al mínimo y volar de noche para aprovechar más el tiempo —sugirió Jeff para facilitar las cosas.

Allie no podía negarse. Jeff era siempre muy comprensivo con ella, y debía corresponderle.

—Podríamos regresar vía Boston para que veas a tu padre —añadió él, aunque regresar «vía Boston» era un eufemismo, porque no les venía de camino. En realidad era mejor ir primero a Boston.

—Charles Stanton no es mi padre —replicó ella.

Jeff estaba muy intrigado por saber a qué se debía su hosca actitud, pues no habían vuelto a comentar nada desde el día en que surgió el tema. Jeff no quiso presionarla en aquellos momentos. Pero por la noche, mientras preparaban juntos la cena en la cocina, volvió a intentarlo.

Habían llegado a un acuerdo para repartirse el trabajo en la cocina, él ejercía de maestro asador de todo tipo de carnes y ella de maga de las salsas. Y funcionaba.

Allie guardó silencio de nuevo.

—Bueno... no lo preguntaré más si no quieres —dijo Jeff, porque ella llevaba dos semanas eludiendo el tema—. Pero me gustaría saberlo, porque si es algo que te afecta tanto también es cosa mía. ¿Qué opina tu psicóloga? ¿Lo has hablado con ella?

—Sí. Y me ha aconsejado que te lo cuente.

Pero Allie siguió en silencio mientras servía arroz y coliflor en los platos y él añadía sendas chuletas. Resultaba apetitoso. Ella también había preparado pan con ajo y una ensalada.

—*Voilà* —dijo él con un floreo al sentarse.

Allie le sonrió. Pensaba en Charles Stanton. Era como si Jeff le leyese el pensamiento.

—¿Por qué lo odias tanto? —le preguntó él con delicadeza—. ¿Te hizo algo a ti o a tu madre? —añadió, suponiendo que debía de ser algo horrible.

Allie se encogió de hombros.

—No hizo realmente nada... entonces —contestó al fin—. Se trata más bien de lo que no hizo *a partir de entonces*. Yo tenía un hermano llamado Patrick. Lo llamábamos Paddy. Era mi héroe, cinco años mayor que yo. Me adoraba, yo era su princesita. Muchos hermanos pegan a sus hermanas pero él nunca me pegaba. Me arreglaba las muñecas cuando se me rompían, me ponía los guantes, me ataba los cordones de los zapatos, hasta que...

Los ojos de Allie se humedecieron. Cuando hablaba de Paddy nunca podía contener las lágrimas. Aun conservaba una fotografía suya en uno de los cajones de su mesa del bufete, porque si la tenía a la vista rompía en sollozos.

—Paddy murió cuando yo tenía cinco años —prosiguió con voz entrecortada—, de leucemia. En algunos casos ahora logran curarla, pero entonces era mortal de necesidad. Paddy sabía que iba a morir y siempre me decía que iría al cielo y me esperaría.

Jeff dejó de comer y tomó su mano entre las suyas.

—Lo siento —le dijo con un nudo en la garganta.

Quizá la doctora Green tuviese razón, pensó Allie, y ya que había empezado a contárselo, decidió continuar. Era mejor hacerlo de un tirón.

—Yo le decía que no me dejase —continuó Allie—. Pero él me contestaba que tenía que dejarme. Sufrió mucho al final de su enfermedad. No lo olvidaré nunca. Una no suele recordar cosas de cuando se tienen cinco años o, por lo menos, no se recuerda demasiado. Pero yo lo recuerdo todo acerca de Paddy. Recuerdo el día que murió... —Tuvo que interrumpirse. No le salían las palabras.

Jeff le tendió un pañuelo de papel para que se secase el llanto. Ella le sonrió. Ojalá Jeff hubiese conocido a Paddy. Se habrían llevado muy bien.

—Creo que mi padre se volvió medio loco al morir mi hermano. Ya a la desesperada, en las últimas fases de la enfermedad, mi padre decidió someterlo a un tratamiento que estaba en fase experimental. Yo no lo sabía pero mi madre me lo dijo después. Pero no sirvió de nada. Entonces no había ningún remedio, ninguna esperanza. Pero era la especialidad de mi padre y lo destrozó no poder curarlo. A mí nunca me hizo mucho caso, quizá porque aún era muy pequeña, o porque era niña o... no lo sé... Apenas tengo recuerdos suyos de entonces, sólo de Paddy. Mi padre no paraba en casa, siempre estaba trabajando. Y al morir mi hermano se desmoronó y la emprendió con mi madre. Siempre le gritaba, la culpaba de cualquier cosa. En cierto modo, como todos los niños, yo creía que era por mi culpa. Pensaba que había hecho algo muy malo para que mi hermano muriese y mi padre nos odiase. Sólo lo recuerdo chillando. Estuve así cosa de un año. Creo que mi padre bebía mucho. Reñían cada día con mi madre y su matrimonio se destrozó. Yo solía esconderme en un armario y llorar toda la noche para no oírlos.

—Debió de ser terrible —dijo Jeff compadecido.

—Terrible, sí. Terminó por pegar a mi madre. Y yo siempre temía que me pegase a mí también, y me sentía culpable por no poder evitarlo. Pero qué podía hacer yo. Pensaba que si Paddy no hubiese muerto nada de todo aquello habría ocurrido, aunque quizá sí. Empezó a acusar a mi madre de todo tipo de cosas, incluso le llegó a decir que Paddy había muerto por su culpa y ella le decía que iba a dejarlo. Él replicaba que, si lo dejaba, se desentendería de nosotras y nos veríamos en la calle y sin tener que comer. Mi madre no tenía familia y supongo que tampoco dinero ahorrado. Mucho tiempo después, me contó que empezó a enviar cuentos a las revistas. Ahorró unos miles de dólares. Y una noche, después de que mi padre le hubiese pegado, se marchó de casa conmigo. Recuerdo que estuvimos en un hotel en el que hacía mucho frío y que yo tenía mucha hambre, y que ella me trajo donuts. Probablemente la aterraba quedarse sin dinero y no quería gastar ni un dólar. Creo que estuvimos allí ocultas una temporada y mi padre no nos encontró. Pero luego ella fue a verlo a su despacho conmigo. Todo el mundo lo trataba como si fuese un Dios. Era todo un personaje en la facultad de medicina de Harvard. Nadie sabía que pegaba a mi madre, sólo sentían pena por él a causa de lo de Paddy. Mi madre le dijo que quería marcharse de allí y él le replicó que, si lo hacía, no volvería a vernos a ninguna de las dos y que, por él, podíamos morirnos; que si nos marchábamos dejaría de considerarme su hija.

Allie rompió a llorar de nuevo y Jeff siguió apretándole la mano en silencio.

—Eso fue lo que nos dijo —prosiguió—, que ya no me consideraría su hija, que para él habríamos muerto. Y eso es lo que quería yo: morirme. No me dijo ni adiós, ni me dio un beso de despedida. Nos trató como si nos odiase. Supongo que odiaba a mi madre y me asociaba tanto a ella que me incluía en su odio. Mi madre me dijo que cambiaría de opinión dentro de un tiempo, que yo siempre sería su hija, que se había vuelto medio loco a causa de lo de Paddy y que por eso se comportaba así. Me dijo que iríamos a California, y fuimos en autocar. Lo llamó varias veces en las paradas pero él no quiso hablar con ella; le colgaba. Cuando llegamos a Los Ángeles, empezó a trabajar para la televisión. Creo que tuvo la suerte de acertar con unos guiones. Luego vendió una historia a un productor. Yo estaba con ella el día que hablaron y ella se echó a llorar y él la escuchó. Creo que le dio mucho trabajo. Y, cuando llevábamos seis meses así, conoció a Simon. Yo había cumplido los seis años en Boston. Lo recuerdo porque el día de mi cumpleaños lo pasamos en aquel gélido hotel. Pero no lo celebramos, y no tuve pastel ni regalos. Mi padre nunca me felicitó. Pero después de todo lo que nos había ocurrido el año anterior, yo tenía la sensación de no merecer nada. No sé por qué, pero me culpaba a mí misma de todo. Durante años le estuve escribiendo cartas, pidiéndole que nos perdonase. Pero nunca contestaba, hasta que un día sí lo hizo y me dijo que mi madre había hecho una canallada imperdonable, que no tenía que haberlo dejado, que había ido a Hollywood a prostituirse, que lo había abandonado, que yo llevaba una vida disoluta en California y que no quería saber nada de mí. Rompí la carta para no tener que verla nunca más. Estuve semanas inconsolable, sin parar de llorar. Pero para entonces Simon ya era como un padre para mí. Y al final decidí olvidarme de Charles Stanton. Sin embargo, un día vino a verme, o quizá tuvo que venir a California y aprovechó la ocasión. Yo tenía quince años y muchos deseos de verlo. Pero fue más de lo mismo. Fuimos a tomar café al Bel Air. Me llevó mi madre en el coche y él no hizo más que hablarme pestes de ella. No me preguntó nada sobre mí ni mis estudios. No se excusó por no haberme visto durante tanto tiempo ni haber escrito. Lo único que hizo fue decirme que lamentaba que yo fuese igual que mi madre. Me dijo que las dos habíamos sido muy injustas con él y que algún día lo pagaríamos. Fue una tarde horrible y regresé a casa sin aguardar a que mi madre fuese a recogerme. Sólo quería perderlo de vista. No volví a saber nada de él hasta que siete años después cometí la estupidez de invitarlo a mi graduación. Fue a Yale y volvió a la carga como la vez anterior. Insultó a mi madre en plena ceremonia, y yo me harté y le dije que no quería volver a verlo. Tiempo después me envió una felicitación de Navidad, Dios sabrá por qué, y yo le contesté y le dije que estaba en la facultad de derecho. Pero no me escribió; se olvidó por completo de mí. Aunque mi madre lo abandonase yo no dejaba por eso de ser su hija. No tenía por qué borrarme de su vida de esa manera. Y durante años siempre tuve la obsesión de querer verlo, de saber de él, de ir a su lado. Pero ya lo he superado. Ya no me importa lo más mínimo. Se acabó. Ya no lo considero mi padre. Y ahora no se le ocurre a mi madre otra cosa que incluirlo en la lista de invitados a la boda. Es increíble, pero no pienso tratarlo como si fuese mi padre porque no lo ha sido, ni ha querido serlo. Lo único decente que podía haber hecho por mí habría sido renunciar por completo a ser mi padre y dejar que Simon me adoptase, pero cuando se lo pedí, el día que nos vimos en el Bel Air, cuando yo tenía quince años, me dijo que eso sería una humillación y que nunca lo haría. Es un cabrón egoísta. Me importa un pito lo respetable que pueda ser profesionalmente y que sea un buen médico. Como persona es un canalla y lo repudio como padre.

Charles Stanton la había abandonado emocionalmente y ella había tenido que sufrirlo durante veinticinco años. No estaba preparada para perdonar y dudaba que lo perdonase alguna vez.

—Ahora me explico por qué le guardas rencor, Allie. Es humano. ¿Por qué habrías de invitarlo a tu boda? Lo entiendo perfectamente. No tienes por qué hacerlo —dijo él.

Jeff se sentía plenamente solidario con ella, dolido de que la relación con su padre fuese tan negativa. Aunque hubiese tenido una infancia feliz con Simon Steinberg, era obvio que la prematura muerte del hermano y el rechazo del padre la habían hecho sufrir mucho y le habían dejado profundas heridas. Puede que fuese cierto, como Allie le había dicho que opinaba su psicóloga, que durante años Allie siempre se hubiese sentido atraída por hombres que la rechazaban como si, de algún modo, quisiera perpetuar la figura paterna. Pero al fin, después de muchos años de asistir a la consulta de la doctora Green, había logrado romper ese círculo vicioso.

—¿Tú crees que es normal que mi madre se empeñe en que lo invite a la boda? —se quejó Allie exasperada—. Es inconcebible. Está loca. A lo mejor quiere compensar sus remordimientos a mi costa. No voy a prestarme a ese juego, entre otras cosas porque me parece una estupidez. Si Charles Stanton muriera en la puerta de casa no me asomaría a verlo. No lo quiero en mi boda.

—Pues no lo invites y listo.

—¿Y mi madre? No me deja vivir con este asunto. No hace más que preguntarme si lo he llamado; y ya me duele la boca de repetirle que no voy a hacerlo.

—¿Qué opina Simon?

—No se lo he preguntado, pero en estas cosas es muy convencional. Ya sabes, siempre hay que hacer «lo correcto», etc. Por eso invité a mi padre a mi graduación. Simon me dijo que no era correcto no invitarlo, que mi padre se sentiría muy orgulloso de mí. Pero le importó un pito. Asistió y estuvo de lo más desagradable con todo el mundo, incluso con Samantha, que sólo tenía diez años. A Scott le cayó fatal desde el primer momento. No sabía quién era y no entendía de qué iba la cosa. No quise que mi madre y Simon se lo contasen. Se limitaron a decir que era un viejo amigo. Ahora mis hermanos lo saben, pero me costó mucho reconocer ante ellos que Simon no es mi padre. Temía que eso me convirtiera en una Cenicienta, que ya no me quisiesen como a una hermana. Pero la verdad es que Simon no ha hecho nunca ninguna diferencia entre nosotros. En todo caso, me ha tratado mejor a mí.

Sonrió y suspiró. Se dio un respiro y atacó la chuleta. Después de tomar un bocado volvió a mirar a Jeff.

—La verdad es que, salvo en los primeros años de mi infancia, he tenido mucha suerte —le aseguró ella. Aunque también era cierto que aquellos años, aunque fuesen pocos, la traumatizaron de tal modo que había tardado muchísimos más en recuperarse—. En fin, ¿qué crees que debería hacer?

—Lo que desees hacer de verdad —contestó él—. Es *nuestra* boda. Has de hacer lo que tú quieras, no lo que quiera tu madre.

—Creo que a veces se siente culpable por haberlo abandonado; y quizá quiere tratar de compensarlo de alguna manera. Pero yo no le debo nada a Charles Stanton. Nunca se portó bien conmigo.

—Cierto, no le debes nada. Yo en tu lugar le diría a tu madre que se abstenga de incluirlo en la lista de invitados —dijo Jeff con firmeza.

—Eso haré —dijo Allie, aliviada al comprobar que por lo menos Jeff la comprendía—. No me importa si es correcto o no incluirlo.

—¿Y no se ha vuelto a casar? —preguntó él por pura curiosidad.

Estaba claro que se trataba de una historia trágica para todos los implicados. La muerte de Paddy debió de destrozarlos a todos.

—No, no se ha vuelto a casar. ¿Quién querría casarse con un hombre así?

—Quizá si se hubiese casado habría tenido otra actitud. Estas cosas traumatizan incluso a los verdaderos culpables.

—Bueno, ya sabes cómo fue mi primera infancia —dijo Allie, y se recostó en el respaldo con alivio tras haberse desahogado—. Ya conoces todos mis secretos. Soy Allegra Charlotte Stanton, pero ¡cómo se te ocurra llamarme alguna vez así te mato! —añadió risueña—. Allie Steinberg me encanta.

—Y a mí —dijo él. Se levantó, rodeó por la mesa y la besó.

No terminaron la cena. Salieron a dar un paseo por la playa y siguieron hablando de su padre. Allie se sentía como si se hubiese quitado un enorme peso de encima. Se alegraba de habérselo contado todo a Jeff. El mero hecho de desahogarse y de saberse feliz con el hombre a quien amaba hacía que su rencor no fuese tan intenso y, acaso, que su herida pudiera empezar a cicatrizar.

Al regresar a la casa se quedaron un buen rato en el porche. Hacía una noche espléndida. Bebieron una copa de vino y se relajaron. Pasada la medianoche sonó el teléfono.

—No contestes —le rogó Jeff—. Debe de ser alguien que tiene dolor de cabeza o de muelas y, en lugar de tomarse un analgésico, cree que tú eres una aspirina.

—He de contestar; es mi trabajo. Además, a lo mejor es alguien que me necesita de verdad. ¿Y si es un cliente que ha tenido un percance y está en comisaría?

Pero no era un cliente. Era Samantha, que quería verla, el domingo si era posible.

A Allie le sorprendió la llamada, pero no demasiado. De vez en cuando Sam recurría a ella, sobre todo si la necesitaba para que convenciese a sus padres de algo que le interesaba.

—¿Has discutido con mamá? —le preguntó Allie.

—No, qué va; está demasiado ocupada gritándoles a los jardineros y a los de las obras de la cocina. Cualquier día le va a dar un ataque.

—Ya. Y con lo de mi boda aun debe de estar más nerviosa.

—Ya lo creo —dijo Sam—. ¿Dónde nos vemos?

—¿De qué se trata? —le preguntó Allie, para pensar de antemano en lo que quería plantearle—. ¿Algún contrato para posar?

—No precisamente.

—Pasaré a recogerte a las doce. Jeff ha de almorzar con Tony Jacobson, su coproductor. Podemos ir a algún sitio divertido como The Ivy o Nate 'N Al's.

—Donde quieras; cualquier sitio donde podamos hablar con tranquilidad —dijo Sam.

—Humm. Me temo que la cosa es seria. Asunto amoroso, ¿a que sí?

—Más o menos.

—Eso me tranquiliza. Es un tema sobre el que voy aprendiendo. Haré lo que pueda.

—Gracias, Allie.

Antes de despedirse y colgar, Allie le reiteró que la recogería en casa a las doce el domingo. Le había conmovido que Samantha la llamase para pedirle consejo en un asunto amoroso (porque estaba segura de que se trataba de eso).

—¿Es que no es posible que nos llamen a horas normales? —se lamentó Jeff al contarle Allie lo que Samantha acababa de decirle.

—Parece preocupada. Debe de tener otro novio.

—Bueno..., pero, por lo menos Samantha es de la familia —dijo Jeff.

Que la llamase su hermana a altas horas de la noche le parecía natural, pero no que Malachi O'Donovan la llamase borracho desde una tasca.

—¿Te importaría que almorzase con ella mañana? —le preguntó Allie minutos después, cuando se disponían a acostarse.

Jeff le había dicho que quería que fuese con él a almorzar con Tony Jacobson. Tony era muy simpático, un típico neoyorquino, y su padre era uno de los más importantes inversionistas de Wall Street. Lo había ayudado a captar financiación para la película y les había dado también buenos consejos. Aunque Tony era muy distinto de Jeff, a Allie le caía francamente bien.

—No, ¿por qué va a importarme? Podemos vernos después del almuerzo —dijo Jeff—. Quizá podríamos ir los cuatro a jugar un partido de tenis. Tony entenderá perfectamente que primero tienes que almorzar con tu hermana. Además, Samantha le gustará mucho —añadió con una maliciosa sonrisa.

Allie le dirigió una mirada reprobatoria, de protectora hermana mayor.

—¡Ya verás mi padre, como tu amigo no se comporte! —bromeó Allie.

Todo iba sobre ruedas. Jeff tenía razón. No tenía por qué invitar a Charles Stanton a su boda. Todo lo que tenía que hacer era decírselo así a su madre. Y se lo diría al día siguiente, después de almorzar con Sam.

Allie sonrió para sí pensando en la llamada de su hermana. Se preguntaba qué clase de consejo querría. Aunque a veces Sam se comportase como una niña malcriada y consentida, la quería mucho.

14

Tal como había prometido, Allie recogió a su hermana a mediodía del domingo. Tenía pensado llevarla al Ivy. Estaba segura de que le gustaría, porque se comía bien y el local era muy agradable. De regreso podían pasar por las tiendas de antigüedades de la zona North Robertson. Les serviría para relajarse y pasar un buen rato juntas. Últimamente Samantha se había comportado como una jovencita iracunda y Allie pensaba que era conveniente aprovechar la oportunidad de tratarla como a una adulta.

Pero el talante de Samantha fue aquel día muy distinto del habitual. Apenas habló hasta que se hubieron alejado de la casa. Allie estaba muy impaciente por saber qué la preocupaba. Pero tampoco durante el almuerzo le dijo nada sobre el motivo de su llamada.

—¿Me vas a decir de una vez de qué se trata? —le preguntó al fin Allie—. ¿Algún pretendiente pesado?

Hacía ya dos años que Samantha salía con chicos aunque nunca había tenido un novio en serio, a diferencia de Allie, que a su edad siempre estaba enamorada de alguien.

—Más o menos —contestó Sam, que se encogió de hombros y de pronto se echó a llorar—. La verdad es que no.

—¿Qué te ocurre entonces? —la apremió Allie con tono cariñoso mientras el camarero les servía sendos capuchinos.

El almuerzo había sido delicioso, como siempre en el Ivy, pero Sam apenas lo había tocado.

—Vamos, Sam... Serénate. Sea lo que sea no te parecerá tan grave cuando me lo cuentes.

Pero sí parecía grave, porque Samantha se llevó las manos a la cara y siguió sollozando.

—Oh, Sam... —dijo Allie alargando una mano y posándola en su hombro—. Anda, cuéntamelo —le susurró. Vio que en sus ojos había auténtica desesperación—. Sam, por favor...

—Estoy embarazada —dijo Sam con voz entrecortada—. Voy a tener un hijo —añadió sin dejar de llorar.

Allie se inclinó y la atrajo hacia sí por los hombros.

—Oh, cariño... Dios mío... ¿Cómo ha sido? ¿Quién ha sido?

Allie lo dijo como si forzosamente tuviese que ser algo *que le hubiesen hecho*, y no algo que hubiese realizado voluntariamente. Quizá reaccionase así porque nunca le había oído hablar de ningún chico con quien tuviese un relación especial, de ningún novio formal.

—Ha sido culpa mía —dijo Sam, desolada.

—Tuya exclusivamente no será, digo yo; a no ser que hayan cambiado las cosas últimamente. ¿Quién es el padre? —Sonaba extraño preguntarle eso a una chica de diecisiete años.

—Eso no importa.

—Ya lo creo que importa. ¿Se trata de alguien del instituto? —preguntó Allie. Aun sin conocerlo le daban ganas de asesinarlo, aunque se dominó para no agravar la tensión.

—No.

—Vamos, Sam, ¿quién es el padre?

—Si te lo digo no quiero que hagas nada, ¿de acuerdo?

—¿No te habrán violado? —preguntó Allie alarmada.

—No, no me han violado. Ya te he dicho que ha sido culpa mía. Lo hice voluntariamente. Estaba tan colada por él... pensé... no sé... —dijo Sam con el rostro anegado en lágrimas—. Creo que me sentí halagada por atraer a un hombre de treinta años, con tanto mundo, acostumbrado a tratar con mujeres bonitas.

¿Un hombre de treinta años con una chica de diecisiete? Quien fuese tenía que haberlo pensado mejor. Pero, por lo visto, ni siquiera había tenido la precaución de usar preservativo.

—¿Ha sido tu primera vez? —preguntó Allie, ahora tan desolada como ella.

—No —contestó Sam escuetamente.

Allie sabía que su hermana no era promiscua, pero tenía ya casi dieciocho años, y desde luego aquel treintañero no era el primer hombre que le gustaba. No quiso agobiarla con preguntas en aquellos momentos.

—¿Cómo lo conociste?

—Es el fotógrafo de una de las sesiones que me consiguió la agencia. Es francés. Supongo que me sedujo. Es parisino. Me trató como si fuese una mujer y, además, es guapísimo.

—¿Se lo has dicho? —preguntó Allie, que de haberlo tenido delante lo habría arañado. Tendría suerte si no lo expulsaban del país; incluso podían meterlo en la cárcel por estupro. No quería ni imaginar cómo iba a reaccionar su padre.

—Prefiero no decírselo —contestó Sam desconsolada—. Además, aunque quisiera decírselo no podría. He llamado a la agencia y me han dicho que se ha ido a Japón. Estaba aquí de paso y, por lo visto, apenas lo conocen. Quería las fotos para su propio *book* antes de viajar a Tokio. Me han dicho que no saben cómo localizarlo. Pero no me importa, no quiero volver a verlo. Pensaba que era un buen tipo, pero luego comprendí mi error. Me ofreció droga y, como no quise, me dijo que era una cría. Se llama Jean-Luc pero en la agencia dicen que no saben su apellido.

—¡Por Dios! —exclamó Allie furiosa—. ¿Así es cómo funcionan las agencias? Tendrían que llevarlos también a la cárcel. ¡Poner a una menor en manos de tipos así!

—Tengo casi dieciocho años, Allie. Tenía que haber sabido limitarme a lo profesional, pero no lo hice.

—Ya —dijo Allie en tono severo, aunque enseguida reparó en que no debía ser dura con su hermana, que bastante mal lo estaba pasando ya. Lo que quería era ayudarla, y a eso debía limitarse. Además, tenía que valorar que Sam hubiese tenido la presencia de ánimo suficiente para recurrir e ella y contárselo—. Supongo que no le has dicho nada a mamá.

—Prefiero no decírselo —dijo Sam.

Allie asintió con la cabeza. Tampoco ella habría querido decírselo a su madre a su edad, aunque su madre era una mujer muy comprensiva. Pero, últimamente, entre la cercana boda de Allie y los crónicos problemas de su serie, estaba tan abrumada que Sam no se había atrevido a decírselo.

—Bueno, ¿y qué vamos a hacer? —preguntó Allie con el corazón encogido. Tal como ella lo veía, con la edad de Sam, no había más que una solución. Se negaba a aceptar que su hermana se destrozase la vida cargando con un hijo a los diecisiete años—. Te llevaré a mi médico. A lo mejor ni siquiera hemos de decírselo a mamá. En todo caso, lo pensaremos bien antes de decidir.

—No puedo —dijo Sam.

—¿Que no puedes qué? —exclamó Allie sin acertar a comprender.

—Ir al médico... No puedo abortar.

—¿Cómo? —exclamó Allie aterrada—. ¿No pretenderás tener un hijo a tu edad y en estas condiciones? Ni siquiera sabes cómo es de verdad el padre. Sería una estupidez cargar tú sola con un hijo. ¡Tienes *diecisiete* años, Samantha!

¿A qué venían tantos escrúpulos?, se preguntó Allie de pronto, y pensó en Carmen y en su manera de comportarse, como si el bebé ya hubiese nacido, por el solo hecho de haber visto el feto en la ecografía. Quizá su hermana había reaccionado igual.

—No puedo abortar.

—¿Por qué? —preguntó Allie. Tenía firmes convicciones morales, pero eran razonables. No lo comprendía.

—Es que estoy de cinco meses.

—¿*Cómo*? —exclamó Allie estupefacta. Se sobresaltó de tal modo que estuvo a punto de resbalar de la silla—. ¿Y por qué demonios no me lo has dicho antes? ¿En qué demonios has estado pensando en estos cinco meses? ¡Por Dios bendito!

—Es que no lo sabía —contestó Sam con expresión candorosa—. Te lo juro. Como siempre he tenido unos períodos muy irregulares, pensaba que había engordado por pasarme en las comidas, por los exámenes, la ansiedad por el ingreso en la universidad... No sé. No me pasaba por la cabeza que pudiese haberme quedado encinta.

—Pero... ¿cómo no lo has sospechado siquiera? Porque, algo se notará, ¿no? —dijo Allie que recorrió con la mirada a su hermana. Pero Samantha llevaba una ropa tan holgada que no se notaba.

—Hasta hace una semana no he notado que se moviese. Pero ni siquiera entonces pensé que estaba embarazada, temí que fuese un tumor... yo qué sé...

Desde luego estaba claro que la pobre cría no tenía ni idea...; en pleno mundo civilizado; en una de las ciudades más sofisticadas del país y... la pobre Samantha cree que tiene un tumor. Inconcebible.

Allie sentía un profundo pesar por ella. Pero, con un embarazo de cinco meses el problema era complicado, y habría que pensar muy bien lo que hacer.

—Supongo que tendrás que darlo.

Sam se la quedó mirando, confusa. No entendía muy bien qué quería decir con «darlo». En la consulta a la que acudió le ofrecieron hacerle una ecografía, pero Sam no había querido. No quiso saber si era niño o niña. No lo deseaba.

—¿Qué voy a hacer, Allie? ¿Marcharme de casa si no se lo digo a los papás?

No quería ni pensarlo. Pero no veía salida, sólo un desastre inminente.

—No digas tonterías.

—¿Qué quieres que haga? La semana pasada pensé en marcharme pero quería hablar antes contigo.

—Tendremos que decírselo a mamá, Sam —dijo Allie estremecida—. En el peor de los casos, si reacciona mal, puedes venir a vivir conmigo hasta que lo tengas —añadió mirándola a los ojos—. ¿Para cuándo lo esperas?

El solo hecho de preguntarlo sonaba terrible. No se trataba de Carmen sino de su hermana de diecisiete años.

—Para agosto. ¿Me ayudarás a decírselo a los papás, Allie?

—Claro, mujer.

Entrelazaron las manos y estuvieron unos minutos mirándose. Allie reparó en que dos mujeres de aspecto hombruno las miraban y sonreían. Debían de haberlas tomado por lesbianas. Lo que faltaba para acabar de amargarles el almuerzo. Aún lo tenía en la boca del estómago.

—¿Cuándo quieres que se lo digamos? —preguntó Allie.

—Nunca —contestó Sam—. Pero, me temo que será mejor decírselo cuanto antes, porque no tardará en notarse. Mamá ya me ha mirado un par de veces extrañada, al ver que desayuno el doble que antes. Creo que de no ser porque está tan enfrascada con lo del jardín, la serie, tu boda y todo lo demás, ya se habría dado cuenta. Y papá... Papá cree que sigo teniendo cinco años y llevo trenzas.

En el fondo a ambas les encantaba que su padre fuese así. Pese a toda su mundología y al ambiente en el que se había movido siempre, con respecto a sus hijas era de una candidez enternecedora. En realidad, nunca pensaba mal de nadie; nunca criticaba a los demás. Sam era consciente de que le iba a partir el corazón. Habría dado cualquier cosa por no tener que decírselo. Pero era inevitable.

—Iré a casa mañana y hablaremos con ellos —dijo Allie como si anunciase que iban a ir juntas al matadero. Pero ¿qué podían hacer sino?—. Hay algo que debes decirme antes: ¿Quieres tenerlo o no?

—No hago más que darle vueltas. Y estoy muy asustada. Lo único que sé es que me gustaría que desapareciese y que fuese como si nada hubiese ocurrido.

—Sí, pero no va a desaparecer —dijo Allie, que comprendió que, en aquellos momentos, Sam no estaba preparada para tomar ninguna decisión.

Dieron un paseo al salir del restaurante, pero no fueron a ver tiendas como había pensado hacer Allie. No estaban de humor. Allie optó por acompañar a Samantha a casa. La abrazó cariñosamente y le recomendó que intentase estar tranquila; que al día siguiente por la tarde afrontarían el problema todos juntos.

—Ah... y quítate de la cabeza eso de marcharte de casa, ¿entendido? —le advirtió Allie—. No hay que huir ante este tipo de cosas. Lo afrontaremos juntas.

—Gracias, Allie —dijo Samantha, que se lo agradecía de corazón.

Allie la siguió con la mirada mientras Sam cruzaba la verja. Era la viva imagen del abatimiento, pero, por lo menos aún no se notaba que estuviese encinta. En realidad, poco importaba ya. Se echaba a temblar al pensar en la reacción de sus padres, por buena que fuese. Por más comprensivos que se mostrasen, sería un golpe terrible para ellos, entre otras cosas porque era de la clase de problemas que no tenían solución satisfactoria. Si Samantha abortaba podía lamentarlo luego o, por lo menos, sentir remordimiento; y, si seguía adelante y se encontraba con un hijo a los diecisiete años, podía condicionar su vida negativamente para siempre. Nada positivo podía salir de aquello, se dijo Allie. En las circunstancias de Samantha, decidiese lo que decidiese sería un desastre.

Resultaba extraño que para Carmen, en cambio, estar embarazada fuese un motivo de dicha, como también podía haberlo sido para ella, porque Jeff le había comentado que deseaba tener hijos pronto. Parecía un sarcasmo que para la vida de otra persona una nueva vida fuese una catástrofe. Era desconcertante.

Allie regresó en el coche a Malibú muy deprimida. Se sentó en la playa junto al porche, con los brazos rodeándose las rodillas. Y así la encontró Jeff dos horas más tarde. El almuerzo de

Jeff con Tony se había alargado más de lo previsto. Tenían muchos cabos que atar acerca de la película que iban a producir juntos. Nada más verla comprendió que algo había ocurrido. Estaba ensimismada y muy seria. Lo primero que pensó fue que acaso había llamado a su padre y se las había tenido con él.

—Hola, cariño —la saludó Jeff, que se sentó a su lado en la arena. Ella ladeó la cabeza y esbozó una sonrisa—. ¿Qué tal con Samantha? —añadió acariciándole su rubia melena.

—Peor imposible —repuso ella entristecida.

Le dolía tener que hacerle compartir un tema tan desagradable. Porque él sólo hacía que proporcionarle felicidad. En muchos aspectos se parecía a Simon. Era extraño haber estado tantos años luchando contra sus demonios personales, y verse ahora libre de ellos y en condiciones de amar a alguien como Jeff.

—No pareces muy contenta. ¿Alguna mala noticia?

Ella asintió con la cabeza sin dejar de mirar al mar.

—¿Puedo hacer yo algo? —preguntó Jeff.

Allie suponía que, probablemente, Sam no quisiera que se lo dijese a Jeff todavía. Pero no iba a ser un secreto durante mucho tiempo si, tal como Samantha le había dicho, esperaba dar a luz en agosto.

—No creo que nadie pueda —contestó Allie mirándolo a los ojos—. Mi hermana está encinta de cinco meses.

—¡Joder! —exclamó él—. ¿Quién es el padre?

—Un tipo de treinta años, un fotógrafo francés del que no sabe ni el apellido, que estuvo aquí de paso hace cinco meses y que, por lo visto, ahora está en Tokio. En la agencia aseguran no tener datos sobre él, y Sam tampoco los tiene. Vino aquí, le hizo unas fotos a Samantha y la sedujo.

—Maravilloso. ¿Quiere abortar? Aunque, ¿se puede abortar estando de cinco meses?

—Ni quiere ni puede. Es demasiado tarde. Mañana hablaremos las dos con mis padres.

—¿Qué va a hacer entonces?, ¿quedarse con la criatura?

—No lo sé. Creo que está demasiado asustada para ver con claridad en estos momentos. No creo que deba cargarse con un hijo. Es demasiado joven. Destrozaría su vida. Pero yo no soy quién para darle un consejo así. Es una de esas decisiones realmente difíciles.

—Sin duda —admitió él, que imaginaba el trago que iban a tener que pasar todos ellos—. Si puedo hacer algo para ayudar...

—añadió, aunque sabía que difícilmente podía hacer nadie nada en un caso así, salvo prestar apoyo moral.

—Le he dicho que si mis padres reaccionan mal y la situación se le hace insostenible en casa, puede venir a vivir conmigo —le explicó Allie—. Podría volver a instalarme en mi casa durante cuatro meses —añadió entristecida, porque estaba muy bien allí con Jeff. Pero era lo mínimo que podía hacer por su hermana.

—Puede venir aquí y quedarse con nosotros —ofreció Jeff—. De todas maneras, dentro de muy poco me voy a pasar la vida en los estudios. Podría utilizar mi despacho como dormitorio.

—Eres un ángel —dijo Allie, admirada de la generosidad de Jeff—. Un verdadero ángel.

Allie le dio un beso de agradecimiento y fueron a pasear por la playa. Siguieron hablando del tema y, al volver a la casa, se alargaron hasta las tantas.

Al día siguiente por la tarde, Allie fue directamente a casa de sus padres al salir del bufete, tal como le había prometido a Samantha. Eran poco más de las cinco y ella y Samantha aguardaron a que llegasen sus padres, que solían estar en casa sobre las seis y media.

Se habían sentado en el salón. Estaban muy nerviosas cuando Blaire y Simon llegaron, por separado pero con menos de cinco minutos de diferencia entre uno y otro. Parecían estar los dos de muy buen humor. Les sorprendió agradablemente ver allí a Allie, porque no la esperaban. Pero, en cuanto Blaire reparó en cómo los miraban sus dos hijas, comprendió que algo malo ocurría y se le encogió el corazón. Debía de tratarse de Scott, pensó Blaire alarmada; que algo debía de haberle ocurrido. Estaba segura. Habían llamado a Allie en lugar de a ella para que la impresión no fuese tan fuerte... Eso pasó por la cabeza de Blaire en aquellos momentos.

—¿Qué ha ocurrido?

Allie comprendió enseguida lo que temía su madre y se apresuró a tranquilizarla.

—Nada, mamá. No le ha ocurrido nada malo a nadie. Sólo queremos hablar contigo.

—¡Oh, Dios! ¡Qué susto me habéis dado! —exclamó Blaire, que se dejó caer en un sillón con visible alivio.

Simon las miró a las tres con cara de preocupación. Puede que fuese cierto que no le había ocurrido nada malo a nadie. Pero estaba seguro de que algo preocupante pasaba.

—Por un momento, he pensado que le había ocurrido algo a Scott —confesó Blaire que, desde la muerte de Paddy siempre temía que una nueva desgracia se cebase en sus hijos—. ¿Se trata de la boda?

Allie la miró con la fijeza con que solía hacerlo cuando tenía que tratar de algo importante para ella. Probablemente, volvería a pedir que se redujese el número de invitados. Y en aquellos momentos Blaire no se sentía con ánimo de discutir.

—Bueno, ¿de qué se trata entonces?

—Tengo que hablar contigo, mamá —dijo Samantha con la voz quebrada.

Simon miró a su hija menor con cara de extrañeza. Nunca la había visto tan seria.

—¿Algún problema serio? —preguntó Simon, que se sentó en el otro sillón del tresillo, dispuesto a escuchar.

—Bastante —reconoció Samantha.

Se hizo un largo silencio. Las lágrimas asomaron a los ojos de Samantha, que miró a Allie, en petición de auxilio. Se sentía incapaz de contárselo a sus padres.

—¿Quieres que se lo diga yo, Sam? —musitó Allie.

Samantha asintió con la cabeza. Allie miró a sus padres, dispuesta a decirles lo que sabía que iba a ser lo más duro que pudiera decirles nunca. Pero era inevitable hacerlo, y cuanto antes mejor.

—Sam está encinta de cinco meses —dijo Allie en tono pausado.

Su madre se quedó blanca como la cera y Allie temió que fuese a desmayarse. Pero tampoco Simon tenía en aquellos momentos muy buen color.

—¿Cómo? —se limitó a decir él.

El silencio que se hizo a continuación se podía cortar.

—Pero... ¿cómo es eso posible? ¿Te han violado? ¿Por qué no nos lo has dicho antes?

—No, papá, nadie me ha violado. Simplemente es que fui una estúpida —reconoció Samantha, que se secó las lágrimas con el dorso de la mano. Estaba demacrada, y desencajada, probablemente de tanto llorar.

—¿Es el padre alguien que te importe? —le preguntó Simon, que no acababa de creer lo que había oído.

—No —contestó Sam con total franqueza—. Creía que sí, pero no fue más que un momento de debilidad.

—¿Quién es? —preguntó su padre.

—Un fotógrafo que conocí. Pero se ha largado, papá. No podría ponerme en contacto con él aunque quisiera.

Allie terció para explicarles las circunstancias, tal como se las había contado su hermana. Blaire miró a su hija menor y rompió a llorar.

—No puedo creer que hayas sido tan estúpida, Sam. ¿Por qué no me lo has dicho antes?

—Porque no lo sabía, mamá —contestó Samantha—. Ni siquiera lo sospeché hasta la semana pasada, y fui enseguida al médico. Después... bueno... estaba demasiado asustada para decírselo a nadie. Incluso llegué a pensar en desaparecer. Sólo tenía ganas de morirme... —añadió compungida y llorosa—. Pero luego decidí llamar a Allie.

—Gracias a Dios —exclamó Blaire, que le dirigió a Allie una mirada de agradecimiento y le pasó el brazo por los hombros.

Allie reparó en que Simon tenía que dominarse para no llorar. Se acercó a él y lo abrazó.

—Te quiero, papá —le dijo.

Pero el consuelo de Allie no hizo sino precipitar el llanto. Era un verdadero desastre. Flotaba en el ánimo de todos que sólo podrían sobrellevarlo estando unidos.

—¿Qué vamos a hacer? —preguntó Simon, que sacó un pañuelo del bolsillo de la chaqueta, se secó las lágrimas y se sonó. Luego se levantó del sillón y se sentó con Allie en el sofá, frente a Samantha y a su esposa.

—No tenemos muchas alternativas —dijo Blaire.

Se le partía el corazón al mirar a su hija menor. Era tan joven, tan bonita y tan poco castigada por la vida. Pero acababan de hacerle la primera herida; de causarle un gran dolor. Y nada podía hacer ella para evitarle lo que, se mirase como se mirase, era una tragedia.

—Tendrás que tener el bebé, Sam —le dijo en tono cariñoso—. Es demasiado tarde para evitarlo.

—Ya lo sé, mamá —dijo Samantha en tono sumiso.

Lo sabía, claro. Pero lo que ignoraba eran las consecuencias que tendría para su cuerpo y para su espíritu. Hasta entonces todo le había sido fácil. No había estado nunca enferma; no había tenido el menor percance. Su única «dolencia» era un apetito feroz. Y ahora estaba asustada.

—Después... tendrás que darlo en adopción. No hay otro medio, a menos que quieras destrozarte la vida, que es lo que harías cargándote con una criatura a los diecisiete años. En otoño ingresarás en la universidad. ¿Para cuándo esperas el bebé?

—En agosto.

—Puedes dar a luz, entregar el bebé en adopción y empezar el curso en septiembre —dijo Blaire que ni en momentos como aquellos se despojaba de su mentalidad práctica.

—Entonces ya seré mayor de edad, mamá —le recordó Samantha, que cumplía años en julio—. Muchas mujeres tienen hijos a mi edad.

—Sí, pero la mayoría están casadas. En tu caso sería un desastre. Apenas conoces al padre. ¿Cómo sabes cómo puede salir? ¿De quién iba a ser?

—La mitad mío, mamá —dijo Sam con los ojos bañados en lágrimas—; y un poco tuyo... y un poco de papá... y de Scott y de Allie. No podemos deshacernos de él como de un par de zapatos viejos.

Era obvio que el instinto de madre apelaba al corazón de la joven Samantha. A Allie le dolía en el alma verla así.

—No. Pero sí es posible dejar que lo adopte uno de tantos matrimonios que desean desesperadamente tener hijos; a un matrimonio normal pero que no ha conseguido tenerlos. A estas personas tu hijo no les destrozaría la vida, como te la destrozaría a ti. Para ellos sería una bendición.

—¿Y por qué no para nosotros? A lo mejor también sería una bendición para nosotros.

Estaba claro que Samantha, por puro instinto, defendía la vida de su hijo. Era un instinto más antiguo que la propia humanidad. Y, aunque Samantha no fuese consciente de ello, reaccionaba como si lo fuese. Blaire lo entendía perfectamente, pues no en vano había tenido cuatro hijos.

—¿Pretendes decirme que quieres tenerlo y quedarte con él? —exclamó Blaire mirándola aterrada—; ¿sin saber dónde está el padre?; ¿sin saber nada de él? Ni siquiera es un hijo producto del amor; no es *nada*.

—¡Por favor, mamá! ¿*Nada*? Es una vida —replicó Samantha acalorada.

Samantha volvió a echarse a llorar. Los encontrados sentimientos que se debatían en su interior eran demasiado intensos para poderlos soportar conservando la serenidad. Pero Blaire no estaba dispuesta a que su hija menor eludiese lo que, a sus ojos, era el problema básico.

—Tendrás que dar el niño en adopción, Sam. Nosotros sabemos lo que es mejor para ti. Confía en nosotros. Si ahora te cargases con un hijo, lo lamentarías durante toda tu vida. No es el momento —le dijo Blaire sin alterarse, tratando de trasmitirle serenidad a su hija.

—Yo creo que no es razón suficiente para dar a un hijo en adopción —replicó Sam, que daba la impresión de haber madurado de repente ante la perspectiva de ser madre.

—Eso es cierto, Sam —terció Allie, que se sentía obligada a ser honesta consigo misma y con su hermana—. Es natural que no quieras privarte de tu hijo. Eres tú quien ha de tomar la decisión, porque habrás de asumir lo que decidas durante toda tu vida. No seremos nosotros quienes pechemos con las consecuencias, por lo menos no en la misma medida que tú.

—Tu hermana tiene razón, Sam —dijo su padre con la misma sinceridad que Allie—. Pero, dicho esto, estoy de acuerdo con tu madre. Eres demasiado joven para criar a un hijo y cargar con toda la responsabilidad que eso conlleva. Y nosotros... somos demasiado viejos. No sería justo para la criatura que nos hiciésemos nosotros cargo de ella. Lo cierto es que no sería justo ni para ti ni para la criatura. Puedes darle a tu hijo la oportunidad de criarse con un matrimonio adecuado.

Blaire miró a su esposo agradecida. Como de costumbre él decía lo que ella quería decir, sólo que mejor y con más tacto.

—¿Y cómo sabemos que van a ser buenos con él? ¿Y si no lo son? —dijo Sam llorosa.

—Hay abogados que están especializados en adopciones, Sam —dijo Allie—. No se trata de que tengas que dejarlo en un asilo. Muchos matrimonios, acomodados, que viven en casas tan confortables como las nuestras, recurren a los abogados y están dispuestos a pagarles verdaderas fortunas para que les pongan en contacto con personas que estén en tu caso. Y podrás elegir entre muchos candidatos. Estoy convencida de que cuando lo hagas te alegrarás de haberlo hecho. Ya sé que no es una decisión agradable de tomar pero, como dice papá, es seguro que harás muy feliz a un matrimonio. Tengo una amiga especializada en adopciones. Puedo llamarla mañana mismo, si quieres.

Allie ya se había adelantado a la posible decisión de su hermana y había llamado a su amiga aquella misma mañana.

Se hizo un largo silencio. Luego, Sam asintió con la cabeza. No tenía más remedio que claudicar, entre otras cosas, porque confiaba en ellos. Venía a decirle que tenía la obligación de darle a su hijo una oportunidad, y pensaba que quizá tuviesen razón. Lo más duro para ella era que no tenía a nadie más con quien poder consultar; nadie en quien apoyarse. No quería hablarlo con sus amigas del instituto; tampoco tenía novio en aquellos momentos. Sólo tenía a sus padres y a Allie; y los tres coincidían en que debía dar a su hijo en adopción, y era consciente de que querían lo mejor para ella y para su hijo.

Allie le prometió a Samantha llamar a la abogada al día siguiente. Luego, Sam se excusó y fue a acostarse a su dormitorio. Estaba mareada y agotada.

Cuando Sam se hubo retirado a su habitación Blaire se echó a llorar. Allie se acercó a consolarla. Cualquiera que les hubiese visto la cara a los tres habría pensado que estaban de luto. Aquello parecía un funeral.

—Pobre cría —dijo Simon meneando la cabeza contristado—. ¿Cómo ha podido ser tan tonta?

—De buena gana mataría al cabrón que le ha hecho esto —dijo Blaire—. A él... ya pueden echarle un galgo. En Japón... seduciendo a cualquier otra ingenua. Ese hijo de puta le ha destrozado la vida a mi niña.

—No tiene por qué ser así, mamá —dijo Allie, a sabiendas de que sus palabras no iban a servirle de mucho consuelo.

—¿No te das cuenta de que Sam no podrá olvidar nunca esto, Allie? —dijo Blaire—. Nunca podrá olvidar haber tenido un hijo y haber renunciado a él.

No era lo mismo claro, pero Blaire pensaba en Paddy. Veinticinco años después de su muerte, aún lo añoraba. Y lo añoraría mientras alentase. Tampoco Sam olvidaría haber entregado a su primogénito a unos extraños.

—Pero no hay más remedio —reiteró Blaire.

—¿De verdad lo crees así, mamá? —preguntó Allie con cautela. En su fuero interno no estaba muy convencida de que renunciar a su hijo fuese la mejor solución para Sam. Porque, tal como su hermana había dicho, otras chicas de su edad tenían hijos y sobrevivían. Y algunas incluso llegaban ser muy buenas madres.

—Estoy completamente segura, Allie —contestó Blaire—.

Cargar con un hijo no sería más que añadir una estupidez a otra. Y en el mundo actual, con tantas personas decentes que se mueren por adoptar, con tantos problemas de infertilidad, creo que sería un doble error por parte de Sam destrozarse la vida y privar de la felicidad a otras personas. ¿Cómo iba a criar a su hijo? ¿Se lo iba a llevar con ella al colegio mayor? ¿Lo iba a dejar conmigo? ¿Qué iba a hacer yo con una criatura? Ella es demasiado joven y nosotros demasiado viejos.

—Está visto que no lees mucho los periódicos, mamá —dijo Allie, que sonrió tratando de quitarle hierro al asunto—. Muchas mujeres de tu edad tienen hijos; recurren a la implantación de óvulos de donantes, a la fecundación in vitro, y todas las técnicas modernas. Pero el caso es que tienen hijos. De modo que no eres demasiado vieja.

Blaire se estremeció al pensarlo.

—Puede que muchas mujeres lo hagan, pero yo no estoy dispuesta a hacerlo. Ya he tenido cuatro hijos. Y no pienso criar otro a mi edad. Tendré sesenta y cinco años cuando él tenga diez. Acabaría conmigo en cuatro días.

Sonrieron los tres con amargura. Se reafirmaron en la idea de que la mejor solución para todos era dar el niño en adopción. Samantha necesitaba pasar página cuanto antes. Luego podría ingresar en la universidad en otoño y empezar de nuevo. Era una pena que no pudiese seguir en el instituto ni asistir a su graduación. De acuerdo al reglamento académico tendría que continuar como alumna libre. Blaire dijo que iría a hablar con la directora para exponerle discretamente la situación. No era la primera vez que ocurría algo así. Sam era una buena estudiante y, por suerte, el curso estaba casi terminado.

—Llamaré a Suzanne Pearlman mañana. Es la abogada a la que me he referido antes. Fuimos compañeras en la facultad de derecho y nos hemos visto alguna que otra vez. Es una buena profesional y muy meticulosa. Yo siempre le tomaba el pelo por esa especie de fábrica de bebés que dirige. Qué poco imaginaba yo que tendría que recurrir a ella. Le he dejado un mensaje en el contestador. Volveré a llamarla mañana.

—Gracias, Allie —dijo Simon—. Cuanto antes solucionemos esto mejor. Puede que sea una ventaja que esté en tan avanzado estado de gestación. Dentro de cuatro meses podremos olvidarnos del asunto. *Aunque dudo que ella llegue a olvidarlo nunca*, añadió para sí entristecido.

Allie salió de casa de sus padres pasadas las nueve de la noche. Regresó en el coche a Malibú, donde Jeff aguardaba impaciente por saber cómo había ido todo. Estaba muy apenado por Sam y se apenó aun más tras contarle Allie a qué conclusión habían llegado.

—Pobre chica. Debe de estar desesperada. A eso se le llama empezar mal. Yo dejé una vez embarazada a una compañera de facultad —explicó Jeff entristecido al recordarlo quince años después—. Abortó, y fue muy traumático. Era católica, de Boston, y sus padres no sabían nada, por supuesto. Pasó por una grave crisis nerviosa. Tuvimos que acudir los dos al psicólogo y, ni que decir tiene que la relación no sobrevivió y, por poco, nosotros tampoco. Quizá sea mejor la solución que le habéis propuesto a Sam. No creo que la chica de quien te hablo haya llegado a perdonarse nunca por haber abortado.

—Dudo de que esto sea mucho mejor —dijo Allie. Había algo en su interior que le decía que era casi peor o, por lo menos, que ambas soluciones significaban pagar un alto precio por un error. Hiciese lo que hiciese una chica en tales circunstancias lo pagaría caro—. No sabes cuánto lo siento por Sam.

Jeff asintió con la cabeza.

Allie llamó luego a su hermana por teléfono. Sam seguía muy abatida. Le dijo que había tenido náuseas desde que subió a su dormitorio y que ni siquiera había cenado. Allie le recomendó que pensara en ella y tratara de serenarse.

Su madre había dicho que, por la mañana, la llevaría a que la viese su médico, para asegurarse de que estuviese bien. Tenían que afrontar todos los aspectos del problema y, por lo pronto, Sam debía mentalizarse sobre el hecho de que iba a tener un hijo; de que tenía que culminar su gestación, dar a luz y prepararse para renunciar a su hijo. En definitiva, tenía que mentalizarse para hacer lo que todos consideraban que era lo acertado, y lo mejor para ella.

Samantha Steinberg se sentía como si acabara de poner su vida en manos de los demás, pero no quería ser injusta con sus padres y con su hermana expresándolo así. Sabía que, tanto sus padres como Allie, la habían aconsejado con su mejor intención. No podía tener queja de ellos, pues aunque la solución no le gustaba la apoyaban.

Por la mañana a las ocho, Allie llamó a su amiga abogada y quedó en verse con ella a las nueve, antes de que llegase su primera visita.

—¿No irás a decirme que quieres adoptar a un niño? —dijo Suzanne, sorprendida, nada más llegar Allie a su despacho.

Que Suzanne supiera, Allie seguía soltera; a no ser que se hubiese casado en secreto. Nunca se sabía.

—No, me temo que es a la inversa —contestó Allie con deliberada ambigüedad y un dejo humorístico.

Pero no había más que verle la cara para adivinar que la procesión iba por dentro.

Suzanne era una mujer menuda y delgadita, morena y risueña. Era muy eficaz en su profesión. Allie fue derecha al grano.

—Mi hermana Samantha, que tiene diecisiete años, está encinta.

—Oh, Dios, cuánto lo siento —exclamó Suzanne—. Cuánto lo siento. Y es demasiado tarde para abortar, ¿acierto?

—Ya lo creo que es demasiado tarde. No se ha dado cuenta de que estaba embarazada hasta hace una semana ¡y está de cinco meses!

—Pues, la verdad... No es muy normal —dijo Suzanne meneando la cabeza—. Pero, la verdad es que a estas edades suelen tener períodos muy irregulares. No es infrecuente que no reparen en que están encintas hasta que es demasiado tarde. No es el primer caso similar con que me encuentro. Aunque también influye el subconsciente: «¿cómo va a sucederme esto a mí, de buenas a primeras?»

Suzanne suspiró. En su trabajo se entremezclaban siempre la desdicha y la alegría; la desdicha de la madre que renunciaba a un hijo, y la alegría de la pareja que conseguía adoptarlo.

—¿Quiere darlo en adopción? —preguntó Suzanne sin rodeos.

—Creo que, en estos momentos, no sabe lo que quiere, aunque sí comprende que es lo mejor que puede hacer a su edad.

—No necesariamente. He visto quinceañeras convertidas en extraordinarias madres. Y también he visto a mujeres de nuestra edad recurrir a la adopción por reconocer que son incapaces de cuidar de nadie, por puro egoísmo. ¿Qué es lo que de verdad quiere hacer tu hermana? Esa es la cuestión.

—Creo que, por un lado, le gustaría cuidar ella de su hijo. Pero me parece que es un puro instinto. Pero, por otro lado, es consciente de que no está en condiciones de hacerlo. Y, por lo tanto, está dispuesta a renunciar.

—Pero, vamos a ver, Allie: *¿Quiere renunciar?*

—Pues... No creo que ninguna mujer *quiera* renunciar —reconoció Allie.

—Esa es la cuestión —reiteró Suzanne. No cabía duda de que era una profesional responsable que anteponía las consideraciones éticas a su interés—. Algunas mujeres, con independencia de su edad, carecen de instinto maternal; pero es una exigua minoría. Pero también la mayoría, las que sí tienen instinto maternal, adoptan este tipo de decisiones por consideraciones prácticas. Eso es lo más duro. Me gustaría hablar con tu hermana personalmente, para asegurarme de que está realmente decidida a renunciar a la criatura. Siempre procuro evitar que sufra nadie. No quiero ofrecerle un hijo a un matrimonio que lleve diez años intentando tener hijos, se haya decidido al fin a adoptar uno y que, luego, venga tu hermana o cualquier otra en sus circunstancias y cambie de idea en el último momento. Sucede con cierta frecuencia. Es imprevisible saber cómo va a reaccionar una madre al dar a luz y ver a su hijo. Pero en la mayoría de los casos sí es prever ver si la futura madre está de verdad decidida a renunciar a su hijo.

—Creo sinceramente que Samantha está decidida —dijo Allie, convencida de ello.

—¿Por qué no venís las dos para que pueda hablar con ella?

Concertaron una cita para aquella misma semana y Allie llamó a su madre a su despacho. Blaire le dio las gracias a Allie por su diligencia en ocuparse del asunto, y luego le recordó que tenía que empezar a pensar en su boda y en cosas tan concretas como el vestido y las damas de honor.

—Oh, mamá —exclamó Allie—. ¿Cómo puedes pensar en tales cosas en estos momentos?

—Pues porque tenemos que pensarlas. Gracias a Dios, el problema de Samantha habrá quedado solucionado antes de que te cases. Estos cuatro meses van a ser una pesadilla.

Especialmente para Samantha, pensó Allie, que estaba segura de que también su madre debía de entenderlo así. Se notaba que su madre ni siquiera estaba furiosa con su hija menor sino profundamente apenada por ella.

Blaire volvió a plantear el tema de la conveniencia de invitar a su padre a la boda. Allie le reiteró que su decisión era firme y que, tanto si era correcto como si no, no quería invitarlo. No se opondría a que asistiese a la boda, si quería, pero ella no pensaba comunicárselo ni invitarlo. A ambas les pareció una justa solución de compromiso; y Allie le prometió a su madre ir a ver vestidos para elegir uno con tiempo, en cuanto Samantha hablase con Suzanne y le confirmase personalmente su decisión.

Allie y Sam fueron el jueves de aquella misma semana a ver a Suzanne. Blaire habría querido acompañarlas, pero no le fue posible porque tenía una entrevista en televisión. Además, Samantha dijo que prefería ir sólo con Allie.

Suzanne y Samantha enseguida se cayeron bien. Estuvieron hablando a solas durante un rato. Allie aguardó en la sala de espera y aprovechó para hacer llamadas con su móvil. Luego, Suzanne le pidió que volviese a entrar en el despacho.

—Bien, Allie, parece que tu hermana está decidida a dar el paso —dijo Suzanne.

La abogada les explicó a ambas algunas de las condiciones; a lo que se comprometía Samantha y lo que los futuros padres esperaban de ella. Pero también les dijo que Samantha tendría la opción de elegir a qué matrimonio lo concedía, de entre los que Suzanne recomendase. En aquellos momentos Suzanne tenía siete candidatos: uno en Florida, dos en Nueva York y el resto en la propia California. Se trataba de matrimonios con excelentes condiciones para acoger a un hijo, y estaba segura de que los Steinberg opinarían lo mismo.

Pese a todo, Samantha se sentía confusa. Allie lo notó, con la comprensible preocupación. Era un duro golpe emocional. Pero no tenía otra alternativa, por más que le doliese. Parecía resignada, y no hizo más preguntas sobre qué ocurriría si decidía no renunciar.

Cuando hubieron salido del despacho de Suzanne, y ya en el coche, Samantha puso la radio a todo volumen. Las ensordecía. Estaba claro que Samantha no quería oír nada más sobre su tragedia. Estaba al límite de su resistencia emocional.

Como tendría que seguir lo que quedaba de curso como alumna libre no asistiría a clase. Sólo tendría que presentar los trabajos y examinarse aparte, sola en un aula. Eran normas que se le antojaban inútiles. Estaba convencida de que todos acabarían por saber por qué no asistía a las clases. Sólo se lo había contado a dos de sus íntimas amigas, y les había hecho jurar que guardarían el secreto. Sin embargo, ninguna de ellas había ido a visitarla en toda la semana. Tampoco la había llamado nadie, salvo Jimmy Mazzoleri, un chico a quien conocía desde primaria y con el que salía a veces, aunque ahora eran sólo amigos.

Jimmy le había dejado dos mensajes en el contestador pero Samantha no lo había llamado. No tenía ganas de hablar con nadie.

Al llegar a casa con el coche lo vieron bajar del porche. Había ido a ver si estaba, y ya se marchaba cuando Allie detuvo el coche.

—Te he estado llamando toda la semana —se quejó él—. Tienes mi libro de ciencias y me han dicho que no ibas a volver al instituto.

A Allie se le partía el corazón al ver lo inocentes que eran a esa edad. Era una pena que su hermana tuviese que pasar por lo que le esperaba. Al alejarse con el coche pensó que le recordaban a Alan y a ella a su edad. Se palpaban tan buenas vibraciones entre ellos como las que hicieron posible que ella y Alan conservasen su amistad durante dieciséis años.

Sin embargo, en apariencia, la reacción de Samantha fue muy fría.

—Pensaba enviarte el libro —se justificó Samantha algo violenta. Temió que su estado hubiese trascendido. Jimmy era un buen chico, y lo apreciaba, pero no tenía la menor intención de decirle que estaba encinta.

—¿Y pues?

—Es que aún no he fotocopiado la sección que necesito —se justificó ella caminando lentamente hacia la casa.

—No me refiero al libro. Me refiero a que por qué no vas a asistir a clase durante el resto del curso.

Samantha tragó saliva pero enseguida dio con una buena excusa.

—Problemas familiares. Mis padres van a divorciarse —contestó. Le parecía una excusa perfecta—. Y estoy muy deprimida. He de medicarme. Estoy tomando Prozac. Mi madre teme que haga alguna barbaridad en el instituto.

Nada más decirlo Samantha comprendió que había ido demasiado lejos. Pero, iba a dar igual, porque no había colado. Jimmy le sonreía de un modo que no dejaba lugar a dudas: No la creía.

—¡Anda ya! No me vengas con rollos. No tienes por qué darme ninguna explicación.

Estaba claro que todo el mundo lo sabía o, por lo menos, lo suponía. Prácticamente, la única razón de que una chica dejase el curso a medias era un embarazo o un problema de drogadicción.

Y Samantha jamás había probado las drogas. Pero Jimmy no le dijo lo que sospechaba, aparte de que la verdad era que a Samantha no se le notaba en absoluto que estuviese embarazada. De modo que, a lo mejor, el rumor era eso: un rumor. Puede que lo de sus padres fuese mentira pero acaso tuviera algún otro problema grave. Jimmy sólo quería asegurarse de que no estuviese enferma. En segundo curso había muerto una compañera, y Jimmy se asustó al enterarse de que Samantha no iba a volver en todo lo que quedaba de curso. Así empezó lo de María y luego... resultó que tenía leucemia y murió.

—¿No estarás enferma? —le preguntó Jimmy, porque eso era realmente lo único que le interesaba saber. Llevaba cierto tiempo saliendo con otra chica pero siempre había tenido debilidad por Samantha, y ella lo sabía.

—No, hombre, no —le aseguró ella. Pero la tristeza que la embargaba afloró a sus ojos.

—Bueno... sea lo que sea, confío en que no sea nada malo. ¿Irás a la universidad en otoño?, ¿o tampoco? —preguntó Jimmy, que tenía plaza en el mismo colegio mayor.

—Sí —contestó ella.

Jimmy sintió un gran alivio, porque lo ilusionaba la idea de seguir estudiando juntos.

—Ven, entremos, que te daré el libro —lo invitó ella.

Jimmy la siguió al interior de la casa y aguardó en la cocina mientras ella subía a por el libro.

Aún no habían desmantelado la cocina y Simon seguía rogándole a Blaire que la dejase como estaba. Puede que, dadas las circunstancias, ahora le hiciese caso.

Samantha bajó con el libro al cabo de cinco minutos y, al dárselo, Jimmy le retuvo la mano. Ella lo miró y se ruborizó. Se sentía muy vulnerable, sin saber por qué. No se le ocurría pensar que se debía a su estado.

—Bueno, Sam... si necesitas algo no tienes más que llamarme, ¿de acuerdo? Si algún rato te apetece, podríamos salir a dar un paseo o a tomar algo. A veces, los problemas nos parecen menos importantes si lo hablamos con alguien —le dijo Jimmy en tono amable.

—De acuerdo —dijo ella.

Jimmy tenía ya casi dieciocho años y era muy maduro para su edad. Su padre había muerto hacía dos años y él ayudaba a su madre a educar a sus tres hermanas pequeñas. Era un chico responsable y muy cariñoso.

—De verdad, Jimmy, no tengo ningún problema especial que contarte —mintió Samantha, que miró al suelo pero enseguida alzó la vista y se encogió de hombros.

Le habría resultado demasiado duro decir nada más, y él pareció comprenderlo así. Posó la mano en su hombro y se despidió.

Samantha se asomó a la ventana de la cocina y lo siguió con la mirada hasta su Volvo.

La familia de Jimmy vivía en Beverly Hills. Eran personas acomodadas y respetables, aunque no tenían mucho dinero. Vivían bien gracias al dinero del seguro y a lo poco que les dejó su padre. Jimmy trabajaba los fines de semana y podría estudiar en la universidad de Los Ángeles gracias a una beca. Quería ser abogado como su padre. Samantha estaba segura de que lo conseguiría, entre otras cosas porque Jimmy no sólo era inteligente sino que tenía mucha voluntad y determinación.

Cuando Jimmy se hubo alejado, Samantha se sentó en una silla de la cocina, abstraída. Tenía mucho en qué pensar; cosas muy importantes que decidir. Suzanne Pearlman le había explicado con todo detalle cómo funcionaba el mecanismo de la adopción. Tendría que elegir quienes iban a ser los padres de su hijo. Parecía sencillo.

Le parecía sencillo a todo el mundo menos a Samantha.

15

A lo largo de las dos semanas siguientes las cosas se encauzaron satisfactoriamente, dentro de lo que cabía. El médico de Blaire había reconocido a Samantha, que estaba en perfecto estado de salud; el bebé se desarrollaba con normalidad y parecía saludable.

De acuerdo a lo previsto, Samantha continuó estudiando como alumna libre para acabar el curso y poder graduarse. Seguía estando triste pero algo más rehecha. Había vuelto a ver a Suzanne un par de veces y ya habían reducido la lista de siete candidatos a cuatro; y, en los próximos dos meses, tendría que tomar una decisión definitiva. Suzanne le proporcionaba toda la información de que disponía, pero no quería apremiarla. Quería que Samantha eligiese con la mayor tranquilidad posible.

Allie trataba de adelantar trabajo, al objeto de poder ir a Nueva York un fin de semana con Jeff para conocer a su madre. No era una perspectiva que le sedujese, porque habían hablado por teléfono y la señora Hamilton la había abrumado a preguntas en un tono muy impertinente, como si la entrevistase para un puesto de trabajo y no la considerase la candidata idónea. Allie se lo tomó casi a broma, aunque lo cierto era que resultaba un poco insultante. Pero no le hizo ningún comentario a Jeff en este sentido.

Por otra parte, Allie tenía que atar todos los cabos para la gira de Bram Morrison, que empezaba el lunes en San Francisco. Allie quería asistir por lo menos a su primera actuación. La gira seguiría una especie de zigzag por todo el país durante varios meses, con una actuación el 4 de julio en el Great Western Forum de Ingleside, cerca de Los Ángeles. Después volarían a Japón y seguirían dando casi una vuelta al mundo para terminar en Europa. Allie le había prometido desplazarse a algunas de las ciudades de su gira, si podía.

Para Bram Morrison el conjunto de la gira iba a representar unos ingresos de cien millones de dólares, un fortunón, como dijo Jeff. Todo parecía estar bien encarrilado en vísperas del viaje de Allie y Jeff a Nueva York. Allie había ultimado todos los detalles relativos al personal que necesitaba Bram; al itinerario y a las medidas de seguridad.

Pero, de pronto, todo se vino abajo. La madrugada del mismo día en que Allie y Jeff debían volar a Nueva York sonó el teléfono. Allie estuvo a punto de no contestar, al recordar las reconvenciones de Jeff. Pero contestó.

Allie se quedó blanca al oír lo que Morrison le decía: Su batería se había suicidado, o había muerto accidentalmente por sobredosis de heroína. Un desastre. La policía había detenido a su novia y no tendrían más remedio que suspender la gira hasta que encontrasen otro batería de parecido nivel.

Allie estuvo más de una hora hablando por teléfono con Bram, que acababa de regresar del depósito de cadáveres. El batería era un amigo suyo de toda la vida.

Bram estaba hundido, y los promotores desesperados. Allie empezó a recibir sus llamadas nada más colgar. El teléfono estuvo sonando hasta las seis. Cuando se sentaron a desayunar, Jeff estaba exasperado. No había podido pegar ojo y tenía importantes reuniones por la mañana.

—Lo siento —se disculpó Allie mientras le servía el café.

Allie había improvisado una nota para la prensa, y la dictó por teléfono a una agencia. La noticia ya estaba en la primera página de los periódicos de Los Ángeles.

—Lamento la noche que te he dado —añadió Allie—. Pero ha sido terrible para todos, Jeff.

—Tenías que haber sido policía, conductora de ambulancia o algo así —dijo él con una amarga sonrisa—. Debes de ser de hierro para aguantar esto, pero yo no lo soy. Soy de los que necesita dormir, por lo menos dar una cabezada entre llamada y llamada.

—Ya lo sé. Lo siento —reiteró ella—. No he podido evitarlo. La gira de Bram está a punto de irse a pique. He de ver qué puedo hacer.

Allie no había parado de darle vueltas desde que Bram le había comunicado la noticia. Morrison conocía a varios baterías que podían ocupar el puesto, pero no podía hacer la sustitución de la noche a la mañana, entre otras cosas porque la mayoría de ellos tenían otros compromisos.

—No olvides que el vuelo sale a las seis —dijo Jeff.

—Ya lo sé —dijo ella abrumada al pensar lo que se le venía encima.

Allie salió de casa para ir a su despacho media hora después. Estuvo toda la mañana sin darse un respiro. Bram fue a verla a primera hora de la tarde y trataron juntos de reorganizar la gira. Allie miró el reloj angustiada. Eran las cuatro. Estaba entre la espada y la pared. No podía dejar a Bram solo en aquellas circunstancias. Pero tenía que marcharse si no quería perder el avión. Había quedado con Jeff en encontrarse en el aeropuerto. Lo llamó a casa, pero ya había salido. Y Jeff no tenía móvil. Decía que aquellos aparatos lo ponían nervioso. De modo que lo único que podía hacer era telefonear a la terminal para que lo llamasen por el sistema de megafonía.

Jeff recibió el mensaje a las cinco, que era cuando tenían que haber facturado el equipaje y recogido las tarjetas de embarque; y, a las cinco y cuarto, Jeff la llamó al despacho. Alice le pasó la llamada a Allie.

—¿Dónde estás? —le preguntó él en tono crispado—. ¿Qué puñeta pasa?

—Los promotores amenazan con hacernos pagar todos los gastos de la gira si se cancela. Aducen que es un incumplimiento de contrato y, de momento, no hemos conseguido otro batería. No sé cómo decírtelo, Jeff... pero no puedo dejar a Bram en la estacada en estos momentos. La gira empieza el lunes.

Allie había pensado volar a San Francisco el lunes para verlo actuar en el Oakland Coliseum. Pero ahora, si Dios no lo remediaba, no habría actuación en San Francisco ni en ninguna parte.

—¿Y no es su agente quien debería solucionar el problema?

—Y lo hará, si puede. Pero yo soy el nexo entre Bram y el agente y me necesitarán para la redacción de los nuevos contratos.

—¿Y no los puedes enviar por fax desde Nueva York?

Ojalá pudiese decirle que sí, pensó Allie. Se maldecía por tener que darle semejante disgusto, pero tenía que asumir las responsabilidades de su profesión. Cobraba importantes minutas, y debía estar a las duras y a las maduras. Tenía que decirle la verdad a Jeff, por más que se enfadase por el desaire que, involuntariamente, iban a hacerle a su madre.

—No tengo más remedio que quedarme aquí —dijo Allie.

—Me hago cargo —dijo Jeff sin alterarse. Pero su tono era glacial.

Se hizo un embarazoso silencio.

—¿Qué vas a hacer ahora? —preguntó ella, que tragó saliva al pensar que Jeff podía hartarse de que su profesión se interpusiera en sus relaciones y lo mandase todo a rodar. Podía perder a Jeff por cosas así—. ¿Vas a ir a Nueva York de todas maneras? —añadió nerviosa.

—El único motivo del viaje era presentarte a mi madre, Allie —contestó él—. Yo ya la conozco de sobras —añadió en tono irónico.

—Lo siento, Jeff —volvió a excusarse Allie. Le dolía en el alma dejarlo plantado, con un pie en el avión, como quien dice—. He intentado localizarte en casa, pero ya habías salido. ¿Quieres que llame a tu madre y se lo explique?

—Ya la llamaré yo. ¡Menuda es! Tendré que contarle un cuento de miedo: que ha muerto un familiar próximo, que hemos sufrido una intoxicación por comida en mal estado. Mi madre no entendería nunca que le demos plantón por la gira de un roquero.

—No sabes cuánto lo siento, Jeff.

—Lo sé, Allie. No puedes hacer otra cosa. Pero cenar conmigo, sí, ¿verdad?

—Eres un cielo —dijo ella, agradecida por su comprensión. Estaba claro que no era fácil encontrar hombres así.

—De verdad me hago cargo, Allie. No es culpa tuya. Pero sí es un poco irritante que, una y otra vez, veamos trastocados nuestros planes por la conveniencia de los demás. Puede que cuando estemos casados te replantees un poco estás cosas. En esta ocasión, incluso a mí me parece justificado que tengamos que alterar nuestros planes. Pero en la mayoría de las ocasiones tus clientes te toman por su niñera. Dejan todas las decisiones en tus manos.

—Para eso me pagan.

—Yo creía que era sólo por tu asesoramiento jurídico.

—Sí, eso es lo que nos aseguran en la facultad, pero la realidad es muy distinta, como ocurre con casi todo lo que te enseñan

—dijo ella—. Y... es verdad: Somos como niñeras —añadió risueña, y aliviada por la buena actitud de Jeff.

—Bueno... no te preocupes. Lo importante es que te quiero, aunque estés un poco loca. Salgo ahora mismo, te recogeré en el despacho e iremos a cenar. Y si Morrison no puede prescindir de ti un par de horas le retorceré el cuello. Ya se lo puedes decir así.

—Prometido. Que le retorcerás el cuello.

¿Más problemas? —preguntó Bram Morrison cuando Allie hubo colgado.

Pero no había más que verle la cara a Allie para comprender que la conversación había transcurrido mucho mejor de lo que ella esperaba. Incluso había llegado a temer que Jeff la mandase a hacer puñetas.

—No, al contrario —contestó Allie sonriente—. Tenía que ir a Nueva York a conocer a mi futura suegra y he tenido que posponerlo. Jeff ya estaba en el aeropuerto. Pero ha sido muy comprensivo. Aunque... me ha dicho que te retorcerá el cuello si no me dejas un par de horas libres. Viene de camino.

—Lo siento... por mi cuello —bromeó Bram tratando de aliviar la tensión.

Morrison era siempre amable y un trabajador incansable. Como la mayoría de los músicos que Allie conocía había tomado drogas en su juventud pero, a diferencia de muchos de ellos, hacía años que lo había dejado. En la actualidad todo su mundo se circunscribía a la familia y a la música. Además, no era de los que la agobiaba. Sólo recurría a ella cuando realmente era necesario. Con todo, una estrella de su nivel tenía a menudo problemas importantes que resolver. Y, algunos, como las amenazas a sus hijos y la muerte del batería, muy ajenos al desarrollo normal de su profesión.

Bram llevaba el pelo largo, barba y unas gafas pequeñas de montura metálica. Se le había iluminado la cara tras hacer una llamada. Un amigo le había localizado a un batería muy bueno que quizá pudiera unirse a su banda de inmediato. Eso podía cambiarlo todo.

Jeff llegó a las siete y, en atención a la integridad física de Bram, Allie decidió interrumpir el trabajo un par de horas. De todas maneras, Bram tenía que hacer varias llamadas para tratar de concretar lo del batería y le dijo a Allie que quizá no hiciese falta que volvieran a verse aquella noche. Quedaron en verse allí mismo de nuevo a las nueve de la mañana.

Allie y Jeff fueron a cenar al Pan e Vino. Ella estaba demacrada y exhausta, pero Jeff no tenía mucho mejor aspecto. Su madre se había enfurecido al comunicarle él que posponía el viaje. Había reservado mesa para cenar los tres el sábado en el Twenty-One. Y la señora Hamilton era de la clase de personas que detestan cambiar de planes.

—¿Qué te ha dicho? —preguntó Allie nerviosa, convencida de que la señora Hamilton la iba a odiar de por vida.

—Pues que anule la boda —contestó él muy serio.

Allie se quedó lívida.

—No, mujer, no —la tranquilizó él—. Bromeaba. Pero sí me ha dicho que no se puede confiar en nadie de nuestra generación; que lamenta mucho que tu tía-abuela haya muerto, pero que podías haber ido a Nueva York aunque sólo fuese un día, para conocerla. Yo le he explicado que estás muy afectada y que el entierro es mañana. Me parece que no se lo ha tragado, pero ¿qué iba a decir?, ¿que le enseñase el cadáver o le enviase la esquela? En fin... He llamado a una de esas floristerías que tienen servicio internacional para que, por la mañana, reciba un ramo de flores en nombre de los dos, a modo de desagravio.

—La verdad es que no te merezco —dijo Allie de corazón.

—Eso mismo ha dicho ella —bromeó él—. Pero le he asegurado que sí. Y le he prometido que iremos el fin de semana del día de los Caídos. Le hace mucha ilusión, porque es el día que abre la casa de Southampton. De modo que, entonces, tendremos que ir, aunque se hunda el mundo.

—¿Y tu película?

—No rodaremos ese fin de semana —contestó Jeff.

Empezaban el rodaje dentro de tres días, y esa era la razón de que hubiesen proyectado ir a Nueva York aquel fin de semana.

Al final todo resultó bastante bien, porque Allie pudo trabajar aquellos tres días con Bram. El domingo por la noche el batería estaba contratado, la gira reorganizada y los promotores satisfechos. Como de costumbre, Allie lo había gestionado todo perfectamente y Bram estaba encantado. Misión cumplida.

Aquel mismo domingo, por la noche, después de pasear por la playa de Malibú y contemplar una maravillosa puesta de sol, Jeff le dio una sorpresa durante la cena. Había pensado dársela en

Nueva York. Pero, aún faltaba un mes para la nueva fecha del viaje y estaba impaciente.

—Toma —dijo él tendiéndole una cajita forrada de ante negro.

Allie la miró con contenida emoción. Le temblaban las manos al levantar la tapa. Cuando vio lo que era se quedó sin aliento. Era un precioso anillo antiguo, una esmeralda rodeaba de brillantes engastada en platino.

—Oh, Jeff, ¡es precioso!

A Allie se le saltaron las lágrimas de alegría. No era un corriente anillo de compromiso, era algo especial, una verdadera joya.

—Había pensado ir contigo para elegir el anillo de compromiso, pero un día vi este, que es casi idéntico a uno que tenía mi abuela. Lo he comprado en David Webb. Pero, si no te gusta, lo devolveremos y lo cambiaremos por otro que te guste más.

Jeff se lo dijo sin dejar de sonreír. Allie lo besó en los labios con dulzura.

—Es una verdadera maravilla. Pero no merezco tanto. Te quiero mucho.

—¿De verdad te gusta?

—Me encanta.

Jeff se lo puso delicadamente en el dedo anular de la mano derecha. Le ajustaba como si se lo hubiese hecho a medida. Allie estaba exultante. No podía dejar de mirar aquel hermoso símbolo de su compromiso. Le sentaba muy bien a su mano y, como se veía que se trataba de una joya antigua, a pesar del tamaño no resultaba ostentoso sino muy elegante.

Estuvieron charlando un rato; acerca de sus respectivas familias, de sus proyectos y de su boda. El tiempo pasaba volando. Estaban ya a primeros de mayo, lo que significaba que sólo faltaban cuatro meses para su enlace. Allie tenía aún miles de cosas que hacer y su madre la llamaba de continuo, apremiándola. Quería que contratase a una empresa especializada, para que se hiciese cargo de los detalles más engorrosos, pero a Allie le parecía ridículo. Aunque lo cierto era que ni ella ni su madre tenían tiempo para organizarlo todo. Blaire estaba más ocupada que nunca con su serie, y Allie no tenía un momento de respiro con sus clientes.

Se acostaron temprano porque Jeff tenía que estar en los estudios a primera hora de la mañana. Aunque la responsabilidad principal era del director, Jeff quería estar presente desde el primer momento para que no se apartasen demasiado de su guión. Además, tanto él como Tony tenían que estar allí por si surgía cualquier problema.

A las diez ya dormían. Pero, de nuevo, el teléfono los sobresaltó en pleno sueño. Era medianoche y Allie tardó unos momentos en reparar en que le hablaban en francés.

—*Mademoiselle Steinberg, on vous appelle de la Suisse, de la part de madame Alan Carr.*

No entendió nada; sólo el apellido. Pensó que debían de llamar a cobro revertido, aunque era raro.

—Sí, acepto la llamada —se aventuró Allie a decir.

Jeff se despertó sobresaltado. La miró de reojo y, al ver que hablaba por teléfono, volvió a cerrar los ojos resignado.

—Diga.

Pero no contestaba nadie. Quizá se hubiese cortado la comunicación. Aguardó impaciente y, al cabo de unos momentos, oyó la voz de Carmen Connors.

—Ah... ¡hola Carmen! ¿Qué tal va todo?

La diferencia horaria era de nueve horas. De modo que para Carmen eran las nueve de la mañana. Pero, aunque Carmen fuese consciente de que en Los Ángeles era medianoche, debía de parecerle temprano, pues estaba acostumbrada a llamarla de madrugada por cualquier nadería. Con todo, Allie temió que le hubiese ocurrido algo a Alan.

Como Carmen no contestó enseguida, Allie empezó a ponerse nerviosa. Jeff tenía los ojos cerrados pero seguía despierto. Se incorporó al intuir que algo ocurría.

—Estoy en el hospital —dijo al fin Carmen.

—¿Cómo? —exclamó Allie.

—He abortado —contestó Carmen que, llorosa y con la voz entrecortada, le explicó lo ocurrido; que, de repente, había tenido fuertes dolores y una hemorragia y habían tenido que llevarla a Urgencias.

Allie tardó media hora en lograr serenarla. Pero fue a hablar desde el supletorio del salón para no molestar más a Jeff que ni siquiera intentó volver a dormirse.

Por lo visto, la causa del aborto había sido una desgraciada caída en el lugar del rodaje que, sin embargo, no había tenido más consecuencias para ella. Alan estaba muy afectado, le dijo Carmen, que añadió que no quería regresar sin él.

Allie sintió un estremecimiento, porque tanto Alan como Carmen tenían contratos que cumplir.

—Bueno, Carmen, escúchame —dijo Allie tratando de no perder la calma—. Ya sé que es algo terrible. Pero volverás a quedarte encinta. Y Alan no tiene más remedio que terminar la película. Si lo presionas para que regrese contigo, no volverán a ofrecerle un contrato en la vida. No lo olvides. Además tú has de empezar los ensayos aquí el día quince.

—Ya lo sé, pero es que me siento fatal. Y no quiero dejar a Alan aquí.

Carmen lloraba a lágrima viva y a Allie le costó Dios y ayuda serenarla antes de despedirse.

Era una verdadera ironía del destino, pensó Allie cuando hubieron colgado. Carmen anhelaba ser madre y acababa de abortar; y Samantha iba a destrozar su vida por no poder abortar. Aunque consciente de que era una idea un tanto frívola, pensó que acaso su hermana podía «pasarle» su hijo a Carmen. Parecía una broma cruel y sarcástica.

Al volver al dormitorio, Jeff seguía despierto. No estaba precisamente muy contento.

—Carmen ha abortado —dijo Allie al meterse de nuevo en la cama.

—Lo he supuesto por lo que decía. Pero, a este paso, terminaré por abortar yo también. No puedo vivir permanentemente en la sala de Urgencias...: suicidas, abortos, sobredosis, divorcios, giras... ¡por el amor de Dios, Allie! ¿Eres abogada o psiquiatra?

—Buena pregunta —dijo ella de buen talante—. Lo sé... Jeff, tienes más razón que un santo. Seguramente, con los nervios, Carmen no ha reparado en la diferencia horaria.

—¡Cómo si le importase a ella mucho! Está harta de llamarte de madrugada. Pero, yo, Allie... *yo* necesito dormir. Yo también tengo mi profesión y he de cumplir con ella. De modo que vas a tener que decirles a tus clientes que dejen de llamar a estas horas.

—Ya lo sé. Jeff... Perdona, lo siento. Te prometo que no volverá a suceder.

—Mentirosilla —dijo él. Era incapaz de enfadarse mucho con ella. La atrajo hacia sí hasta notar su cuerpo desnudo—. Me vas a matar de sueño si no cortas esto por lo sano.

—Lo haré. Te lo prometo —reiteró ella.

Pero ambos sabían que era una falsa promesa. Porque Allie

no podía hacerlo. Aparte de que iba contra su temperamento, los problemas que podían requerir la intervención de un abogado no tenían horario.

Jeff tuvo que levantarse sin apenas haber pegado ojo. Se levantó tan aturdido como si lo acabasen de golpear. Allie le preparó café antes de que se marchase, volvió a la cama y llamó a Carmen al número que le había dado. Pero se puso Alan, que estaba muy nervioso y contristado por lo que le había ocurrido a Carmen y haber perdido a su hijo.

—Lo siento mucho, Alan —dijo Allie.

Alan le dio las gracias y fue con el móvil al cuarto de baño. Le explicó a Allie que Carmen estaba muy mal, sumida en una depresión preocupante.

—Cuida mucho de ella cuando regrese —le rogó Alan.

—Lo haré. Te lo prometo. Pero a ti no se te ocurra moverte de ahí hasta que termines la película.

—No te preocupes —contestó él—. He tratado de hacérselo comprender a Carmen. Pero es inútil. Está empeñada en que regrese con ella.

—¡Te mato como dejes plantado el rodaje! ¡Ni se te ocurra! —exclamó Allie.

—Tranquila. Pero prométeme que vas a cuidar de ella en cuanto ponga los pies en Los Ángeles, pasado mañana —insistió él.

—Sabes perfectamente que lo haré —le dijo Allie, que se despidió de él irritada. ¿Cuidar de Carmen? ¡Cómo si no lo hubiese hecho desde que apareció por su bufete!

Parecía mentira que se les hubiese complicado tanto la vida a todos: Carmen, Alan, Bram, Jeff y ella misma. Claro que ninguno de ellos había elegido profesiones fáciles. Y, sin embargo, pese a tantos problemas, todos ellos adoraban su profesión, como comprobaría por enésima vez aquella misma noche.

Bram Morrison envió su avión particular para que recogiese a Allie en Los Ángeles y la llevase a San Francisco. Nada más llegar fue al Oakland Coliseum y estaba ahora entre bastidores, helada de frío. En el enorme pabellón no cabía un alfiler. El público enloqueció al aparecer Bram en el escenario y prorrumpió en incesantes aclamaciones cuando Bram presentó al nuevo batería. Pero enseguida se pidió un minuto de silencio, en homenaje al fallecido batería, y la banda le dedicó la primera canción.

El concierto entusiasmó a los espectadores que, tras las «propinas» de rigor, prorrumpió en aclamaciones. Era impresionante ver y oír a veinte mil fans que, con sus encendedores y las velitas que regalaban en la entrada, formaron un ejército de luciérnagas.

Allie no había visto jamás nada parecido.

Tras la última «propina», Bram Morrison salió del escenario bañado en sudor y abrazó a su esposa, que lo esperaba exultante de satisfacción.

—¡Has estado extraordinario! —lo felicitó Allie.

Bram les sonrió a las dos y les dio un beso de agradecimiento. El público seguía aplaudiendo. Se resistía a abandonar el pabellón.

—Si no es por ti, no hubiese habido concierto, ni gira —dijo él.

Le habían organizado una fiesta a Bram pero Allie no podía quedarse. Debía regresar enseguida a Los Ángeles.

Allie llegó a la casa de Malibú a las tres de la madrugada, poco antes de que Jeff tuviese que levantarse para estar en los estudios a las cinco. De modo que, en lugar de acostarse, Allie preparó el desayuno. Nada más sonar el despertador, llevó una taza de café a Jeff a la cama.

Jeff la miró adormilado y le sonrió.

—¡Esto sí que es un buen despertar! —exclamó—. ¿Qué tal ha ido el concierto?

—Formidable —contestó ella, que se inclinó hacia él y lo besó—. Bram ha estado como nunca. Está en plena forma para la gira. Si no llega a encontrar el batería a tiempo habría sido un desastre —añadió dejándose caer en la cama, exhausta.

—Sí, pero algo has hecho tú también, ¿no crees? —dijo Jeff, admirado de ver lo guapa que estaba pese al cansancio.

—¿Y a ti qué tal te ha ido? —preguntó Allie, que tuvo que dominarse para no bostezar.

—Impresiona pero... apasiona —reconoció Jeff—. Produce una extraña sensación ver las propias palabras convertidas en imágenes. Sobre todo porque yo no tengo experiencia. Pero Tony sí la tiene y creo que todo saldrá estupendamente —añadió sonriente. Tony llevaba diez años trabajando en la producción de películas, había ganado cuatro premios por sendos cortos, y dos de sus películas largas le habían proporcionado mucho prestigio—. Acércate a los estudios cuando puedas. Aunque ya imagino que debe de ser difícil que encuentres un hueco.

Jeff no se equivocaba. Por lo pronto, entre el trabajo de uno y otro, habían estado veinticuatro horas sin verse. Sólo podría dar una cabezada antes de tener que levantarse para ir a esperar a Carmen al aeropuerto.

Pese a lo mucho que Allie conocía a Carmen, no esperaba verla en el estado en que la vio al asomar la joven actriz por la puerta de llegadas internacionales de la terminal. Estaba hundida. Perder al hijo que esperaba con tanta ilusión la había sumido en una fuerte depresión. Temía no volver a quedarse embarazada. Era tal su desconsuelo que Allie temió que, al verse sin Alan, se desesperase y cometiese una barbaridad.

Allie tuvo que recurrir a todo su tacto para convencerla de que tenía que sobreponerse, ser fuerte y estar en condiciones para los ensayos de rodaje.

Durante la semana siguiente, Allie tuvo que hacerle de niñera. Sólo pudo permitirse breves escapadas para ver a Jeff todos los días en los estudios unos minutos. Le consolaba pensar que la película se encarrilaba bien, mejor que los ensayos de rodaje para la película de Carmen a finales de aquella semana. Por suerte, Bram Morrison ya estaba en la carretera con su caravana y, de no surgir algún imprevisto, no la iba a necesitar.

Pero subsistían muchos problemas. El primer fin de semana después de empezar el rodaje, Jeff tuvo que rehacer partes del guión porque a dos de los actores no les gustaban los diálogos. Tuvo que encerrarse con Tony día y noche y apenas pudo ver a Allie.

Jeff se enfurecía porque, de nuevo, tendría que posponer la visita a su madre, y en esta ocasión no podía culpar a nadie. Todo lo que pudo hacer Jeff fue prometer que iría a Nueva York... en cuanto pudiese, con el consiguiente disgusto de la señora Hamilton, a quien no hizo ninguna gracia que su hijo antepusiera un rodaje a visitarla.

Cuando Carmen Connors empezó el rodaje de su película el primero de junio, Allie estaba tan abrumada de trabajo, y tan agotada, que temía sumirse en una depresión nerviosa de un momento a otro. Carmen la llamaba continuamente. Se quejaba por cualquier nadería, lloraba y amenazaba con dejar el cine si no podía estar con Alan.

Allie perdió tres kilos en la primera semana de rodaje de la película de Carmen. Además, aunque la gira de Bram se desarrollaba satisfactoriamente, recibía continuos mensajes sobre detalles rutinarios de los que, sin embargo, no podía desentenderse. Desde hacía unas semanas, cualquiera hubiese dicho que había roto con Jeff, porque durante el día apenas se veían. No coincidían en casa más que cuando uno de los dos estaba durmiendo.

Al cumplirse el séptimo mes de gestación, Samantha se había rehecho anímicamente. Veía con frecuencia a Suzanne Pearlman y también a Jimmy Mazzoleri, porque siempre que Allie iba a verla a casa lo encontraba allí. Iba a hacerle compañía o a ayudarla en los trabajos de curso.

Samantha había terminado por confesarle a Jimmy que estaba encinta. Se había llevado la agradable sorpresa de comprobar que él se mostraba aun más solícito con ella que antes. A Allie no le daba la impresión de que hubiese surgido un romance entre ellos. Pero estaba claro que Jimmy se interesaba mucho por su hermana que, ya de siete meses, llevaba ropa de embarazada. A veces, Jimmy le pedía que le dejase poner la mano en su abultado vientre para notar cómo se movía el bebé. Además de ayudarla en los trabajos, la llevaba en el coche a dar cortos paseos o a almorzar a algún restaurante cercano.

Aunque procuraba no hurgar en la herida, Jimmy estaba muy apenado por ella. Creía que Samantha no merecía haber tenido la mala suerte de quedarse embarazada de alguien que, aunque ella no le hubiese dado explicaciones, era obvio que se desentendía de su estado.

Samantha le había hablado de los matrimonios que aspiraban a adoptar a la criatura. De momento, ella se inclinaba por los Whitman, un matrimonio de Santa Bárbara. Él tenía treinta y ocho años y ella treinta y siete. Les encantaban los niños. La esposa se parecía un poco a Allie y también era abogada. Su esposo era médico. Tenían excelentes condiciones para ser padres adoptivos y, además, su posición económica era muy holgada. Samantha no quería que su hijo fuese a parar a una familia en la que tuviera que vivir con estrecheces, y se viese privado de una buena formación. Por lo visto, el matrimonio de Santa Bárbara se proponía adoptar más hijos aparte del suyo. Ella se llamaba Katherine y él John.

Blaire repartía su tiempo entre la televisión, la atención a Samantha y a los preparativos para la boda de Allie, que había encargado las invitaciones a Cartier y se había probado vestidos en Saks, I. Magnin y Neiman's, pero no acababa de gustarle ninguno. Como Blaire temía que, al final, se les echase la fecha encima y quedasen demasiadas cosas por hacer, sin consultar a Allie contrató a la agencia Delilah Williams.

—¿Quién puñeta es Delilah Williams? —preguntó Allie, que no sabía si enfadarse o echarse a reír.

—La directora y propietaria de una agencia que hace maravillas. Me lo han asegurado. Se ocupan de todos los preparativos de boda. Le he dicho que te llame al despacho.

Tres días después, sin que la anunciada llamada se hubiese producido, Delilah Williams se presentó en el despacho de Allie que, hacía unos momentos, acababa de hablar con Jeff por teléfono y habían bromeado sobre la ocurrencia que había tenido su madre.

—Por lo visto, si hace falta, hasta ponen el novio. Así que no me plantes —le había dicho Allie.

La moderna maestra de ceremonias se presentó pertrechada con álbumes, listas y vídeos. Y apenas dejó hablar a Allie, que no se atrevía a llevarle la contraria, porque le imponía. Medía más de metro ochenta y tenía tal pinta de marimacho que llegó a sospechar que era un travesti. Llevaba un anticuado traje sastre color malva, un sombrero de ala ancha que no se había quitado, bisutería por todas partes, y el pelo rubio teñido. Un cromo, vaya.

—Bueno, querida, recapitulemos —dijo Delilah dándole unos toquecitos en la mano a Allie, que la miraba con cara de estupefacción.

Por lo pronto, no comprendía que su madre hubiese tenido la peregrina idea de contratar a semejante esperpento. La única explicación que se le ocurría era que desesperase de que todo estuviese a punto para la boda. Y en cierto modo no le extrañaba que se inquietase al ver que, entre unas cosas y otras, Allie tenía que ocuparse de todos menos de ella.

—Tiene usted que elegir a sus damas de honor; elegir sus vestidos, y el que haya de llevar usted, por supuesto. Ha de elegir los zapatos (no hay que olvidar los zapatos). Hemos de pensar en el pastel, en las flores, el menú, la orquesta (no podemos olvidar la orquesta), las fotografías, el vídeo. Y ha de decidir si va a llevar velo largo o corto.

La tal Delilah le soltó la retahíla casi sin respirar. Y la dejó a ella sin respiración, horrorizada. Cada vez con más insistencia sonaban en su cabeza las dos palabritas del celebérrimo topónimo: *Las Vegas*. ¿En qué puñeta debía de estar pensado cuando se le ocurrió celebrar la boda en casa, con un ejército de invitados?

—Vendré a verla otra vez de hoy en ocho —le dijo en tono autoritario Delilah, que desdobló su cuerpo hacia las alturas y se inclinó hacia ella—. Y ha de prometerme que hará los deberes, ¿de acuerdo?

—No faltaba más —le aseguró Allie en tono solemne mientras trataba de abarcar con las manos todo lo que Delilah le había dejado: álbumes, listas, incluso un vídeo para que eligiese entre docenas de pasteles de boda.

—Es usted un amor, querida —le dijo Delilah con voz de bajo—. Estoy segura de que lo hará muy bien.

Tras despedirse, la gigantesca Delilah dio media vuelta y salió del despacho con unos andares tan cómicos que a Allie le costó contener la risa.

En cuanto Delilah hubo salido por la puerta, Allie se precipitó al teléfono y llamó a su madre. Estaba reunida, como de costumbre. Pero, aunque no solía hacerlo, en esta ocasión Allie le dijo a la telefonista que, aunque estuviese reunida, la avisasen.

—¿Qué ocurre, Allie?

—¿Es una broma, verdad? —le espetó Allie, que aún no había salido de su perplejidad.

—¿Qué broma?

—La de Delilah Sansón. ¡No puedo creer que me hagas una cosa así!

—Ah... ¿La de la agencia? Pues todo el mundo la pone por las nubes.

—Será de una patada, ¿no? —dijo Allie más irritada que irónica—. ¡Tú bromeas, mamá!

Si se descuidaba, su madre iba a convertir su boda en una mascarada. Quizá no mereciera la pena casarse. Podía seguir viviendo con Jeff igualmente. Eso era lo único que de verdad le importaba.

—Ten paciencia, cariño. Te será de gran ayuda, ya lo verás. Te acabará cayendo bien —le aseguró su madre, que estaba claro que no andaba bien de la cabeza.

—En mi vida he visto nada parecido —dijo Allie, que ya no pudo contener más la risa. Hasta el punto de contagiar a su madre—. ¡Cómo se te ha ocurrido! ¡Qué tío!

—Pero es eficiente, mujer. ¿No crees?

—Ya verás cuando la vea papá. Pero... me has hecho reír tanto que te lo agradezco de todas maneras.

—Ya verás, Allie. Saldrá todo estupendamente. Será una boda preciosa.

Lo que menos le importaba en aquellos momentos a Allie era que la boda «saliese» bien. Lo único que le importaba era Jeff y la situación de su hermana.

—Bueno, mamá, ya hablaremos en casa —se despidió Allie.

Nada más colgar sonó su teléfono de mesa. Era Jeff.

—Buenas noticias —dijo él.

—Pues falta me hacen, porque he tenido una mañana enloquecida —dijo Allie.

—Tengo el fin de semana libre. Me ha dicho Tony que podrá componérselas sin mí un par de días. Ya he llamado a mi madre para decirle que vamos a ir a verla. Desde el aeropuerto Kennedy se tarda sólo dos horas en coche en llegar a Southampton.

Allie se quedó desconcertada unos momentos. Había supuesto que la película no le iba a dejar a Jeff ningún día libre hasta que terminasen el rodaje.

—Mi madre está contentísima —prosiguió Jeff—. Se lo he prometido tantas veces que he tenido que repetírselo, porque no se lo podía creer.

Allie seguía en silencio, tratando de hacerse a la idea de que era inminente tener que conocer a su madre. No sabía exactamente por qué pero tenía la sensación de que no se iban a llevar nada bien con la señora Hamilton.

—Por una vez, no veo ningún impedimento —dijo al fin Allie, algo descorazonada. Pero nadie parecía tener problemas en aquellos momentos, ni siquiera Carmen.

—No lo digas muy alto. Salimos el viernes —dijo Jeff, que sabedor del mal carácter de su madre pensaba que era conveniente apaciguarla cuanto antes.

—De acuerdo, Jeff —dijo Allie que rezó interiormente por que no volviese a surgir un problema que obligase a un nuevo aplazamiento.

Si le daban otro plantón, la señora Hamilton no se lo iba a perdonar en la vida. Porque Jeff le había contado lo furiosa que se puso la última vez que anularon el viaje. Pero todo lo que podía hacer Allie era rezar para que nada ocurriese, y hacerse a la idea de que era un paso inevitable, por más que le desagradase.

Por lo menos sería un fin de semana que podrían pasar juntos y ambos lo necesitaban mucho. El único problema era que Allie sospechaba que no iba a ser un fin de semana plácido. Sentía escalofríos al recordar la fotografía de la señora Hamilton que había visto en el apartamento de Nueva York.

16

Allie estaba ansiosa. Se había sentido así durante la semana anterior al viaje a Nueva York para conocer a la madre de Jeff. Sabía que él se pondría furioso si no conseguía quedar libre de compromisos. Pero como ya era jueves y no había surgido ningún imprevisto, respiró aliviada al ver que, al fin, podían hacer el equipaje. Pensó que se había angustiado sin razón. Ningún problema grave se interponía en su viaje. Era una estupidez que ir a conocer a su futura suegra la pusiese tan nerviosa. Eso mismo le dijo Jeff, que le aseguraba que su madre acabaría por tomarle cariño.

Ambos estaban muy cansados después de tantas semanas sometidos a una fuerte tensión. Pero todo parecía que iba a salir bien para ellos y para los clientes de Allie. Incluso Carmen estaba un poco mejor aquella semana. Por lo menos, desde que habían empezado a rodar la película tenía la mente ocupada. Se sentía muy sola sin Alan, pero hablaba con él de continuo con su móvil, del que no se separaba ni un instante. Lo llamaba a todas horas, de día y de noche. Más aun de lo que llamaba a Allie, que al fin se había decidido a pedirle que, por lo menos de madrugada, no la llamase de no ser algo muy importante. Carmen le había prometido que así lo haría pero, como su compulsión por llamar a alguien no era nada fácil de dominar, llamaba a Alan con más frecuencia.

—Me parece increíble que hayamos conseguido un fin de semana libre —dijo Jeff al dejar junto a la puerta de la entrada las dos bolsas del equipaje.

Ambos tenían entrevistas a primera hora de la mañana. Pero contaban con haber terminado a mediodía y salir enseguida hacia el aeropuerto.

—En esta época del año Southampton está precioso —le dijo Jeff.

Tanto mejor, pensaba Allie. Estaba contenta de poder pasar un fin de semana con Jeff, lejos de las obligaciones de ambos. Pero ir a conocer a la madre de Jeff la tenía inquieta, por más que Jeff tratase de tranquilizarla.

Allie pensaba ponerse un traje sastre azul marino de Givenchy. Quería darle impresión de respetabilidad a su futura suegra. Incluso había pensado recogerse el pelo. Al acostarse, Jeff le comentó lo bien que lo pasaba de pequeño en Southampton, durante las vacaciones de verano, cuando aún vivía su abuela.

Estaban tan agotados que, mientras hablaban, les fue bajando el tono y se quedaron dormidos casi a la vez.

Al poco, Allie creyó oír un lejano campanilleo. Quizá fuesen las campanas de una iglesia de Vermont, fantaseó mientras escuchaba entre las brumas del sueño. Hasta que de pronto reparó en que lo que sonaba era el teléfono. Brincó de la cama como siempre hacía, para que Jeff no la oyese. Pero, como de costumbre, él se había despertado antes que ella.

Al ponerse al teléfono, Allie vio en el reloj de la mesilla de noche que eran las cuatro y media.

—Si es Carmen, dile que planeo asesinarla —dijo Jeff dándose la vuelta para el otro lado—. Es absolutamente imposible dormir en esta casa... por lo menos cuando estás tú.

Jeff estaba enojado de verdad.

—Hola, ¿quién es? —dijo Allie en voz baja para no irritarlo más, furiosa por la nueva intrusión en su intimidad, y aterrada al pensar que pudiera tratarse de algo que les impidiese viajar a Nueva York.

—Soy Malachi, cariño —dijo O'Donovan con un tono que no dejaba lugar a dudas: estaba borracho.

—Haz el favor de no llamarme a estas horas, Malachi. ¿No sabes que son las cuatro y media de la madrugada?

—¿Madrugada? Para ti eso es media mañana.

Encima bromitas, pensó Allie crispada.

—Es que estoy en una bonita comisaría —añadió Malachi—. Me han dicho que puedo llamar a mi abogado. Y eso he hecho.

Así que sé buena y ven a sacarme de aquí. Sólo tienes que pagar la fianza.

—¡Por el amor de Dios! —clamó Allie—. Seguro que ha sido un control de alcoholemia.

—¡Claro! Les he dicho que ya había soplado bastante, pero han insistido en que repitiera —siguió él en plan bromista.

Malachi O'Donovan coleccionaba multas por conducir bajo los efectos del alcohol igual que otros coleccionaban multas de aparcamiento. Allie le había advertido que, cualquier día, no podría salir bajo fianza, o que le retirarían el carnet. Pero, hasta la fecha, Malachi había tenido suerte. Sus frecuentes estancias en clínicas de desintoxicación lo habían librado muchas veces. Pero Allie estaba segura de que en esta ocasión le retirarían el carnet de conducir.

—Pues me haces una verdadera putada, ¿sabes? —se quejó Allie, que solía moderar su lenguaje. Pero estaba hasta el moño.

—Ya lo sé. Perdona —se excuso Malachi, que parecía sentirlo de verdad, lo que no era obstáculo para que quisiera que Allie fuese a sacarlo de la comisaría. Al fin y al cabo era su abogada.

—¿Y no puede ir otra persona a pagar la fianza? Es que estoy en Malibú... y son las cuatro y media.

Jeff tenía razón. Si no hubiese contestado al teléfono, Malachi habría tenido que aguardar unas horas y llamar a su despacho. Pero como había contestado, Malachi esperaba que ella corriese a rescatarlo. No era fácil decirle que no. Malachi era muy insistente.

—Está bien —cedió al fin Allie—. ¿Dónde estás?

Estaba en Beverly Hills. Lo habían parado por conducir en dirección contraria por Beverly Avenue. Al pedirle la documentación, vieron que llevaba un botellín de Jack Daniel's entre las piernas y un paquetito de marihuana en la guantera. Había tenido suerte de no llevar más y de que los agentes no se mostrasen demasiado duros con él. Lo habían reconocido.

—Estaré ahí dentro de media hora —le dijo Allie, y colgó sin despedirse.

Allie miró a Jeff. Fingía estar dormido pero no lo estaba. Al ir de puntillas hacia la puerta la detuvo en seco su voz:

—Si pierdes el avión y le damos otro plantón a mi madre, Allie, no hay boda —dijo con tono sereno pero firme.

—No me amenaces, Jeff. Hago lo que puedo. Pero no te preocupes, no perderé el avión.

—Procúralo —dijo él con un laconismo que revelaba lo enfadado que estaba.

Allie salió del dormitorio, se puso unos vaqueros y una blusa blanca en el salón y se marchó.

Ya en la autopista, iba despotricando contra todos. Estaba furiosa con Malachi O'Donovan, que se creía con derecho a hacer lo que se le antojase y que luego fuese ella a sacar las castañas del fuego. Estaba furiosa con Carmen, que la utilizaba como paño de lágrimas un día sí y otro también. Furiosa con Alan, que no hacía más que llamarla para pedirle que cuidase de su esposa. Y con Jeff por enfurecerse con ella, como si él no tuviese también unos horarios impresentables, que lo obligaban a levantarse a las cuatro para estar en los estudios a las cinco. Todo el mundo esperaba comprensión de ella. Si las cosas seguían así terminaría loca. Pero con quien más furiosa estaba era con Jeff. ¡Claro que estaría en el aeropuerto con tiempo! (eso esperaba), a menos que Malachi la hubiese armado muy gorda esta vez. Además, estaba segura de encontrar reporteros en la puerta de la comisaría. Aparte de que día y noche estaban a la escucha en la frecuencia de la policía, siempre había filtraciones. Empezaba a estar harta. Por lo visto, todo el mundo creía que su misión en este mundo era solucionar los problemas de los demás.

Al detener el coche delante de la comisaría de Beverly Hills bajó y cerró de un portazo.

Se dirigió a la agente que atendía tras el mostrador de recepción, se identificó y añadió que era la abogada de Malachi O'Donovan. La agente la anunció al comisario y le dijo que aguardase.

Al cabo de unos minutos vio aparecer a O'Donovan acompañado por un agente. Tal como Malachi le había dicho, podía salir pagando la fianza. Pero en esta ocasión se le quedaban el carnet de conducir. Además, tendría que comparecer en el juzgado en la fecha que indicaba una cédula de citación que le dio el agente. Allie vio con alivio que la comparecencia estaba fijada para dentro de un mes.

Después de cumplir con el trámite de la fianza, Allie lo llevó a casa. El incorregible roquero apestaba a whisky. Estaba empeñado en besarla para darle las gracias por sacarlo de la comisaría. Allie tuvo que ponerse seria y exigirle que se comportase.

La esposa de Malachi estaba dormida cuando llegaron a su casa y Allie se preguntó por qué no la había llamado a ella. Pero, en cuanto vio el recibimiento que le dispensó Arcoiris, que se puso a chillar como una histérica al despertarla Malachi y contarle lo ocurrido, comprendió por qué. Faltó poco para que llegasen a las manos.

Al llegar Allie a casa a las siete, Jeff estaba en la ducha. Había preparado café. Allie se sirvió una taza y se sentó en la cama. Estaba derrengada, como tantas otras noches a causa de los demás. De eso era precisamente de lo que se quejaba Jeff, no sin motivo. Pero poco podía hacer ella para evitarlo.

Jeff salió del cuarto de baño secándose el pelo con una toalla y se sobresaltó al verla. No la había oído entrar. No había más que verla para comprender que estaba agotada.

—¿Cómo ha ido?

—Le han retirado el carnet de conducir —contestó ella con abatimiento. Se recostó en el cabecero y él fue a sentarse a su lado.

—Siento haberme enfadado anoche, pero es que estoy harto de ver cómo abusan de ti. No es justo que se aprovechen de tu bondad de esa manera.

—Tampoco es justo que tú sufras las consecuencias —dijo ella con tono apaciguador—. Voy a tener que imponerme unas normas. Mientras íbamos en el coche he pensado que Malachi podía haber llamado a su esposa. Pero creo que le tiene miedo.

—Pues... haz que te lo tengan a ti —propuso Jeff, y se inclinó para besarla. No podía entretenerse: tenía que estar en los estudios dentro de una hora—. Descansa un poco —le dijo.

—Sí, lo necesito de verdad.

—Iré a recogerte a las doce.

—Estaré lista —prometió ella.

Allie dio una cabezada y llegó a su despacho a las nueve, con las bolsas de ambos en el coche. Alice tenía un montón de mensajes para ella, además de una bandeja repleta de papeles por despachar. Mientras le echaba un vistazo a todo entró Alice con un ejemplar de *Chatter*.

—Por favor... No me lo enseñes. Me importa un pito lo que diga esa gente —la atajó Allie crispada. Si se trata de algo que afectase mucho a alguno de mis clientes no podría salir de Los Ángeles...

Alice dejó la revista encima de la mesa como si le quemase las manos. Allie comprendió enseguida por qué. Las fotografías eran horribles y los titulares no tenían desperdicio. A Carmen le iba a dar un ataque de nervios cuando lo viese.

—¡Mierda! —exclamó Allie mirando a su secretaria con cara de espanto—. Será mejor que la llame.

No le dio tiempo. Sonó el teléfono.

—Acabo de verlo —dijo Carmen lacónicamente—. Quiero que les pongas una querella.

—No creo que sea conveniente —repuso Allie, aunque entendía perfectamente cómo se sentía Carmen, e imaginaba que Alan no reaccionaría mucho mejor.

Chatter publicaba que Carmen Connors, esposa de Alan Carr, había ido a Europa para abortar. Incluían fotografías de Carmen saliendo de una clínica en actitud furtiva. Pero no era ella sino una doble.

—Me van a destrozar. ¿Cómo pueden decir algo semejante? —se lamentó Carmen sollozando.

Allie no sabía qué decirle. Pero de lo que estaba segura era de que querellarse contra publicaciones como *Chatter* no hacía sino empeorar las cosas. Eran la hez de la tierra, pero tenían buenos abogados que las asesoraban para protegerse, y rara vez fallaban.

—¿Por qué me hacen esto? —gimió Carmen.

Allie se sentía impotente. Nada podía hacer para evitar el daño que el reportaje pudiera hacerle a Carmen.

—Porque eso vende. Deberías saberlo. Cuanta más basura echan sobre la gente más venden.

—¿Y si lo ve mi abuela?

—Lo entenderá. Nadie cree en lo que publica esa gentuza.

—Ella sí —replicó Carmen entre risas y lágrimas—. Es capaz de creer que una octogenaria ha dado a luz quintillizos.

—Pues dile que son una pandilla de embusteros —dijo Allie—. Lo siento, Carmen, de verdad que lo siento —añadió, y lo decía de corazón. No le resultaba difícil imaginar lo que tenía que ser chocarse de continuo con infundios. Era muy doloroso.

Un periódico local publicaba en su portada la noticia de la detención de Malachi O'Donovan. Por lo visto, sus clientes no tenían su día.

—Será mejor que llames a Alan y se lo expliques antes de que lo vea él —le aconsejó Allie—. También en Europa leen esta basura.

Pero, nada más colgar, llamó Alan desde Suiza. Su agente lo había informado.

—Voy a querellarme contra esos cabrones —tronó Alan—. La pobre Carmen estuvo a punto de desangrarse en la ambulancia. Y lleva seis semanas sin parar de llorar por haber abortado. ¡Es para matarlos! ¿Lo ha visto Carmen ya?

—Acabo de hablar con ella —dijo Allie, tan exasperada como él. Sólo había dormido cuatro horas y no había parado en toda la mañana—. Carmen también quiere querellarse. Pero te diré lo mismo que a ella: no vale la pena. Lo único que conseguiréis es aumentar sus ventas. Que les den por el culo. —Era rarísimo oírle esas expresiones a Allie, pero estaba fuera de sí—. Ni caso, Alan —añadió—. No os gastéis el dinero en abogados —ironizó.

—Oh, Allie, ¡si todos fuesen como tú! —exclamó él algo más calmado—. ¿Cómo estás?

—Mejor no te lo cuento. Me han vuelto loca estos días. Pero, en fin... dentro de dos horas he de estar en el aeropuerto para embarcar. Voy a Southampton a conocer a mi futura suegra.

—¡Que la fuerza te acompañe! —bromeó él.

—¿Cuándo regresas?

—Va todo muy bien pero no podré regresar hasta agosto —contestó él con un dejo de preocupación—. ¿Cómo está Carmen? Hablamos con mucha frecuencia y se la nota muy abatida. No consigo animarla.

—Ya lo sé. Yo tampoco. Y menos mal que el rodaje la tiene ocupada. En el fondo, lo único que le ocurre es que te echa de menos.

Allie había necesitado desplegar toda su capacidad de persuasión para evitar que Carmen lo plantase todo y se marchase a Suiza. Y el reportaje de *Chatter* no iba a contribuir precisamente a tranquilizarla. Allie lamentaba tener que dejarla sola aquel fin de semana, pero no podía hacer otra cosa.

—Ya también la echo de menos —dijo Alan.

—¿Qué tal la película?

—Ya te lo he dicho. Estupendamente. Al final me he salido con la mía y no me van a doblar prácticamente en ninguna escena.

—Pues... no se te ocurra decírselo a Carmen, porque es capaz de presentarse ahí con un botiquín.

Se echaron a reír. Alan le dijo que en agosto se verían, aunque Allie estaba convencida de que hablaría con él muchas veces antes de verse de nuevo.

Nada más despedirse y colgar, llegó Jeff.

—¿Lista? —le preguntó como si, al verla junto al teléfono, temiese nuevos contratiempos.

Pero no. En esta ocasión Allie no pensaba dar lugar al menor retraso.

—Lista —contestó, y se levantó mirando de reojo el ejemplar de *Chatter*.

—Bonito —bromeó él. Estaba visto que la prensa amarilla no se detenía ante nada. Incluso habían recurrido a entrevistar a dos enfermeras, a las que sin duda habían pagado, y habían distorsionado todo lo que ellas dijeron—. ¿Lo han visto ellos?

—He hablado por teléfono con los dos y están que se suben por las paredes. Quieren querellarse. Pero les he dicho que no merece la pena, que lo único que conseguirán es que *Chatter* venda más ejemplares.

—Los compadezco. Yo no podría soportar vivir así.

—Tienen sus compensaciones —dijo Allie, aunque no estaba muy segura de que mereciesen la pena. La fama tenía un precio excesivo.

Dejaron los coches en el aparcamiento del bufete y fueron en taxi al aeropuerto. Jeff no podía creer que en esta ocasión no hubiese ocurrido nada que entorpeciese sus planes.

Dos horas después habían embarcado.

Jeff miró a Allie muy sonriente al despegar el avión. Se habían permitido el capricho de viajar en primera clase. Se recostaron en el respaldo muy risueños y pidieron champán.

—¡Lo conseguimos! —exclamó él besándola—. Mi madre estará contentísima.

También lo estaba Allie, por el solo hecho de viajar con él y olvidarse durante un par de días del agobio del trabajo. Aún no habían decidido dónde iban a pasar la luna de miel. Pensaban tomarse tres semanas de vacaciones y, aunque aún no lo habían concretado, tenían intención de ir a Europa. En otoño Italia estaba maravillosa, sobre todo Venecia. Luego irían a París y quizá a Londres, donde aprovecharían para ver a unos amigos. Pero a Jeff también le seducía la idea de ir a alguna playa paradisíaca, a las Bahamas o Bora Bora, como hicieron Carmen y Alan. Pero a Allie no acababa de convencerle ir tan lejos.

Charlaron animadamente durante casi una hora acerca de la proyectada luna de miel. El solo hecho de hablarlo se les antojaba un verdadero lujo. También hablaron de la boda. Jeff pensaba pedirle a Alan que fuese su padrino y que el hermano de Allie, Tony Jacobson y el director de la película fuesen sus testigos. Allie tenía decidido quiénes serían sus damas de honor: su hermana Samantha y Carmen. También pensaba pedírselo a una compañera del colegio mayor, Nancy Towers. Pero vivía en Londres y hacía cinco años que no se veían.

—A lo mejor para ella no es problema desplazarse —le dijo Jeff.

Allie también pensaba en otra vieja amiga, del instituto, Jessica Farnsworth, que vivía en Nueva Inglaterra desde hacía años. Desde entonces no se habían visto pero, de pequeñas habían sido como hermanas. Jeff estuvo de acuerdo en proponérselo. También repasaron la lista provisional de invitados. Contaban con los Weissman, por supuesto, y con muchos de sus amigos y compañeros de trabajo. Allie pensaba que Jeff debía invitar a algunos de sus amigos de Nueva York y Nueva Inglaterra. Pero él le comentó que difícilmente se desplazarían, porque o eran demasiado pobres o no podrían a causa del trabajo. De todas maneras, accedió a invitarlos.

Fue un vuelo plácido. Jeff incluso pudo tomar notas para el guión y ella releer algunos documentos que llevaba en el maletín. Luego, Allie sacó una novela, pero antes de acabar la primera página se quedó medio adormilada, con la cabeza recostada en el hombro de Jeff, que la miró con ternura y la tapó con la manta.

—Te quiero —le susurró, y le acarició la mejilla y la besó en los labios.

—Yo también —musitó ella.

Se quedó dormida enseguida y no despertó hasta que aterrizaron. Jeff tuvo que zarandearla un poco para sacarla de su profundo sueño. No era de extrañar, después de la paliza que se había dado durante los últimos días y de apenas haber dormido la noche anterior.

—Te has quedado como un tronco —le dijo él.

Una vez en la terminal fueron a la sección de recogida de equipajes y aguardaron junto a la cinta transportadora. Jeff había alquilado por teléfono una limusina, para que los esperase en el aeropuerto y los llevase a Southampton. Jeff quería que aquel fin de semana fuese lo más agradable posible para Allie, un buen recuerdo de los preparativos de su boda. También en la limusina había champán, una botella de espumoso francés. Era una limusina antigua pero muy lujosa.

—¿También tenéis estos trastos en Nueva York? —se burló Allie—. Yo creía que sólo los alquilaban actores y roqueros.

—Bueno... también los alquilan los *narcos*, ¿no? —bromeó él.

Jeff le recordó que se habían conocido allí hacía cinco meses y que ahora estaban a punto de casarse. Sólo faltaban dos meses y medio para la boda. Parecía increíble.

El trayecto hasta Southampton duró casi exactamente las dos horas que él había calculado. Hacía calor, porque estaban ya en junio, pero con el aire acondicionado no lo notaban. De todas maneras, Jeff se había quitado la chaqueta y la corbata y se había remangado su impecable camisa azul. Pero incluso en mangas de camisa estaba elegante.

—Yo debo de tener un aspecto horrible —dijo Allie, y se soltó el pelo, se lo cepilló y volvió a recogerlo. La verdad era que estaba preciosa con su traje sastre azul de Givenchy, aunque se le había arrugado un poco durante el vuelo—. Tenía que haberme quitado la falda —añadió dirigiéndole a Jeff una maliciosa sonrisa.

—¡Menudo espectáculo! —exclamó él, y le sirvió más champán y la besó.

—Me va a venir estupendamente. Si me presento en casa de tu madre dando tumbos le causaré una gran impresión.

—Se la causarás aunque estés sobria. Ya te lo dije: te tomará cariño —le aseguró él.

Jeff tenía el convencimiento de que Allie sabría ganársela. Le sonrió cariñosamente y ella le mostró el anillo y lo miró a los ojos, más radiante que la esmeralda.

—Me lo ha regalado mi prometido, ¿sabes? —dijo ella.

Se besaron en la boca y casi se caen del asiento al girar la limusina en la salida de la autopista. La casa de la abuela de Jeff estaba a sólo media hora por la carretera local.

Era casi medianoche cuando avistaron la majestuosa mansión. Era muy antigua y estaba rodeada por un elegante porche.

Una preciosa arboleda flanqueaba la rampa de acceso y una cerca de tablas blancas rodeaba toda la propiedad.

El chófer detuvo la limusina frente a la entrada y bajó para ayudarlos con el equipaje. Como era tan tarde procuraron no hacer ruido, pues no creía que su madre los esperase levantada. A causa de la diferencia horaria era imposible llegar a una hora conveniente, habiendo salido a las dos de Los Ángeles. Pero debido a sus compromisos de aquella mañana no hubiesen podido salir en ningún vuelo anterior.

Jeff sabía dónde escondían la llave. Pagó al chófer, le dio una generosa propina y entró con Allie en la casa. En el vestíbulo encontraron una nota de su madre, sobre una antigua mesa inglesa que era una verdadera pieza de museo. En la nota su madre les daba la bienvenida; decía que el dormitorio de Jeff estaba preparado y que Allie ocupase el de invitados que daba al mar. El mensaje estaba claro. Y Jeff le sonrió a Allie excusándose.

—Ya sabes... como no estamos casados. Mi madre vive en otra época. Espero que no te importe —le susurró risueño—. Pero... podemos hacer trampa. O duermes tú conmigo o yo contigo. Aunque, claro, tendremos que volver a nuestros respectivos aposentos por la mañana.

A Allie le pareció absurdo, aunque tenía su lado divertido, y accedió a seguir sus instrucciones al pie de la letra.

—Tengo práctica. Es lo que hacíamos en el colegio mayor —dijo ella para picarlo.

—¡Vaya! Eso no lo sabía yo —dijo Jeff fingiendo escandalizarse.

Cargó con ambas bolsas escaleras arriba. Allie lo siguió de puntillas. Tenía su encanto subir a hurtadillas a su dormitorio. Se le escapó la risa y Jeff le chistó para acallarla al pasar frente a la puerta del dormitorio de su madre, una espaciosa estancia con cortinas blancas y azules y una cama con baldaquín. Pero no podrían verla aquella noche, claro está. En realidad, a Allie le sorprendía que la señora Hamilton no los hubiese esperado, teniendo en cuenta que venían desde tan lejos sólo para verla. Al fin y al cabo, no era tan tarde. Estaba segura de que su madre sí los habría esperado, aunque, claro, la señora Hamilton era mucho mayor. Tenía setenta y un años y, además, sabía por Jeff que tenía la costumbre de acostarse temprano.

Jeff la condujo al dormitorio de invitados que daba al mar. Podría oír el murmullo de las olas batiendo en la arena. En una de las mesitas de noche había una jarra con agua y una bandejita con galletas. Jeff le dio una.

—Son deliciosas ¿Las hace tu madre? —dijo Allie.

Él rió.

—¿Mi madre? ¡Qué va! Las hace la cocinera.

La tapicería de las sillas era de tejido estampado con flores; las cortinas de las ventanas, de ganchillo; la cama, de hierro forjado; y las alfombras eran muy gruesas, estilo Nueva Inglaterra.

—¿Y tu dormitorio dónde está? —susurró Allie que, de pronto sintió un gran vacío en el estómago y cogió otra galleta.

—Al final del pasillo —musitó él, porque su madre tenía el sueño ligero.

Aquello le recordaba a Jeff sus tiempos de adolescente, cuando entraba con amigos por la noche a hurtadillas a beber cerveza en su dormitorio. Su padre siempre hacía la vista gorda pero su madre, que rara vez no se daba cuenta, le soltaba un buen rapapolvo por la mañana.

Dejaron la bolsa de Allie junto a la cama y fueron al dormitorio de Jeff, que tenía cortinas verdes, a juego con la colcha, y una cama individual con un precioso cabecero. Sobre la coqueta y la mesa de escritorio había fotos de su padre. Las paredes estaban decoradas con marinas. El dormitorio recordaba un poco el de la casa de Malibú, que también daba al mar y tenía cierto aire a Nueva Inglaterra, pero era mucho más austero. Y pese a la bonita decoración resultaba frío, tanto como la fotografía de la señora Hamilton que Allie había visto en el apartamento de Nueva York.

Después de dejar su bolsa en su habitación, Jeff y Allie volvieron a la de invitados. Jeff cerró la puerta muy despacio y se llevó el índice a los labios. No quería que su madre los oyese hablar. Allie se acercó a mirar por la ventana. De buena gana habría salido a pasear por la playa. Estaba preciosa a la luz de la luna.

—Me encanta nadar aquí de noche —dijo él—. Mañana podemos darnos un chapuzón.

Se sentaron en la cama y se besaron. Luego, Allie sacó de la bolsa su estuche del aseo y fue a lavarse los dientes. Después se desnudó y se puso el camisón de blonda que había traído.

Había elegido cuidadosamente la ropa que pensó que convenía llevar para ir a casa de la madre de Jeff: una bata muy discreta de estar por casa; unos pantalones blancos de hilo y una blusa de seda de vivos colores; un traje sastre blanco, y uno negro por si el sábado por la noche hacían algo especial; traje de baño, *shorts*, camisetas y un vestido con falda-pantalón muy recatado. Le parecía de lo más respetable. No tenía ni idea de los gustos de la señora Hamilton. Aunque, a juzgar por su fotografía, debía de ser muy anticuada. No se atrevió a decírselo a Jeff, pero estaba muy preocupada.

Al meterse en la cama notaron que las sábanas, de hilo y con flores bordadas, estaban un poco húmedas. Era normal en todas las casas de la costa. Jeff estaba encantado de que Allie estuviese allí con él. Pero no quiso inducirla a hacer el amor. La pobre estaba agotada y, además, el silencio era tan absoluto que él no quiso arriesgarse a que los oyesen. Se limitó a abrazarla hasta que ambos se quedaron dormidos, tan profundamente que no despertaron hasta las nueve y media.

Jeff había pensado levantarse al amanecer pero el propósito quedó sólo en buenas intenciones. Allie seguía como un tronco. Si salía para ir a su dormitorio tenía muchas probabilidades de tropezarse con su madre, pensó Jeff.

Pero decidió arriesgarse. Se asomó al pasillo antes de salir y luego, como un chico travieso, echó a correr pasillo adelante y se metió en su dormitorio como una exhalación. Aunque temía haber hecho ruido suficiente para que toda la casa se enterase. Y en efecto: al cabo de unos segundos se presentó su madre en su habitación. Él acababa de ponerse el batín y de descorrer la cremallera de su bolsa.

—¿Qué tal has dormido, cariño? —le preguntó la señora Hamilton.

Jeff se dio la vuelta y vio a su madre con un vestido floreado y sombrero de playa. La verdad era que para una mujer de su edad tenía muy buen aspecto. Había sido muy hermosa. Pero de eso hacía ya mucho tiempo y sus ojos carecían de calidez incluso cuando miraba a su hijo. Era una persona distante y no podía evitar que se le notase en todo momento.

—Hola, mamá —la saludó Jeff, y se acercó para abrazarla.

Eran muy distintos. Jeff era cordial y simpático como su padre. Pero su madre era una yanqui de pies a cabeza.

—Siento que llegásemos tan tarde anoche. Pero con la diferencia horaria es muy difícil llegar antes. Los dos teníamos compromisos inaplazables esa mañana.

—No importa. No os he oído llegar —dijo la señora Hamilton sonriente. Al reparar en que la cama estaba sin deshacer, porque con las prisas Jeff había olvidado alborotarla, lo miró risueña—. Veo que has hecho la cama. Así me gusta que se comporten los invitados —bromeó.

—Gracias, mamá —dijo él haciéndose el tonto, porque sabía perfectamente que su madre no hablaba en serio.

—¿Dónde está tu prometida?

—No sé. Todavía no la he visto —mintió él—. ¿Quieres que vaya a despertarla?

Ya eran casi las diez y Jeff sabía que a su madre no le gustaba que sus invitados se pasasen toda la mañana en la cama.

—Como prefieras —repuso su madre.

Jeff fue a la habitación de Allie y llamó discretamente con los nudillos mientras su madre lo observaba. Y al cabo de unos momentos apareció Allie en bata. Iba descalza pero se había cepillado el pelo. Irradiaba juventud y belleza. Se acercó a saludar a la señora Hamilton. Le estrechó la mano y le sonrió a Jeff.

—Soy Allegra Steinberg —se presentó.

La madre de Jeff permaneció unos instantes en silencio. Luego asintió con la cabeza y examinó a Allie de arriba abajo.

—Has sido muy amable en venir esta vez a verme —dijo la señora Hamilton con perceptible frialdad e ironía. No se abrazaron ni se besaron. Ni hicieron tampoco la menor mención a la inminente boda.

—Sentimos mucho no haber podido venir la otra vez —se excusó Allie, no con tanta frialdad como la señora Hamilton pero con igual distancia—. Nos fue imposible.

—Ya me lo contó Jeff. Bueno... parece que vamos a tener un día caluroso —dijo la mujer mirando hacia el mar. El cielo estaba completamente despejado, y sin duda sería un día caluroso—. Tal vez os apetece ir a jugar al tenis al club antes de que apriete el calor.

A Jeff no le apetecía en absoluto.

—No, mamá. Hemos venido para estar contigo. ¿Quieres que te hagamos algún recado esta mañana?

—No, gracias —repuso ella con sequedad—. Almorzaremos a mediodía. O sea que no creo que te apetezca desayunar a esta hora, Allegra. Pero en la cocina tenéis café y té, cuando os vistáis.

O sea, en otras palabras: abstente de rondar por mi casa en bata.

La señora Hamilton era de esa clase de personas cuyos mensajes se captaban al vuelo. Nada de quedarse en la cama toda la mañana. Nada de dormir con mi hijo bajo mi propio techo. Nada de familiaridades. Había que guardar las formas.

Media hora después, cuando ya estaban en el salón, correctamente vestidos, Jeff trató de justificar la actitud de su madre.

—Al principio mi madre es siempre un poco fría —dijo Jeff—. No sé si es por timidez o por su carácter. Pero tarda en intimar con las personas.

Allie llevaba ahora unos *shorts* rosa con camiseta a juego y zapatillas de deporte.

—Me hago cargo —dijo sonriéndole cariñosamente—. Además, puede que no le haga mucha gracias que te cases, por temor a perderte.

—Yo en su lugar lo consideraría un alivio —bromeó Jeff—. Se ha pasado la vida riñéndome.

Fueron a desayunar a la cocina y encontraron a la señora Hamilton dándole instrucciones a Lizzie, su vieja cocinera irlandesa.

Lizzie llevaba con ella más de cuarenta años y se atenía al pie de la letra a todo lo que ordenaba la señora Hamilton, que había decidido el menú: ensalada de gambas y gelatina de tomate; empanadillas y flan. No podía ser más yanqui.

—Almorzaremos en el comedor del jardín —anunció.

—Pero no te compliques demasiado, mamá —le dijo Jeff cariñosamente—. Somos de la familia, no invitados.

Su madre no replicó pero le dirigió una mirada glacial.

Después de desayunar un panecillo con mantequilla y café, Jeff le enseñó la casa a Allie. Luego pasearon un rato por la playa.

El paseo le vino bien a Allie para relajar la tensión. Porque la señora Hamilton no podía haber estado más esquinada. Era de esas personas que crea mal ambiente allá donde esté. Pero Jeff no parecía percatarse de ello, como si considerase que su frialdad y rigor espartano eran lo normal. La única explicación era el puro hábito. Pero Allie no podía comprender que Jeff se mostrase tan cariñoso y solícito con una madre que era como un iceberg.

Al volver a la casa, la señora Hamilton los aguardaba en el porche. Encima de una mesa había dos jarras, una de té helado y la otra de limonada. No había vino, ni rastro de bebida alcohólica, aunque no era eso precisamente lo que Allie podía echar de menos.

Se sentó en uno de los viejos sillones de mimbre y habló con la señora Hamilton acerca de la casa. La madre de Jeff le explicó que la habían heredado hacía cuarenta años de una tía de su esposo. Jeff había ido allí casi todos los veranos desde pequeño, explicó.

—Algún día será suya —añadió—. Pero estoy segura de que la venderá —concluyó con cara de circunstancias.

—¿Por qué? —preguntó él, molesto porque lo considerase desapegado con el patrimonio familiar.

—Porque dudo que vuelvas a vivir en Nueva York —repuso la señora Hamilton—. Vas a casarte con una californiana, ¿no? —añadió en un tono acusatorio que no dejaba lugar a buenos auspicios.

—Todavía no sé dónde vamos a vivir —contestó él diplomáticamente para no herir los sentimientos de su madre.

Allie no salía de su asombro. Aquella mujer parecía embutida en una armadura. Jamás había conocido a una persona semejante. ¡Qué distintos eran sus padres!, pensó.

—Habré terminado la película en septiembre, antes de la boda. Pero empezaré otra enseguida. De modo que no sé adónde iremos —dijo Jeff, que al ver que Allie le dirigía una mirada de perplejidad le sonrió.

¿De qué demonios hablaba Jeff?, se preguntó Allie. Ella tenía su trabajo en Los Ángeles y, prácticamente, la rama del derecho que había escogido sólo la podía ejercer en Hollywood. Jeff lo sabía de sobras. Pero sus comentarios no parecían afectar lo más mínimo al talante de la señora Hamilton.

Minutos después, Lizzie se asomó al porche para anunciar que el almuerzo estaba listo y todos fueron a sentarse a la mesa. Apenas se habló desde el primer plato al postre, pese a los intentos de Jeff y Allie para hilvanar una conversación. La señora Hamilton comía de un modo tan envarado que parecía haberse tragado un paraguas.

No hubo sobremesa. Nada más terminar el postre la señora Hamilton se levantó y se retiró a su dormitorio. De modo que ellos optaron por dar un paseo por la playa.

—¿No habrás dicho en serio que aún no sabes dónde vamos a vivir? —dijo Allie.

—No, mujer —la tranquilizó Jeff.

—Es que mi trabajo no es como el tuyo; no puedo llevármelo a cualquier parte —le recordó ella, pese a que intuía que Jeff sólo lo había dicho para animar a su madre.

—No he querido que crea que casarme significa que voy a abandonarla. Pero lo cierto es que podrías ejercer en Nueva York si quisieras. No faltan actores y actrices en Broadway, ni músicos.

—Ya. Sé realista, Jeff. Mi mundo está entre la gente de cine. Y estoy muy encauzada en Los Ángeles.

—Lo sé. Sólo quiero decir que podrías ampliar tus horizontes —reiteró él en un tono que la alarmó.

—Eso no sería ampliar mis horizontes sino limitarlos —replicó ella—. Perdería a casi todos mis clientes.

—Y también te librarías de esas llamadas de madrugada. En Nueva York la gente no hace esas cosas. Es más profesional.

Allie estaba confusa. Desde que habían puesto el pie en Southampton Jeff parecía otra persona.

—Mira, Jeff, no estoy muy segura de que hables en serio. Pero, por si acaso, quiero que sepas que adoro mi trabajo y que no tengo la menor intención de dejarlo y venir a vivir a Nueva York. Jamás se ha planteado una cosa así entre nosotros. ¿Por qué lo haces ahora?

Se hizo un largo silencio y él la miró receloso.

—Ya sé que adoras tu trabajo y que eres una gran profesional. Pero yo soy de aquí, y es natural que me haga la ilusión de que algún día podré vivir aquí contigo. Si ambos estuviésemos de acuerdo, claro.

—¿Es eso lo que deseas? —preguntó Allie, que seguía perpleja—. Pensaba que tenías intención de adaptarte a Los Ángeles cuando nos casemos. Que tenías intención de vivir allí conmigo. ¿Has cambiado de idea? Si es así, quizá convenga que acabemos de hablarlo ahora mismo, antes de que uno de los dos cometa un error irreparable.

Allie estaba casi temblorosa. Lo que prometía ser un fin de semana agradable se había convertido de pronto en un trago amargo.

—Lo entiendo, Allie. Ya sé que estás muy apegada a Los Ángeles —dijo él con tono condescendiente.

—¡A mí no me hables en ese tono, que no soy una cría! —le

espetó ella—. No pienso vivir en Nueva York. De modo que si es eso lo que pretendes quizá convenga que lo reconsideremos todo. Quizá sea mejor que nos limitemos a vivir juntos hasta que estés seguro de que podrás adaptarte a California.

—California me encanta —dijo él con visible crispación. Tampoco para él eran fáciles las cosas. Sabía lo intratable que era su madre—. Mira, no se trata de que renuncies a tu profesión, sino de considerar que existen otras posibilidades. Lo único que he pretendido con mis comentarios es tranquilizarla. No he querido que crea que pienso vender la casa de la abuela en cuanto ella falte. Esta casa significa mucho para ella y, quién sabe, a lo mejor podríamos traer a nuestros hijos aquí a pasar los veranos. Eso sí que me gustaría. —La miró sin acritud y ella depuso su actitud agresiva.

—También me gustaría a mí —dijo Allie—. Es que por un momento he creído que pretendías venir a vivir aquí en cuanto nos casemos.

—No; esperaremos un par de meses. ¿Te parece? En noviembre —bromeó él—. Lo siento, cariño. Si llego a saber que ibas a interpretarlo así no lo hubiese dicho. Ya sé que tu trabajo está allí y que te va muy bien. Si te lo propones pronto te harán socia del bufete, a no ser que prefieras establecerte por tu cuenta. Aunque la verdad es que nunca imaginé que iba a vivir en el otro extremo del país. En principio fui sólo para escribir un guión, y me parece que cuando quiera darme cuenta llevaré allí veinte años. Pero es normal que esto me tire. No voy a dejar de ser quien soy de la noche a la mañana.

—Ni tienes por qué —le dijo ella, y lo besó en los labios.

Dieron media vuelta y regresaron a la casa. A Allie le encantaba la idea de poder ir allí con sus hijos algún día.

De pronto reparó en que la señora Hamilton los observaba desde el porche con expresión de reproche. Estaba visto que aquella mujer no abandonaba ni un minuto su talante avinagrado. En cuanto la tenían cerca Allie notaba malas vibraciones. Hacía que Jeff estuviese tenso, por creerse obligado a no disgustarla; y la violentaba a ella, por tener que buscar su aprobación en todo momento.

—Ten cuidado con el sol —le advirtió la señora Hamilton a Allie mientras se servían limonada en el porche—. Tienes la piel muy blanca.

—Descuide —dijo Allie—. Siempre me pongo una crema protectora.

La señora Hamilton la miraba escrutadoramente desde la mecedora.

—Tengo entendido que toda tu familia trabaja en el mundo del espectáculo —dijo como si le pareciese insólito.

—Sí, a excepción de mi hermano —confirmó Allie de buen talante—. Estudia en la escuela preparatoria de medicina en Stanford.

—¿Ah sí? —exclamó la señora Hamilton, y por primera vez le sonrió—. Mi padre era médico. En realidad casi todos los hombres de la familia.

—Scott quiere ser cirujano ortopeda. Pero los demás estamos atrapados en Hollywood. Mi madre escribe, dirige y produce; tiene mucho talento. Mi padre es productor. Y yo ejerzo el derecho, especializada en cuestiones jurídicas del mundo del espectáculo.

—¿Y en qué consiste exactamente tu trabajo? —preguntó la señora Hamilton.

—En la práctica, en prestarles apoyo moral a mis clientes, y contestar llamadas de teléfono a las cuatro de la mañana —bromeó Allie.

—¿Tan desconsiderada es esa gente? —dijo la anfitriona.

—Bastante, sobre todo cuando acaban en la comisaría —repuso Allie. Se complacía en escandalizarla, porque estaba hasta el moño de su acritud. Lo sentía por Jeff, pero la verdad era que su madre no podía ser más desagradable ni menos hospitalaria. Estaba claro que Jeff sólo había heredado los genes de su padre.

—¿Ah, sí? ¿Detienen a menudo a tus clientes? —preguntó su futura suegra con unos ojos como platos.

A Jeff le costó trabajo contener la risa.

—A algunos sí. Por eso me necesitan. Pago sus fianzas; redacto sus testamentos, sus contratos, les organizo la vida y los ayudo en sus problemas. Es muy interesante, y me gusta.

—Muchos de sus clientes son grandes estrellas de cine, mamá. Te asombrarías —dijo Jeff, aunque se abstuvo de mencionar nombres.

—Ya. Supongo que ha de ser un trabajo interesante. Tienes una hermana, ¿verdad?

Allie asintió con la cabeza. Se entristeció al pensar en que su hermana pronto daría a luz y tendría que renunciar a su hijo.

—Sí —contestó—. Tiene diecisiete años. Está a punto de terminar el bachillerato —añadió—. Irá a la universidad en Los Ángeles para estudiar arte dramático.

—Una curiosa familia —dijo la señora Hamilton—. Dime, ¿sois judíos?

Se hizo un silencio que se podía cortar. Sólo se oía el rítmico crujido de la mecedora de la anfitriona. Jeff se quedó tan perplejo como Allie ante la impertinente actitud de su madre.

—Pues no —contestó Allie con frialdad—. Soy episcopaliana. Pero mi padre sí lo es, y conozco bien el judaísmo. Si le interesa el tema podemos extendernos cuanto quiera —añadió con sarcasmo.

Jeff no sabía dónde meterse.

—Ya me parecía que no eras judía. No tienes pinta.

—Ni usted tampoco —dijo Allie con desenvoltura—. ¿Acaso lo es?

Jeff las miró alarmado. Aquello podía terminar mal. Pero, por otro lado, resultaba divertido. Tuvo que ladear la cabeza para que su madre no lo viese contener la risa. Estaba seguro de que nadie le había hecho nunca aquella pregunta.

—¡Por supuesto que no! ¿Hamilton? ¿Estás loca?

—No lo creo. ¿Qué tendría de malo? —dijo Allie entre desafiante y risueña.

La señora Hamilton ignoró la pregunta.

—Supongo entonces que tu madre no es judía —dijo la mujer, algo aliviada al pensar que, por lo menos, sus posibles nietos no serían del todo judíos.

—Mira, mamá, tampoco el padre de Allie es judío —terció Jeff, que se decidió a intervenir para no mortificar más a su madre, aunque con la sensación de traicionar a Allie—. El verdadero padre de Allie es un médico de Boston llamado Charles Stanton.

—¿Y por qué no utilizas entonces su apellido? —exclamó su madre mirando a Allie como si la reconviniese por ello.

—Porque lo odio —contestó ella—. Hace años que no lo veo —añadió sin alterarse.

Allie no recordaba haber tenido jamás una conversación tan desagradable, y estuvo tentada de decirlo así. Pero los cuatro años de terapia con la doctora Green habían fortalecido su carácter—. Y, con franqueza —prosiguió—, después de vivir todos estos años con mi familia, me gustaría criar a mis hijos como judíos. Mis hermanos lo son. Y creo que los judíos son maravillosos.

Jeff temió que a su madre le diese un soponcio. Fulminó con la mirada a Allie, que se la sostuvo. En el fondo, no le reprochaba su actitud sino que más bien le rogaba que no se enzarzase con su madre, que además de ser desagradable era una antisemita contumaz.

—Supongo que bromeas —dijo la señora Hamilton, y optó por cambiar de tema—. En fin... voy a ir a la cocina a ver qué tal va Lizzie con la cena.

Los dejó en el porche y, al cabo de unos momentos, Allie y Jeff subieron a cambiarse de ropa.

Fueron cada uno a su dormitorio. Pero en cuanto Jeff se hubo vestido fue a la habitación de ella.

—Antes de que me tires una silla a la cabeza quiero excusarme. Ya sé que me he pasado tratando de apaciguar a mi madre, pero a veces olvido lo estrecha de miras que es para ciertas cosas. Pertenece a un club en el que desde hace doscientos años no admiten judíos. Para ella eso es importante.

—También lo era para Hitler y sus amigos.

—¡Qué comparaciones! Mi madre es de esas personas que considera «aristocrático» odiar a todo el que no es como ella. Pero no es más que una pose. Además, sabes perfectamente que yo no pienso igual. Me da igual educar a nuestros hijos en el judaísmo que en el budismo. Te quiero, te llames como te llames. Además, dentro de poco serás «Hamilton». No tenemos que preocuparnos por estas tonterías.

Lo cierto era que la madre de Jeff lo había puesto en una situación embarazosa. Allie lo sentía por él y quizá por eso no estaba tan furiosa con Jeff como debería estarlo por revelar que no era hija de Simon.

—No sé cómo has soportado vivir aquí, Jeff. Tu madre no es precisamente muy afectuosa ni de fácil trato.

—Lo era —replicó Jeff tratando de defenderla—, o por lo menos más que ahora. Cambió mucho a raíz de la muerte de mi padre. Se quedó amargada.

Pero Allie no podía imaginar que la señora Hamilton hubiese sido amable alguna vez. Era una auténtica víbora.

—¿Y no te sentías solo viviendo con ella? —insistió, porque no concebía que él pudiera soportarla.

—A veces. Uno acaba por acostumbrarse. Por la parte de mi madre, toda la familia es igual. Pero todos han muerto.

—¿Y qué hacían en las reuniones familiares, despellejarse?

—No es para tanto, Allie.

Jeff la ayudó a subirse la cremallera del vestido justo en el momento en que su madre llamada a la puerta. Como sabía que no le iba a gustar verlo allí, Jeff se escondió en el cuarto de baño.

Allie le abrió la puerta a la señora Hamilton que, con el pretexto de decirle que la cena estaba lista, había subido para suavizar la tensión entre ellas. Le dijo que estaba muy bonita con aquel vestido. En el fondo, su cambio de actitud era sincero, pues estaba más tranquila al saber que Allie no era judía.

Ambas bajaron al comedor y al cabo de unos momentos apareció Jeff.

Milagrosamente, la cena transcurrió sin más roces. Optaron por hablar de temas no conflictivos: de pintura, de música y de los viajes a Europa. Pero a Allie le pareció la conversación más tediosa que había tenido. Por suerte, nada más cenar, la señora Hamilton les dio las buenas noches y fue a acostarse.

Ellos fueron a nadar y luego se tumbaron en la arena.

—No te sientes muy cómoda aquí, ¿verdad, cariño? —le dijo él abrazándola.

Allie ladeó el cuerpo y suspiró a la luz de la luna. ¿Quería que fuese sincera o no?

—Esto es distinto —repuso ella. Fue lo más diplomático que se le ocurrió.

—Muy distinto al ambiente de tu familia, ¿no? —dijo él, que lamentaba haberla llevado. Pero no tenía más remedio que presentarle a su madre—. Tu familia es muy cariñosa y abierta. Tus padres son alegres. Me encantaron desde el primer momento.

En el fondo, Jeff se avergonzaba del carácter de su madre. Tenía que reconocer que había estado muy desagradable. Allie lo vio tan compungido que decidió quitarle hierro al asunto.

—Tu madre me recuerda a mi padre. Son yanquis de pies a cabeza, envarados y distantes. Mi padre jamás ha aprobado nada de lo que he hecho. Antes me afectaba mucho, aunque ahora me tiene sin cuidado. Y tu madre es igual. Aunque me desviviese por complacerla lo más probable es que no lo consiguiera.

—También era dura conmigo de pequeño. Pero la verdad es que nunca la he visto tan agria como hoy —reconoció Jeff sin salir de su desolación por el comportamiento de su madre con su prometida.

—Está claro que para ella soy una amenaza. Primero te alejo de Nueva York y ahora de ella. Y sólo te tiene a ti —añadió pese a que pensaba que, aunque fuese comprensible, no justificaba una actitud tan impresentable—. Pero en fin... a lo mejor más adelante se muestra más cariñosa. —Lo dijo más por animar a Jeff que por creerlo de verdad.

Aquella noche volvieron a dormir en la habitación de invitados. Pero esta vez Jeff puso el despertador a las siete y media.

Nada más levantarse, Jeff fue a su dormitorio, se duchó e hizo el equipaje. Luego fue a despertar a Allie.

Había reservado billetes para uno de los primeros vuelos. Bajó con Allie a desayunar y cuando hubieron terminado anunció que se marchaban. Dijo que tenían que embarcar en el vuelo de la una, lo que significaba tener que salir de Southampton a las diez. Lo justificó diciendo que había telefoneado a los estudios y que el director de su película le había dicho que convenía que estuviese allí lo antes posible, porque había problemas.

—¿Qué ocurre? —preguntó Allie, que ignoraba que Jeff hubiese reservado los billetes para aquel vuelo. Había dormido muy bien y volvía a estar en plena forma, por si acaso tenía que encajar más andanadas de la señora Hamilton.

En cuanto su madre se hubo levantado de la mesa, Jeff le susurró que no ocurría nada, simplemente que ya había cumplido con la obligación de presentarlas, que tampoco él aguantaba allí un momento más.

—¿Estás seguro de que no lo haces por mí? —musitó ella.

Jeff tenía la boca ocupada con una galleta y asintió con la cabeza. Allie no pretendía alejarlo de su madre. Pero el caso era que él estaba más ansioso por marcharse que ella.

La señora Hamilton regresó al cabo de unos momentos seguida de Lizzie. Jeff le comunicó entonces la fecha de la boda y le dijo que esperaban que asistiese. Luego le dio un sobre a Lizzie con una gratificación, como tenía por costumbre, y después abrazó a su madre, que correspondió con frialdad.

Allie estuvo a punto de echarse a reír al ver llegar el coche que venía a recogerlos. Jeff había alquilado la limusina más grande del mundo. Era larguísima, blanca, con bar, televisión y Dios sabe cuántas cosas más. La señora Hamilton puso cara de espanto al verla.

—En California las utilizamos continuamente, mamá —dijo Jeff—. Te alquilaremos una para la boda —añadió antes de darle un beso de despedida.

El chófer subió al porche a recoger las bolsas y, al cabo de unos momentos, la limusina arrancó y la señora Hamilton la siguió con la mirada. Resultaba patética. Allie comprendía su soledad y que estuviese amargada, pero eso no justificaba su mezquindad. No pensaba preocuparse por sus opiniones. No merecía la pena. Era natural que Jeff se preocupase por su madre, pero Allie no pensaba hacer nada para propiciar un acercamiento; y estaba segura de que, después de aquel fin de semana, Jeff no iba a presionarla para que se congraciase con su madre. Allie había puesto todo lo que podía de su parte. Había ido a verla. Pero al parecer la señora Hamilton era incorregible.

—¿Qué tal una boda judía? —bromeó Jeff mientras enfilaban la autopista en dirección al aeropuerto Kennedy.

—¡Tu madre te mataría!

De nuevo estaban de buen humor. Él ladeó la cabeza para dejarse besar. Estaba impaciente por volver a casa y hacer el amor con ella. De no ser por temor a perder el avión, se habrían adentrado por alguna salida de cualquier pueblo, habrían hecho bajar al chófer y se habrían detenido en el arcén para hacer el amor.

—Lo siento, Allie. No sé cómo no intuí que las cosas podían rodar bastante mal —dijo de pronto—. Quizá es que me negaba interiormente a aceptarlo. Puede que me convenga a mí también hacerle una visita a la doctora Green.

—Parece un milagro que hayas sobrevivido tantos años a un ambiente así. —Jamás había conocido a una persona más fría que Mary Hamilton. No se parecía en nada a Jeff.

—La verdad es que siempre he rehuido sus embestidas. Mi padre se parecía mucho a Simon. Era encantador.

—Suerte has tenido.

Enseguida cambiaron de tema, ansiosos por llegar a California.

Horas después, nada más entrar por la puerta de la casa de Malibú, se entrelazaron enardecidos y se desnudaron. No llegaron al dormitorio. Hicieron el amor en el sofá con más ardor que nunca. Poco había faltado para que el represivo ambiente en el que habían estado casi dos días los desquiciase.

Allie se sentía profundamente dichosa de volver a estar allí y, al menos por una larga temporada, haber perdido de vista a la señora Hamilton.

17

El lunes por la mañana, después del fin de semana pasado en Southampton, Jeff salió de casa a las cuatro de la madrugada, como de costumbre, para ir a los estudios. Allie se quedó en la cama hasta las cinco y luego se levantó y echó un vistazo a los faxes y periódicos.

Estaban los dos muy contentos de haber regresado y felices por la intensa noche de amor que habían disfrutado. Pero no todo eran faxes rutinarios. Había uno del productor de la película de Carmen que le hizo arrugar el entrecejo. Decía que la Connors estaba muy deprimida y que no rendía a satisfacción en el rodaje. Sobre todo desde que el viernes anterior había leído el reportaje de *Chatter*.

Eran las seis cuando Allie leyó el fax. Como Carmen ya debía de estar en el plató optó por ir a verla. Se tomó otro café y metió en el maletín varios documentos que tenía que leer. A las seis y media salió de casa y a las siete estaba con Carmen.

El productor no había exagerado. Carmen se desempeñaba fatal. Había pasado el fin de semana encerrada en casa, llorando a causa del canallesco reportaje y muy deprimida por haber perdido al niño.

—Tendrías que ir al psicólogo —le dijo Allie mientras Carmen se sonaba por enésima vez aquella mañana.

—Eso no va a cambiar las cosas. No me va a devolver a mi hijo, ni va a borrar lo que esos sinvergüenzas han dicho de mí.

—De eso viven. Pero no puedes dejar que os destrocen la vida a ti y a Alan. Has de demostrarles que no te afecta, y a Alan que tienes entereza suficiente para no desmoronarte. Alan no va a querer compartir la vida con alguien que se deshace como la mantequilla cada vez que tiene un contratiempo.

Allie estuvo consolándola un buen rato. Y cuando a Carmen le tocó volver a ponerse ante la cámara estuvo bastante mejor que en días anteriores.

A las diez, Allie aún seguía en los estudios. Un empleado le avisó que tenía una llamada desviada desde su bufete. Allie fue a un despacho y cogió el teléfono. Era su secretaria, que le dijo que había llamado Delilah Williams y que era muy urgente.

—¿Y me llama aquí? —exclamó Allie.

—No; te llamo yo —repuso Alice—. Porque me ha dicho que es urgentísimo.

—¡Esa tía está loca!

—Hay muchas probabilidades de que así sea —ironizó Alice—. ¿Te la paso o no te la paso?

—De acuerdo. Ahora ya está. Pero la próxima vez que deje el mensaje y listo.

—¿Allie? —dijo la gigantesca Delilah con su voz de bajo—. No ha contestado usted a ninguna de mis llamadas. —Parecía un amante airado—. Y no me ha dicho nada del pastel, de la música para la iglesia ni nada de nada.

Delilah lo dijo como si de una ofensa personal se tratase. Pero Allie estaba aun más enojada que ella.

—¿No se da cuenta de que me ha llamado a un plató en pleno rodaje? No ha podido ser más inoportuna. Si no la he llamado es porque he estado demasiado ocupada para pensar en sus pasteles —le espetó.

—¿Ha decidido por lo menos quiénes serán sus damas de honor? —preguntó Delilah sulfurada.

—Sí, ya lo he decidido —contestó Allie, pensando que era mejor abreviar que decirle todo lo que pensaba—. Mi secretaria le enviará la lista.

—Necesitamos saber también sus medidas —dijo Delilah sin arredrarse. Estaba acostumbrada a tratar con personas como Allegra Steinberg: médicos, abogados, psiquiatras, celebridades, actrices. Eran incapaces de organizar nada ajeno a su trabajo. Su misión era hacerlo por ellos aunque tuviese que tratarlos como a criaturas—. ¿Tiene sus medidas o no?

—Pídaselas a mi secretaria.

—Lo haré —dijo Delilah, satisfecha por haber zanjado una cuestión—. Otra cosa: aún no ha elegido usted su vestido, y la fecha se le echará encima.

—Mire... tengo que colgar —casi le gritó Allie. No quería ser grosera con ella, pero había personas que no dejaban opción.

En cuanto colgaron, Allie llamó a su madre a los estudios.

—Oye, mamá, o me quitas de encima a esa mujer o terminaré por pegarle.

—¿Qué mujer? —preguntó Blaire.

—¡Cómo qué mujer! Esa especie de buitre que has contratado para que me organice la boda. Antes prefiero celebrarlo en un parque público y repartir hamburguesas. Me persigue. Me acosa. Incluso me ha llamado a los estudios donde rueda Carmen. Tengo ganas de asesinarla.

—Confía en mí, cariño. Lo hará muy bien y quedarás muy satisfecha —la tranquilizó su madre.

Allie no concebía quedar «satisfecha» con las habilidades organizativas de aquel esperpento.

—Bueno, mamá... veo que es inútil. Ya hablaremos.

Colgó y fue al camerino. Ya habían terminado la sesión.

—¿Ocurre algo? —preguntó Carmen, por una vez, preocupada por algo distinto de sus propios problemas.

—No te lo vas a creer —dijo Allie exasperada.

—¿Qué pasa?

—Que la mujer que mi madre ha contratado para que coordine la boda no me deja en paz.

—¿Qué? —exclamó Carmen mientras se quitaba el maquillaje—. ¿Una mujer para coordinar la boda? ¿Y qué hace?

—Pues más o menos lo que hice yo en Las Vegas cuando me encargué de vuestra indumentaria y vuestras pelucas.

Carmen se echó a reír al recordarlo. La verdad es que había sido divertido. Allie cada vez se sentía más tentada de decirle a Jeff que hiciesen algo parecido.

—Pues ya sabes... a Las Vegas —dijo Carmen.

—Le daría un disgusto de muerte a mi madre —dijo Allie. Aunque la verdad era que, con tal de no ver a la señora Hamilton, casi merecía la pena. Su lado más rebelde no lo descartaba.

Fueron a almorzar juntas y luego Allie volvió al bufete a poner un poco de orden en su mesa y firmar documentos. Tenía que estar en el despacho de Suzanne Pearlman a las dos y media. Estaban citadas con un matrimonio que se había desplazado desde

Chicago. Allie no salía de su asombro al comprobar cuántos matrimonios hacían lo que fuese por adoptar cuando no podían tener hijos. No les importaba viajar a miles de kilómetros. Aunque, después de comprobar el dolor que sentía Carmen por haber abortado, no le extrañaba tanto. Pese a ser mujer no había supuesto que el instinto maternal fuese tan fuerte.

Había llamado a Samantha para decirle que pasaría a recogerla por casa, pues le venía de camino.

En cuanto la vio asomar por la puerta, Allie notó lo mucho que había aumentado su vientre en unos días. Estaba enorme. Pero más guapa que nunca, y aún parecía más joven.

—¿Qué tal te encuentras? —preguntó Allie al subir Samantha al coche.

Su hermana llevaba un vestido rosa muy holgado, sandalias, trenzas y unas enormes gafas de sol. Parecía la Lolita de Nabokov.

—Bien —contestó Samantha, y la besó agradecida de que la acompañase. Ya se había entrevistado con varios matrimonios, y no le gustaba nada hacerlo. Detestaba tener que darles una negativa. Estaba dudosa. Quizá los Whitman, pensaba. Pero tampoco eran perfectos, claro—. ¿Qué tal ha ido en Nueva York?

—Interesante —dijo Allie.

Samantha conocía bien a su hermana, y su laconismo no indicaba nada bueno.

—Ya. Eso me suena a que no ha ido bien.

—Y no te equivocas.

—¿Una bruja?

—Con escoba. La cosa más horrible que quepa imaginar. Con decirte que se ha escandalizado al pensar que yo pudiera ser judía.

—Pues ya verás cuando lo sepa papá. Punto y raya.

—No me hago a la idea de tener que verla otra vez. Pero me temo que no tendré opción. No sé cómo Jeff ha podido salir normal. —No le cabía en la cabeza.

—A lo mejor es adoptado —sugirió Samantha.

En otro tono y otras circunstancias su comentario habría sido una indelicadeza, pero Allie lo interpretó como un elogio. «¿No es tan estupendo?», había querido decirle Samantha valiéndose de una broma. Pero, aparte bromas, Samantha no podía olvidar adónde iban y para qué. Iba a entrevistarse con otros candidatos a padres de su hijo. Y el solo hecho de pensarlo la deprimía. Jimmy se había ofrecido a acompañarla también, pero Samantha le dijo que no le parecía conveniente porque podían pensar que él era el padre. No le importaba decirles a los candidatos lo poco que sabía de Jean-Luc, pero era bien poco. Podía describirlo, eso sí: treinta años, era alto, rubio, apuesto, francés y fotógrafo. De su verdadero carácter nada podía decir ni de su paradero. No podía ofrecerles una biografía del padre del niño.

Llegaron al despacho de Suzanne diez minutos después de que Allie pasase a recoger a su hermana.

La sala de espera era muy agradable, decorada con vistosos grabados. El revistero estaba atestado de publicaciones sobre temas de adopción.

Allie y Samantha aguardaron en silencio. Al cabo de cinco minutos, la recepcionista les indicó que podían entrar. El matrimonio de Chicago ya estaba allí con Suzanne Pearlman.

Pero nada más verlos, Samantha decidió que no iba a entregarles a su hijo. Empezaron a hablarle de lo mucho que viajaban, de que iban a esquiar, de que conocían bien Europa. La mujer era azafata de vuelo y él era agente de seguros con una importante cartera en el Medio Oeste. No tenían hijos y habían intentado la fecundación in vitro. Pero comentaron que salía muy caro y habían terminado por desistir. Samantha ya había oído varias historias similares.

—¿Y qué piensan hacer con el niño cuando viajen? —preguntó.

—Pues dejarlo con una niñera —contestó el esposo.

—Contratar a una niñera —secundó la esposa.

—¿Por qué adoptar un hijo entonces? —dijo Samantha sin rodeos. Era más directa que su hermana, que le sonrió asintiendo con la cabeza.

—Yo tengo treinta y ocho años y Janet treinta y cinco. Ya va siendo hora —contestó él como si hablase de comprar un coche—. Vivimos en una zona residencial y todos nuestros amigos tienen hijos —añadió.

Parecía querer decir que, simplemente, querían un hijo para ser como los demás. A Samantha le tenía sin cuidado que viviesen en un barrio residencial como Naperville. Le parecía irrelevante.

—Pero ¿de verdad desean ustedes tener un hijo? —insistió Samantha, y notó que los dos empezaban a sentirse incómodos por su actitud.

—Si no lo deseásemos no habríamos venido —contestó Janet,

y le sonrió a Samantha. Quería ganársela. Pero era obvio que no lo iba a conseguir.

En realidad, tampoco a ellos les gustó su talante inquisitivo.

—Aunque, la verdad es que no ha supuesto un gran esfuerzo, porque tenemos billetes de avión gratuitos, debido a que Janet es azafata. No nos ha costado nada venir —dijo Paul.

Samantha miró a su hermana.

—¿Quieres hacerles más preguntas? —le dijo Suzanne a Samantha.

La abogada era consciente de que la entrevista no se encauzaba bien. Estaba claro que a Samantha no le gustaba aquel matrimonio de Chicago.

—No, creo que es suficiente —repuso Samantha en tono cortés.

Suzanne acompañó al matrimonio a un antedespacho. Al cabo de unos minutos regresó para que Samantha y Allie le diesen su opinión sincera.

—Me parecen horribles —dijo Samantha.

—Me lo temía —dijo Suzanne.

—No quieren un hijo. Harían mejor en comprarse un perro. ¿Qué pretenden?, ¿pasarse la vida de viaje y dejar a mi hijo con extraños?

Lo cierto era que había muchos matrimonios que creían querer hijos. Y se engañaban. Lo único que querían era un aliciente para volver a sentirse jóvenes. Querían muchas cosas pero no un hijo.

—No pienso confiarles a mi niño —dijo Samantha con firmeza. Hablaba del futuro bebé como si ya anduviese. Lo sentía muy suyo.

—Lo comprendo —dijo Suzanne—. ¿Y los Whitman de Santa Bárbara? Están muy interesados y parecen sentir verdadera preocupación por ti.

—Es el matrimonio que más me gusta —dijo Samantha—. Pero no estoy decidida.

—¿Qué es lo que te hace dudar?

—Pues que no estoy del todo segura de que me gusten. No sé. Quizá que son un poco mayores —contestó con franqueza Samantha. Rondaban los cuarenta años y no habían podido tener hijos.

—Han tenido muy mala suerte —dijo Suzanne a Allie.

Samantha ya lo sabía, porque en la anterior entrevista con Suzanne había ido con su madre, que la había acompañado en dos ocasiones. Simon no había ido. No podía. La perspectiva de que su hija fuese a dar a luz y tuviese que renunciar al bebé le partía el corazón. No quería ni oír hablar del asunto. Ya le resultaba bastante duro ver a su hija a diario sabiendo lo que sufría. Aunque fuese a ser madre no era más que una niña.

—Los Whitman no son un matrimonio corriente —prosiguió Suzanne—. No han podido tener más mala suerte en sus intentos de adopción. En una ocasión estuvieron a punto de adoptar a dos hermanos. Pero los padres naturales se arrepintieron cuando estaban a punto de firmar los documentos. De eso hace diez años y decidieron no seguir por ese camino. Con las nuevas técnicas intentaron que ella se quedase embarazada. Pero ha tenido varios abortos y un niño que nació muerto. De modo que ahora vuelven a intentar la adopción; y la verdad es que creo que su deseo de tener un hijo es auténtico. No son jóvenes, desde luego. Pero puede que eso no sea tan negativo. A mí me gustan. Son muy vitales.

Sin embargo, los Whitman no era la clase de matrimonio que Suzanne prefería. Se les hacía mucho más daño que a otros si la madre se echaba atrás en el último momento. Por eso le había preguntado a Allie desde el principio si Samantha estaba realmente decidida. Y al parecer sí lo estaba.

Samantha lo había hablado incluso con Jimmy y había llegado a la conclusión de que no tenía otra alternativa. Jimmy seguía viéndola con mucha frecuencia. Los padres de Samantha lo veían con buenos ojos. Samantha necesitaba amigos y Jimmy era un buen chico, serio y formal, que no pretendía más que brindarle su amistad. Le dolía que Samantha tuviese que pasar por aquello.

—Bien, Samantha, ¿quieres volver a ver a los Whitman?

—Bueno —dijo Samantha sin entusiasmo.

—A Katherine Whitman le encantaría asistir al parto si los eliges.

—¿Por qué? —preguntó Samantha. No le parecía agradable.

—Porque quiere ver nacer al niño y tener un primer contacto con él. Muchos matrimonios lo hacen. ¿Te importaría que asistiese también John?

A Samantha le resultaba muy violento oír todos esos detalles.

—No, no quiero que él asista. En cuanto a ella... lo pensaré.

—John estaría detrás y no vería nada... —insistió Suzanne.

—¡Ni hablar! —le espetó Samantha.

—De acuerdo. Lo importante es que al parecer sólo nos quedan los Whitman y los de Chicago —dijo Suzanne.

—Elijo a los Whitman —decidió Samantha. Su abatimiento

era palpable. No había más remedio. Sólo quedaban por concretar los detalles.

—¿Sigues yendo al ginecólogo con regularidad? —le preguntó Suzanne, que tenía que rellenar un cuestionario que a Samantha le resultaba especialmente desagradable. ¿Tomaba las vitaminas? ¿Tomaba drogas? ¿Había tenido relaciones sexuales recientemente?

Aunque a regañadientes, contestó a todas las preguntas. Iba al ginecólogo con regularidad, tomaba las vitaminas, nunca había tomado drogas, no bebía —ni siquiera vino o cerveza— y no había tenido relaciones sexuales desde que se quedó encinta. O sea: el sueño de cualquier matrimonio que quisiera adoptar.

Suzanne no quiso decírselo para no presionarla más, pero los Whitman ansiaban desesperadamente que accediese. Pensaba que la convencería más fácilmente si no la presionaba. Les había recomendado paciencia a los Whitman; que era lo mejor, les había asegurado.

—¿Quieres volver a verlos? —preguntó Suzanne por última vez.

—De momento no —repuso Samantha.

Necesitaba un respiro.

Cuando hubieron salido del despacho de Suzanne Pearlman, Allie llevó a su hermana a tomar un batido a Johnny Rocket's. Samantha estaba desencajada, como siempre que iba a ver a Suzanne.

El ginecólogo le había recomendado asistir a unas clases con el método Lamaze para facilitar el parto. Había ido por primera vez la semana anterior con su madre. Les pasaron el vídeo de un parto y Samantha estuvo a punto de desmayarse. Se desesperaba al pensar que tendría que pasar por todo aquello para luego entregar su hijo a unos extraños. Era mucho pedirle a una mujer.

—Tengo ganas de morirme —dijo Samantha, compungida.

Allie volvió a pensar en Carmen, que había dicho exactamente las mismas palabras cuando abortó. La vida se complacía a veces en un humor negro.

—No debes desesperarte —la calmó Allie—. ¿Por qué no piensas en que dentro de muy poco todo habrá quedado atrás?

—Sí, supongo que eso es lo mejor —dijo—. Todo habrá quedado atrás —añadió con amargura.

La ceremonia de graduación de Samantha tendría lugar aquella misma semana y ni siquiera podría asistir.

—¿Tienes ya las notas? —le preguntó Allie.

—Sí. Me las ha traído Jimmy con todo el paquetón: el libro de nuestra promoción con las fotos y mi nombre; y el diploma.

A pesar de no haber asistido a clase durante dos meses, Samantha había sacado una media de notable.

—Jimmy dice que lo de la ceremonia de graduación es un palo —añadió Samantha.

—¿Se puede saber qué hay entre vosotros dos? —preguntó Allie como de pasada, con tono ligero. Había observado a Jimmy y tenía la impresión de que era un chico inteligente, y era mono. Iba con mucha frecuencia a ver a Samantha, sobre todo en las últimas semanas. Rara era la vez que iba a casa de sus padres y no estuviese él allí. Parecía el único de sus amigos que se interesaba de verdad por ella. A los demás debía de resultarles violento. No iban a verla, ni siquiera las chicas.

—Somos sólo amigos —aseguró Samantha. No cabía duda de que Jimmy era su mejor amigo. Se lo había demostrado.

—Alan y yo tuvimos una relación parecida cuando yo tenía tu edad. Empezamos como novietes un año antes de terminar el bachillerato, y terminamos siendo como hermanos. Y aún lo somos.

—Hace siglos que no veo a Alan —dijo Samantha sonriente. Le caía muy bien el amigo de su hermana. Alan siempre bromeaba con ella. Aún no sabía que estuviese embarazada. Se había marchado a Suiza antes de que Allie se enterase y aún no se lo había dicho.

—Alan está en Suiza. Rueda una película.

—¿Y cómo está Carmen?

—No muy bien. Tuvo un aborto en Suiza. Pero Alan sigue allí porque aún no han terminado la película. Y ella ha tenido que regresar para rodar la suya. Se desespera por no poder estar con él. No volverá hasta agosto.

—¿Y ella no puede ir a verlo?

—No, a menos que quiera que la estrangule. Está en pleno rodaje.

—Debe de ser duro para ella no poder estar con Alan en estos momentos.

Allie asintió.

Fueron en el coche de Allie de regreso a casa de sus padres. Ya era demasiado tarde para volver a su despacho y le había prometido a Jeff ir a verlo a los estudios.

Tras dejar a Samantha en la puerta, al alejarse con el coche vio llegar a Jimmy. Por un momento pensó que a lo mejor su hermana no le había dicho la verdad y había algo serio entre ellos. Aunque no parecía muy lógico, estando Samantha embarazada de otro.

Allie no paró de pensar en su hermana durante el trayecto hasta los estudios. Era cruel que tuviese que dar a luz delante de unos extraños que se quedarían con su hijo en cuanto naciese.

Jeff acababa de dar el visto bueno a las últimas tomas cuando Allie llegó. Salieron enseguida hacia Malibú y, durante el trayecto, Allie no pudo evitar sacar a colación el tema de su hermana. La obsesionaba.

—Sí, es terrible, cariño —dijo Jeff meneando la cabeza.

—Desde luego. Aunque Suzanne lo está haciendo muy bien. Yo sería incapaz de intervenir en algo así.

—Si te lo propusieses podrías hacerlo —dijo él, y se inclinó a besarla—. ¿Qué tal Carmen? —preguntó por cambiar de tema, ya que notaba que para Allie era mortificante hablar de su hermana.

—Está mucho mejor desde hace unos días, más tranquila.

—Bien... Hablemos de nosotros, cariño. Dentro de poco seremos marido y mujer.

Sí, pensó Allie. Se sentía dichosa. Estaba claro que no era tan fácil encontrar una pareja que mereciese la pena. No confundir el amor con una pasión pasajera.

18

El 1 de julio, Allie le dio un alegrón a Delilah Williams: había ido con su madre a Dior y habían encargado un vestido que Ferre estaba dispuesto a retocar ligeramente para adaptarlo a Allie. Era de piqué blanco revestido de blonda, corto por delante y largo por detrás. Ferre le iba a añadir una chaqueta blanca, cuello alto y manga corta. Era elegante, juvenil y precioso.

Blaire lloró al vérselo puesto a su hija. Allie estaba radiante. Su madre le dijo que le prestaría la fabulosa gargantilla de perlas que Simon le había regalado al cumplir los cincuenta años.

—Bueno, prácticamente está todo —dijo Blaire al acabar de repasar una de las listas enviadas por Delilah.

—Ahora ya puedes decirle que deje de llamar al trabajo. No tengo tiempo para más bobadas.

—No son bobadas, cariño. Se trata de tu boda.

Habían elegido música clásica adecuada para la ceremonia de la boda y contratado a la orquesta de Peter Dumchin para animar la fiesta que se celebraría en el jardín de la casa.

Blaire se había encargado de elegir el menú y el pastel. Las flores para las mesas estaban aún por decidir. La carpa la tenían encargada desde hacía meses. Lo único que quedaba por hacer era limpiar el jardín. El arquitecto mantenía la fecha del 1 de septiembre para tenerlo todo totalmente terminado, cuatro días antes de la boda.

Habían reservado habitaciones en el hotel Bel Air para la señora Hamilton y las dos amigas de Allie, que se desplazarían desde Nueva York y Londres respectivamente para ser sus damas de honor.

A primeros de julio todo parecía perfectamente encarrilado. Apenas quedaba nada por hacer, salvo lo que Delilah llamaba «flecos»: la distribución en las mesas para los invitados que asistirían sin pareja; y la cena que, a modo de despedida de solteros, era tradicional celebrar en California. Normalmente esto hubiese corrido a cargo de la señora Hamilton, pero como era de Nueva York y ajena a aquella costumbre, se encargarían los Steinberg, que ya habían reservado un salón en el Bistro.

Allie había terminado por transigir y le había escrito a su padre. Le comunicaba que iba a casarse y que aunque no contaba con que asistiese a su boda, sería bienvenido si decidía asistir. Escribirle le supuso un gran esfuerzo emocional, pero se decidió después de hablarlo largo y tendido con la doctora Green.

Le había enviado la carta a primeros de junio pero Stanton aún no había contestado. De modo que Allie supuso que no asistiría. Tanto mejor, pensó, y regresó a su despacho de muy buen humor después de haber encargado su traje de boda. Había hablado con su madre de la reunión familiar que celebraban todos los años aprovechando la festividad del Cuatro de Julio. Como invitaban a algunos amigos, solían reunirse unas veinte personas en el jardín.

Jeff asistiría por primera vez, ya casi como un miembro más de la familia. Los Steinberg eran muy aficionados a las fiestas familiares y para ellos el día de Acción de Gracias y Navidad revestían la mayor solemnidad.

—Debe de ser precioso —dijo Alice cuando Allie le describió el vestido que había encargado— y...

Sonó el teléfono.

Contestó Alice, que frunció el ceño y le pasó el auricular a su jefa.

Allie escuchó en silencio casi un minuto. Su cara se congestionaba a medida que pasaban los segundos.

—De acuerdo —se limitó a decir antes de colgar con la expresión más furiosa que Alice le había visto en mucho tiempo.

Luego, sin decir palabra, rebuscó su agenda en un cajón y marcó un número. Aguardó impaciente. Tamborileaba con los dedos en la mesa. Aunque más que un acompañamiento musical parecía afilarse las uñas, pensó Alice.

—¿Se puede saber qué demonios haces tú en Suiza? —tronó Allie en cuanto oyó la voz de Carmen—. ¡Eres una irresponsable! Vas a tirar tu carrera por la borda. No te lo van a perdonar. Tenlo por seguro.

—No he podido evitarlo —gimoteó Carmen—. Lo echaba mucho de menos.

Carmen no se atrevió a decirle que había ido porque estaba ovulando y quería volver a quedarse encinta. Allie habría pensado que estaba loca.

—Me acaban de decir que desapareciste ayer. Les va a costar una fortuna interrumpir el rodaje. Oye lo que me han dicho: o estás aquí pasado mañana, a más tardar, o te rescinden el contrato. Aparte de que yo pienso estrangularte con mis propias manos.

—No quiero volver —lloriqueó Carmen.

—Pues si no vuelves será mejor que te retires. Dile a Alan que se ponga.

—Hola, cariño —dijo Alan con tono apaciguador.

—Pónmela en un avión, ò nos las vamos a ver tú y yo, ¿entendido? —le espetó Allie sin preámbulos.

—Eh... ¡que yo no tengo la culpa!, ¿vale? No tenía ni idea de que iba a venir. Se ha presentado sin avisar. Ya me he figurado cómo te ibas a poner. Te prometo que mañana por la mañana la facturo. Yo estaré de vuelta dentro de un mes. Cuídamela mucho mientras tanto.

—¿Cuidar a Carmen? ¡Cómo si se dejara! ¡Estoy hasta el gorro!

No le faltaba razón a Allie para estar tan furiosa, porque la verdad era que Carmen, aunque tuviese motivos para estar abatida y sentirse sola, se comportaba como una niña consentida.

—Puede que Carmen tenga razón —añadió Allie—. A lo mejor habrá de plantearse trabajar sólo cuando pueda compartir cartel contigo.

—Bueno, no te enfades.

—Tú pónmela en el avión mañana si no quieres que el barco se hunda. Por lo pronto, por la falta de asistencia de hoy, la multan con cincuenta mil dólares; y otros tantos por mañana. Se lo ha ganado a pulso.

Alan soltó un bufido al pensar que cien mil dólares no era ninguna tontería.

—Te prometo que volverá enseguida —dijo Alan.

—Procúralo.

Allie colgó sin más y llamó a los productores de la película para excusarse en nombre de Carmen. Les dijo que estaba emocionalmente muy afectada y que necesitaba ver a su esposo. Que no volvería a suceder y que no ponía objeciones al pago de la multa. Que dentro de dos días reanudaría el rodaje. Los productores aceptaron las excusas y dijeron que, si pagaba la multa y reanudaba el trabajo tal como prometía, por ellos quedaría olvidado.

Allie apenas pudo dormir en toda la noche. No quería ni pensar la que podía organizarse si, pese a todo, Carmen incumplía su promesa.

Al día siguiente, fue a esperar a Carmen al aeropuerto. Nada más verla aparecer por la puerta de llegadas internacionales se acercó y le soltó un rapapolvo. Carmen alegó que había necesitado ver a Alan. De ahí no la sacaba. Allie le dijo que, por su culpa, casi todos los que intervenían en el rodaje iban a tener que trabajar el Cuatro de Julio para recuperar el tiempo perdido.

Allie había pensado invitarla a la fiesta que organizaban ese día en casa de sus padres. Pero Carmen no podría asistir, y de todas maneras estaba tan enfadada con ella que lo más probable era que no la hubiese invitado.

Al día siguiente, Allie se aseguró de que Carmen estuviese en los estudios a las cinco de la mañana como un clavo. La llamó a las tres y media.

Donde las dan las toman, pensó Allie.

La noche anterior no se había separado de ella hasta las nueve de la noche para asegurarse de que se quedaba en casa y no hacía más tonterías.

El Cuatro de Julio, Allie y Jeff durmieron casi hasta las diez. Remolonearon un poco en la cama y a las once y media se dirigían a casa de los padres de Allie.

Estaba toda la familia, incluso Scott, que había invitado a una chica y varios amigos. Sam había invitado a Jimmy Mazzoleri, que ya formaba parte del mobiliario, como decía Simon. Estaba en su casa la mayor parte del tiempo. También se habían unido a la fiesta unos vecinos con quienes los Steinberg tenían mucho trato.

Este año sólo faltarían los amigos de Samantha. Era un pequeño grupo, y precisamente por eso lo pasaban siempre muy bien el Cuatro de Julio, en un ambiente íntimo. Todos se conocían y la fiesta era muy animada.

Quienes hacía tiempo que no veían a Samantha se quedaron perplejos al ver su estado. Estaba ya de ocho meses. Lo que más le dolía a Allie era que nadie hiciese el menor comentario. Era una clara señal de que lo consideraban tan anormal que hablar de ello los violentaba. Lo que para su hermana pudo haber sido lo más hermoso de su vida, se convertía en su trago más amargo.

Blaire seguía asistiendo con Samantha a las clases de ejercicios preparatorios para el parto. También Allie la había acompañado un par de veces. Incluso Jimmy la había ayudado a practicar los movimientos. Le fascinaba sentarse a su lado y notar cómo se movía el bebé. A juzgar por las patadas que daba se diría que iba a ser futbolista.

—¿Cómo te encuentras, Sam? —le preguntó Allie al sentarse a su lado en una tumbona.

—Bien —repuso Samantha, y se encogió de hombros. Jimmy se acercaba con un plato de salchichas—. Sólo que estoy muy torpe. Me cuesta moverme.

—Ya falta poco —la animó Allie. Pero fue contraproducente: su hermana se echó a llorar.

—He elegido a los Whitman de Santa Bárbara —dijo Samantha—. Suzanne se lo comunicó ayer. Creo que han sufrido mucho en todos estos años tratando de tener un hijo. Lo desean de verdad. Suzanne dice que están muy contentos. Pero no las tienen todas consigo, porque como ya les ha ocurrido dos veces que se les echen para atrás, temen que yo haga lo mismo. Suzanne dice que no podrían soportar otra decepción, que confía en que yo no me desdiga.

Samantha no tenía intención de defraudarlos. Estaba ansiosa de que todo acabase: el parto, el papeleo, el dolor de entregar el bebé. Era consciente de que no podría olvidarlo mientras viviese.

—Lo único que me disgusta mucho es que vayan a asistir al parto —añadió Samantha—. Pero están empeñados.

—¿Qué hacéis ahí las dos tan serias? —preguntó su padre, que se acercó a ellas y las miró complacido.

La familia vivía momentos muy importantes: su hija menor iba a dar a luz, Allie se casaba y Blaire... ella estaba desconcertada y abrumada. La audiencia de su serie volvía a caer en picado. No estaba muy comunicativa últimamente. Pero Simon no quería hurgar en la herida, y en ningún momento sacaba el tema a relucir.

—Decimos que cada vez lo haces mejor, papa —dijo Allie—. Deberías montar un asador.

Allie se levantó y besó a Simon. Y al hacerlo, la tumbona se venció por el lado de Samantha, que cayó al suelo. Allie la ayudó a levantarse y tragó saliva al recordar lo que le ocurrió a Carmen. Prefería no pensar lo que pensaba.

Samantha hizo una mueca de dolor y volvió a sentarse, justo en el momento en que Jimmy llegaba con otro plato rebosante de salchichas.

—Toma —dijo su joven amigo—, que ahora has de comer por dos.

Jimmy se sentó frente a ellas en una silla y estuvieron charlando desenfadadamente. Al levantarse Allie para unirse a un corrillo, Samantha le comunicó a Jimmy su decisión de dar a su hijo en adopción a los Whitman. Aún estaba a tiempo de volverse atrás, desde luego. Es más: la ley le concedía un plazo de seis meses después de dar a luz, por si quería recuperar a su hijo.

—No tienes por qué hacerlo, Sam. Ya lo hablamos —le susurró él para que no los oyesen.

Jimmy le había ofrecido casarse con ella, pero Samantha no quería aceptarlo. Él acababa de cumplir los dieciocho años y ella aún era menor. ¿Qué clase de padres iban a ser dos críos como ellos? No, no era una buena idea. A duras penas podrían salir ellos dos adelante. Además, Samantha pensaba que Jimmy no merecía tener que sobrellevar una carga así siendo tan joven, sin haber tenido nada que ver con la paternidad de su hijo. Lo apreciaba demasiado para hacerle una cosa así. Estaban muy unidos desde que él empezó a mostrarse tan solícito. La había ayudado mucho a aprobar el curso. Le había traído apuntes, resúmenes y muchos libros de consulta para sus trabajos. Ahora eran inseparables y cuando Jimmy la besaba, Samantha intuía lo que iba a suceder cuando hubiese dado a luz. Prefería no pensar en ello de momento. Pero se besaban mucho y, últimamente, cada vez que se besaban ella tenía contracciones, y se asustaba. Por un lado deseaba dar a luz cuanto antes y, por otro, habría preferido que nunca llegase el momento. Estaba asustada.

Blaire se sentó a charlar con ellos un rato. Samantha había notado lo triste que estaba su madre a causa del descenso de audiencia de su serie. La afectaba mucho. La serie significaba mucho para ella. Había trabajado mucho para auparla y mantenerla durante nueve años. Verla languidecer poco a poco era como ver morir a un viejo amigo.

Como es natural, durante la fiesta se habló mucho de la boda, sobre cuántos invitados asistirían, si instalarían una carpa, dónde había encargado el menú y qué orquesta habían elegido. Parecía el único tema de conversación. Luego, ya entrada la tarde, Simon hizo un aparte con Jeff. Hacía semanas que pensaba llamarlo, pero había estado demasiado ocupado.

—Quiero hablar contigo —le dijo.

Fueron hacia el lado del jardín menos concurrido y se sentaron en las piedras del límite de un arriate.

—He leído tu segundo libro —le dijo Simon—. Y me ha gustado. Me ha gustado muchísimo.

—Pues me alegra —dijo Jeff sonriéndole agradecido.

—¿Tienes planes para adaptar la novela al cine?

—Todavía no. He hablado con algunas personas acerca de la cesión de los derechos, pero no acaban de convencerme sus ofertas. Y tampoco quiero volver a producir. Es muy agotador y prefiero limitarme a escribir. Si surge una buena oferta, la aceptaré y quizá escriba el guión.

—A eso iba —dijo Simon—. Te voy a hacer una oferta. Si tienes tiempo esta semana, podemos reunirnos y lo hablamos.

Jeff le sonrió radiante, sin acabar de dar crédito a lo que oía. Simon era uno de los productores de Hollywood más importantes y quería hacer una película basada en su novela. No le importaba que fuese su futuro suegro. Jeff conocía ya lo suficiente a Simon para saber que, si su novela no le hubiese gustado de verdad, no le haría ninguna oferta.

—Eso sería maravilloso —dijo.

¿De qué va la cosa? —preguntó Allie, que se les había acercado por detrás.

—A tu padre le ha gustado mi novela. Y a lo mejor hace algo con ella —contestó Jeff—. Si quieres, todo puede quedar en familia: negocias tú con él. ¿Qué te parece?

—Me temo que podría surgir un conflicto de intereses —repuso ella riendo.

Era maravilloso, pensó Allie, y al mirar el reloj y ver que eran pasadas las cinco, le dijo a Jeff que tenían que marcharse ya. Se habían comprometido a asistir al concierto especial de Bram Morrison. Sería el concierto culminante de su gira antes de marchar a

Japón y, aunque a Jeff no le entusiasmaban los conciertos de rock, Allie le había prometido a Bram que irían los dos. Sería un concierto multitudinario que los encargados de seguridad consideraban «de alto riesgo». Le había asignado a Bram ocho guardaespaldas para protegerlo del entusiasmo de los fans. Bram se estaba convirtiendo en una estrella de culto.

—¿Adónde vais tan pronto? —preguntó Samantha al ver que se despedían.

—Al concierto de Bram Morrison, al Great Western Forum —contestó Allie.

—¡Suertudos! —exclamó Samantha.

Tanto a ella como a Jimmy les hubiese encantado asistir. Habían hablado de ello hacía días pero pensaron que era demasiado peligroso para Samantha exponerse a las apreturas.

—En otra ocasión os conseguiré entradas —prometió Allie.

Cuando se hubieron despedido de todos, se marcharon y fueron a cambiarse de ropa a la casa de Beverly Hills. Allie pensaba venderla y comprar en Malibú una más grande que la que Jeff tenía alquilada.

A las seis ya estaban listos para ir al concierto. Llegaron poco antes de que empezase, pero no pudieron saludar a Bram antes de que saliese al escenario porque era prácticamente imposible avanzar entre bastidores.

El concierto duró varias horas. Muchos acabaron totalmente «colocados». Como colofón habían programado un castillo de fuegos artificiales que debía empezar a las once. Pero cinco minutos antes, un espontáneo con una cazadora negra, el pecho desnudo y una larga melena irrumpió en el escenario y cogió el micrófono del batería. Empezó a gritar que *amaba* a Bram Morrison, que siempre lo había amado, que habían estado juntos en Vietnam y habían muerto y que ahora eran una sola persona. Parecía la letra de una canción. El tipo vociferaba como un energúmeno mientras los guardias de seguridad se abrían paso hacia él. «¡Te amo! ¡Te amo!», gritaba el espontáneo a pleno pulmón.

Como el castillo de fuegos artificiales acababa de empezar, los prodigios de la pirotecnia atrajeron la atención de todos, y a los de seguridad les fue más fácil llegar hasta el espontáneo y sacarlo del escenario. De pronto repararon en que llevaba una pistola. Con el estruendo de los fuegos artificiales no había oído los disparos.

Allie buscó a Bram con la mirada y lo vio de rodillas en el centro del escenario. Sangraba por la cabeza y el pecho.

—¡Socorro! —gritó Allie mirando a un guardaespaldas y señalando a Bram.

También la esposa de Bram y sus hijos lo habían visto. Fueron rápidamente a asistirlo, pero ya estaba muerto.

Allie se arrodilló junto al cuerpo entre bastidores mientras su esposa se abrazaba a él y sus hijos lloraban desconsolados. El público no se había enterado de lo ocurrido y la música de Bram seguía sonando. Minutos después, lo comunicaron a través del sistema de megafonía.

El asesino de Bram Morrison no lo conocía en absoluto, pero aseguró que Dios lo había enviado para salvar a Bram. Tenía que salvarlo de la gente que quería hacerle daño y llevarlo junto a Dios. Que ya había cumplido con su misión, le dijo a la policía sin ofrecer resistencia.

Un loco había acabado con la vida de uno de los ídolos del rock. Los cincuenta mil fans congregados en el Forum siguieron allí toda la noche llorando a su ídolo.

Como era de esperar, Allie Steinberg tuvo que hacer de nuevo de paño de lágrimas. En realidad, también ella necesitaba alguien que la consolase. Siempre había sentido un gran aprecio por Bram Morrison, que no era un payaso como Malachi O'Donovan sino un verdadero músico y una gran persona.

Allie hizo lo que pudo para consolar a la viuda y los hijos de Bram.

—Todavía no acabo de creérmelo —le dijo Allie a Jeff al volver a Malibú por la mañana.

Ya era mediodía cuando llegaron a la casa.

—Tiene que ser una pesadilla, Jeff —dijo Allie llorosa.

—Vivimos en un mundo enloquecido —repuso él quedamente—. Estamos a merced de cualquier lunático que quiera destrozarnos la vida, arrebatárnosla, robarnos, hundir nuestra reputación. Es espantoso vivir así —añadió sin contener las lágrimas. Lo conmovía pensar en una muerte tan absurda, que dejaba viuda a una mujer joven y enamorada y huérfanos a unos niños inocentes. Era una canallada.

Allie se sentó en la arena, mirando al mar, sin dejar de llorar. No había conocido a ningún artista como Bram Morrison, tan sencillo y poco exigente. Pero de nada le habían servido sus virtudes. Empezaron por amenazar la vida de sus hijos y habían terminado por asesinarlo.

Dos días después, al ver a la viuda de Bram y sus hijos durante el entierro, Allie sintió el deseo, tan repentino como inexplicable, de ser madre. Quería un hijo, una parte de Jeff antes de que una tragedia semejante a la de Morrison se cebase en ella. Nunca había sentido algo así y de pronto se le encendió una lucecita: sería madre, la madre del hijo de su hermana.

Allie miró a Jeff y, con tono sereno y pausado le preguntó si estaba dispuesto a aceptar como propio el hijo de Samantha. Aunque no lo hubiese engendrado él, sería suyo.

Jeff se quedó de una pieza, pero tardó poco en reaccionar. No le sorprendía. Es más: lo que le sorprendía era que no hubiesen pensado antes en ello. Iban a casarse dentro de pocas semanas. Para Samantha era muy prematuro ser madre. Para ellos no lo era en absoluto ser padres. Samantha no tendría que cargar de por vida con el remordimiento de haber entregado su hijo a unos extraños.

—Creo que has tenido una gran idea, cariño —dijo Jeff. Parecía que acabase de decirle que estaba embarazada de él. Se le había iluminado la cara.

—¿Lo dices en serio? —exclamó ella asombrada. Jeff era realmente un hombre excepcional.

—¡Claro que sí! ¡Vamos a decírselo a Samantha enseguida!

Bram Morrison acababa de perder la vida en el escenario; acababa de dejarlos. Sin embargo, como si de un último regalo se tratase, venía a regalarles otra vida. Era como si los hubiese iluminado.

—¡Es maravilloso! —exclamó Allie radiante de felicidad—. ¡Vamos a tener un hijo!

Estaba segura de que la alegría de Samantha sería inmensa. Quienes iban a sentirlo serían los Whitman. Pero estaba claro que la dicha nunca era completa para todos.

Samantha los miró con incredulidad cuando se lo dijeron por la tarde. Pero, al asegurarle ellos que no bromeaban, su perplejidad se tornó en una alegría inenarrable. Era maravilloso. Perfecto. Estaba segura de que Allie y Jeff serían los mejores padres.

Durante aquellos meses Samantha había rezado por que Dios le concediese un milagro. Y la había escuchado.

19

Katherine y John Whitman no encajaron bien que Samantha se desdijese. No concebían que Allie y Jeff fuesen la mejor opción. Se enfurecieron. Se habían llevado tantas decepciones a lo largo de tantos años que no atendieron a las razones de Samantha.

Suzanne Pearlman trató de apaciguarlos, aparte de recordarles que aún no habían firmado ningún contrato y que Samantha no tenía ninguna obligación con ellos. Pero los Whitman insistieron en que aquel hijo les pertenecía. Estaban hartos de madres indecisas, que cambiaban de opinión de la noche a la mañana y los destrozaban. Estaban tan furiosos que querían vengarse. Les daba igual contra quién; los Steinberg, Allie, Jeff, Samantha. Aprovecharían cualquier resquicio legal que encontrasen. Samantha era el blanco principal de su ira.

Y el resquicio legal que encontraron no era precisamente un resquicio sino el enorme ventanal de la prensa amarilla.

Los Whitman vendieron la historia a una revista del corazón por ciento cincuenta mil dólares, a otra de menor tirada por setenta y cinco mil, y a tres canales de televisión por veinticinco mil cada uno. Era una fortuna a costa de la paz espiritual y la reputación de Samantha.

El día que Samantha cumplió los dieciocho años, su nombre estaba en todos los quioscos, y no eran precisamente elogios lo que se publicaba acerca de ella. Insinuaban que era un putón, que se había acostado con tantos en Hollywood que ni siquiera sabía quién era el padre del niño.

Los Whitman habían proporcionado todo lujo de detalles a los periodistas, unos auténticos y otros no. Decían que Samantha había estado enganchada a la coca, que bebía en exceso y que se había insinuado al señor Whitman cuando estaba de ocho meses.

Era la clase de historias que estremecía a las celebridades. Pero resultaba más dolorosa para una chica tan joven y tan ajena a todo lo que le achacaban. Además, al ser sus padres tan famosos, era fácil vender la patraña de que Samantha había acabado así debido al ambiente en que se movían los Steinberg. De nada iba a servir llevar a los tribunales a quienes propalaban tales infundios. Los Steinberg lo sabían perfectamente. La prensa amarilla siempre jugaba sobre seguro. Destrozar la vida de las personas les tenía sin cuidado. Había que vender.

Pero Samantha los sorprendió a todos. Encajó el aluvión de injurias y falsedades con una fortaleza y una dignidad ejemplares. Había sufrido tanto durante aquellos meses que se había endurecido. Optó por no dejarse ver en público, no contestar llamadas y llevar una vida lo más tranquila posible. Y, como siempre, sus padres y hermanos estuvieron a su lado en todo momento. Ellos y Jimmy cerraron filas para protegerla.

Jimmy no se separaba de ella ni un momento, y a menudo salían a pasear por las afueras. Su relación era cada vez más estrecha.

Era inevitable que Samantha se sintiese humillada y herida. Pero la sostenía saber cuál era la verdad de su conducta, aunque en un momento dado hubiese cometido un error. Sabía perfectamente lo estúpida que había sido al dejarse seducir por Jean-Luc, pero todo lo demás que decían de ella era falso.

Los Whitman habían conseguido manchar su reputación, pero eso no les iba a facilitar tener el hijo que ansiaban. Habían hecho todo lo posible por torturarla y humillarla para vengarse, pero Samantha seguía siendo quien era: una muchacha decente que cometió un desliz.

Samantha sentía haber defraudado a los Whitman y comprendía sus sentimientos. Pero, tras comprobar su reacción, no lamentaba no haberles entregado a su hijo. Demostraban ser personas amargadas y vengativas.

Los reportajes sobre Samantha Steinberg siguieron apareciendo en la prensa amarilla durante tres semanas, en vísperas del alumbramiento. Pero, gracias al apoyo de Jimmy, Samantha conservó la calma. Por consejo de su padre, no había hecho ninguna declaración a la prensa. Simon le había asegurado que el silencio era la mejor réplica, aunque tuviese que hacer de tripas corazón.

Alan acababa de regresar de Suiza y llamó a Allie nada más llegar a casa. Le reprochó que no le hubiese contado antes lo de Samantha. Se había enterado por Carmen, que lo llamó al ver el primer reportaje.

—¡Dios mío! —exclamó Alan escandalizado—. ¡Y no me dijiste ni una palabra! —se quejó.

—Como aún no sabía lo que iba a hacer Samantha, preferí no comentar nada a nadie —se justificó Allie—. Ha sido horrible. Pero ahora ya lo sabe todo el mundo.

No exageraba mucho. Porque entre las revistas y los canales de televisión la noticia había llegado a millones de personas.

—¿Y qué va a hacer con el niño? —preguntó Alan, que no imaginaba a la joven hermana de Allie convertida en madre.

—Lo criaremos Jeff y yo —contestó Allie con un dejo de orgullo.

—A eso se le llama poner el carro delante de los bueyes. Ni siquiera os habéis casado aún. ¿Cuándo espera dar a luz?

—Dentro de tres días —contestó Allie, que imaginaba la cara de Alan.

Allie y Jeff llevaban tres días recorriendo tiendas para comprar la canastilla. Ya tenían paquetes de pañales, cuna, camisetitas, sábanas, biberones, chupetes y mantas. Era sorprendente la cantidad de cosas que necesitaba un bebé, casi más que una novia. Pero tanto ella como Jeff estaban entusiasmados.

Pese a sus nuevas obligaciones, Jeff trataba de no faltar a ninguna sesión de rodaje importante. Allie tampoco podía desatender su trabajo en el bufete. Lo más apremiante era gestionar todo lo relativo a la herencia de Bram Morrison. Aunque sólo fuese para la boda y la luna de miel, no iba a tener más remedio que contratar a una niñera. Luego pensaba dedicarse una temporada casi exclusivamente al niño. Atendería sólo lo más imprescindible.

Había muchas cosas que organizar. Habían colocado la cuna en su dormitorio y Jeff había colgado un móvil de ovejas y nubes encima de ella.

Alan reía ante las cuitas de los inesperados padres. Pero bromeaba, ya que poco iba a tardar él en verse en las mismas, porque Carmen volvía a estar encinta. Rogó discreción, por si acaso Carmen tenía un nuevo aborto. A ella aún le quedaba una semana de rodaje. De modo que todos estaban desbordados de trabajo.

La noche siguiente al regreso de Alan sonó el teléfono a las dos de la madrugada en casa de Allie. Tanto ella como Jeff habían tenido un día de mucho trabajo. Se habían acostado tarde y estaban agotados.

Jeff supuso que era Carmen que volvía a las andadas. Debía de haber discutido con Alan y llamaba a Allie en busca de consuelo.

—No contestes —masculló Jeff, que estaba tan falto de sueño que casi no pudo abrir los ojos.

Por una vez, Allie se sintió dispuesta a hacerle caso. Pero pensó que podía ser su hermana.

—¡No, por favor! —exclamó él con tono lastimero—. ¡Estoy demasiado cansado para parir!

Allie no tuvo valor para no contestar. Era su madre. Hacía una hora que Samantha había roto aguas. No parecía que fuese muy inminente, pero de pronto su hermana había empezado a tener contracciones regulares.

—¿Estás segura de que son las auténticas? —preguntó Allie nerviosa. Porque Jeff no paraba de refunfuñar.

—¡No puedo dar a luz a estas horas, Allie! —insistió él.

—¡Ya lo creo que sí! ¡Vamos a tener un hijo! —Algún día le tocaría a ella, pensó. Quizá lo despertase también de madrugada para anunciarle que su primer hijo estaba al llegar. Pero aunque este fuese a tenerlo Samantha estaba muy emocionada.

—Será mejor que vengas —dijo Blaire—. Es importante que estés presente.

Samantha y su madre ya estaban en la clínica, en la sala de partos. La dilatación era normal.

—¿Cómo se encuentra? —preguntó Allie.

—Bastante bien —contestó Blaire, que sin dejar de mirar el reloj medía el tiempo entre contracciones—. Ya hemos llamado a Jimmy.

A Allie le sorprendió.

—¿Estás segura de que es adecuado?

—Samantha quiere que esté con ella. Le ha servido de gran apoyo todos estos meses —dijo Blaire, que pensaba que su hija tenía derecho a que estuviese a su lado quien ella quisiera.

Antes de salir de casa con Jeff para ir a la clínica, Allie se quedó mirando la cuna y el móvil unos momentos. Al día siguiente un nuevo ser ocuparía aquella camita. Le parecía algo maravilloso. Nunca hubiese imaginado que pudiera desear tanto a un hijo que no era propio sino de su hermana. Al parecer la vida deparaba sorpresas increíbles.

—Me alegro de que hayamos tomado esta decisión, Allie —dijo Jeff. Aunque no fuese un hijo propio, estaba emocionado. Puede que no fuese el momento más oportuno para ambos, pero merecía la pena.

—Me hace muy feliz oírtelo decir —dijo Allie mientras iban hacia el coche.

Sólo les había dado tiempo a vestirse a toda prisa. Iban con vaqueros, camiseta y zapatillas de deporte.

Allie pensaba ir directamente a la sala de partos. Pero cuando llegaron a la sala de espera de la clínica, Blaire estaba allí con Simon.

—¿Qué ocurre? —preguntó Allie alarmada, porque pensaba que su madre estaba con Samantha cuando la había llamado.

—Nada. Todo va perfectamente. La comadrona me ha dicho que si las contracciones siguen a este ritmo no tardará.

—¿Y no deberíamos estar con ella? —preguntó Allie. No quería que su hermana estuviese sola ni perderse el maravilloso momento del nacimiento del niño.

—Me ha parecido conveniente dejarla a solas un rato con Jimmy. El chico le sirve de gran apoyo. Creo que la pone nerviosa tener a mucha gente alrededor.

Al cabo de un rato, Blaire y Allie se asomaron a ver a Samantha. Estaba incorporada en la cama, un poco asustada ante el inminente alumbramiento. Jimmy la tranquilizaba. Era asombroso comprobar lo maduro que era aquel chico con sólo dieciocho años.

—¿Qué tal, Samantha? —le preguntó su hermana.

—Pues no sé. Soy primeriza. ¿No lo llaman así? —contestó Samantha apretándole la mano a Jimmy.

El monitor instalado en la mesita de noche indicaba que tenía otra contracción.

Al cabo de unos momentos entró el médico.

—Ya falta poco, jovencita —le dijo con tono afable—. No tardará en asomar la cabeza.

—Va todo muy bien, Sam —le susurró Jimmy.

Blaire y Allie pensaron que en esos momentos no hacían sino estorbar y salieron discretamente. Jeff dormitaba en una silla de la sala de espera; igual que Simon, que se había quedado dormido con el periódico abierto entre las manos.

¡Menuda escena!, pensó una enfermera al pasar y ver lo poco que resistían los hombres.

—¿Qué opinas de tanta intimidad entre Samantha y Jimmy, mamá? —preguntó Allie mientras iba a ver a los bebés de la nursería. Unos estaban dormidos pero la mayoría lloriqueaba. Algunos tenían sólo unas horas y otros apenas un par de días. Aguardaban hambrientos e impacientes a que sus madres los alimentasen.

Allie volvió a ver a Samantha. Ahora estaba sentada en el borde de la cama y Jimmy le daba masaje en la espalda, sentado a su lado. Allie los miró conmovida.

Samantha pasó toda la noche con contracciones. Al amanecer aún no había rastro del bebé. Todos decían que iba muy bien, excepto Samantha, que aseguraba no poder soportar el dolor. Pedía calmantes, que le dieran lo que fuese. Al entrar de nuevo el médico, dijo que ya podía empezar a empujar.

—No puedo, doctor, no puedo —se quejó ella.

—Sí que puedes —le dijo Jimmy—. Vamos, Samantha, por favor. Has de ser fuerte.

Eran como dos niños que tratasen de ahuyentar el miedo, pensó Allie. Pero Blaire vio algo más en ellos. Ya no eran niños. Se habían convertido en adultos de la noche a la mañana. Eran un hombre y una mujer.

Blaire recordaba cuando tuvo a su primer hijo, Paddy, después a Allie y luego a Scott y Samantha. La maternidad cambia la vida de una mujer, transforma radicalmente. Jimmy no era el padre de la criatura, pero podía haberlo sido perfectamente. Estaba volcado en Samantha. Y ella sólo parecía tener ojos para él.

Ya le habían levantado las piernas. Tenía dolores muy fuertes. Se quejaba y rogaba que le diesen algo para calmárselos. No se soltaba de la mano de Jimmy mientras el médico y la comadrona la animaban a empujar. Blaire y Allie no soportaban verla sufrir tanto. Salían y entraban continuamente de la sala de partos. La enfermera les había llamado la atención dos veces.

Cuando ya empezaban a impacientarse, justo en el momento en que por enésima vez entraban en la sala de partos, vieron el rostro desencajado de Samantha, que dejó escapar un grito estentóreo. A los pocos instantes se oyó lo que les sonó a todos como música celestial: el llanto del niño.

—¡Oh, Dios mío! ¡Qué precioso es! —exclamó Samantha.

—Está perfectamente. Y tú también jovencita —dijo el médico tras reconocerlos a ambos.

Jimmy se había quedado sin habla. Tardó unos momentos en reaccionar. Luego miró a Samantha y la besó en la frente.

—Te quiero, Sam —le dijo—. Has sido muy valiente.

—No hubiese podido sin ti —respondió ella.

Le ahuecaron las almohadas y Jimmy se inclinó hacia ella cuando dejaron al niño a su lado. Al alzar la vista vio a Allie. Ambos se miraron con intensidad. Blaire, Jeff y Simon estaban ahora allí también, admirados de ver a aquel nuevo ser que berreaba a pleno pulmón. Todos rieron de buena gana ante la vitalidad del bebé. Todos menos Samantha, que miró entristecida a su hermana y a Jeff. Le dolía tener que hacerles daño. Pero, por más que los quisiera, había tomado una decisión.

—Jimmy y yo tenemos que deciros algo —dijo con voz entrecortada por la emoción—. Nos casamos la semana pasada. Ya somos mayores de edad, y aunque tengamos que trabajar día y noche criaremos a este niño. Lo siento, Allie.

Samantha se echó a llorar al tocar la mano de su hermana. Tenía remordimientos. Había defraudado a muchas personas. A sus padres; a los Whitman, que tanto ansiaban adoptar a su hijo; y ahora a Allie y Jeff. Todos la miraban perplejos.

—¿Quieres criar a tu hijo? —le preguntó Jeff a su futura cuñada.

—Sí —contestó ella sin vacilar.

—Pues me parece muy bien —dijo Jeff—. Te ha costado lo suyo —añadió risueño, aunque estaban a punto de saltársele las lágrimas—. Queríamos criarlo para que no tuviese que vivir con extraños, pero es tu hijo. Te pertenece. Felicidades, Jimmy.

—¿No estás enfadada, Allie? —preguntó Samantha.

—Claro que no, tonta —contestó su hermana, aunque visiblemente entristecida—. Sólo que... aún no he reaccionado por la sorpresa. Pero me hace feliz ver que tú lo estás. Te regalamos la canastilla. La hemos preparado con mucho amor.

Samantha les sonrió a los dos. Blaire estaba estupefacta.

—Me quedo sin cocina, me hacéis abuela sin avisar y me metéis en una boda, digo en dos... —bromeó para aliviar la tensión—. Y, claro, un nuevo yerno y un futuro yerno. No sé por qué me parece que vamos a estar muy ocupados en esta familia —añadió.

—Me temo que sí, mamá.

—Podéis vivir con nosotros, Jimmy —dijo Simon. Su ofrecimiento era sincero, pero no iba a significar un gran trastorno. Porque Sam no había renunciado a seguir estudiando y en otoño pensaba ingresar en la universidad.

Jimmy y Samantha habían decidido vivir en la residencia de estudiantes durante el curso.

—Bueno, ¿significa todo esto que ya puedo volver a la cama? —dijo Jeff bostezando. Todos se echaron a reír—. Me temo que no podrá ser —añadió mirando el reloj—. He de estar en los estudios dentro de una hora.

Todos besaron a Samantha, a Jimmy y al niño, que aún no tenía nombre. Samantha y Jimmy aún no lo habían decidido. Samantha se inclinaba por Matthew, porque sonaba bien con Mazzoleri.

Blaire cayó de pronto en la cuenta de que iba a tener que hablar con la madre de Jimmy, ahora que sabían que el muchacho se había casado con su hija. La verdad era que habían sido muy valientes. Puede que también un poco alocados, pero conseguirían salir adelante. Otras parejas de edad parecida lo conseguían en circunstancias más difíciles. Su abuela se había casado a los quince años y siguió casada durante setenta y dos con el mismo hombre. Ojalá Samantha tuviese la misma suerte.

Allie llevó a Jeff a los estudios.

—Estás desilusionada, ¿verdad? —dijo él.

—Un poco —reconoció ella—. Pero creo que una parte de mí también siente alivio. No sé... La verdad es que todavía he de asimilarlo. Pero respeto la decisión de mi hermana.

En su fuero interno ambos reconocían que había sido una decisión acertada.

—Tampoco yo sabría definir cómo me siento —admitió él—. Nos habíamos ilusionado mucho. Aunque no te negaré que siempre es mejor para un matrimonio que los hijos sean propios. Lo habría hecho por Samantha. Nunca me gustó la idea de que lo diese en adopción. Me parecía muy cruel para todos.

Allie asintió. Jeff era sincero. Lo había hecho sólo por Allie y su hermana.

—Pero bueno... Ahora probaremos nosotros, a ver qué tal. Además, es muy divertido, ¿no crees, Allie?

Se miraron risueños y siguieron hacia los estudios con la sensación de que, en realidad, las cosas habían discurrido de un modo favorable para ellos. La vida los había puesto ante una situación muy delicada, pero todos habían sabido afrontarla.

En Bel Air, el matrimonio Steinberg acababa de entrar en casa. Fueron directamente a la cocina medio desmontada. Los fogones aún funcionaban. Blaire hizo café y se sentaron en la rinconera.

Acababan de vivir emociones muy intensas para unos padres. Ahora albergaban sentimientos dispares. Por un lado estaban exultantes y por otro desgarrados. Había sido muy duro ver sufrir tanto a Samantha y no sabían qué pensar acerca de su elección acerca del bebé. Estaban confusos. No sabían si reír o llorar. ¿Era la maternidad de Samantha un drama, como pensaron al principio, o una bendición?

—¿Qué te parece, Blaire? —preguntó Simon con cara de circunstancias—. Sé sincera, ¿lo apruebas o no? A mí puedes decirme lo que de verdad opinas.

—No sé por qué pero, aunque son muy jóvenes, creo que les irá bien —contestó ella—. El niño es precioso. Y da igual cómo haya llegado a nuestras vidas. Es un ser inocente. Y la verdad es que Jimmy me cae muy bien. Es un gran muchacho y se ha portado maravillosamente con Sam. No es lo que yo hubiese querido para ella, pero nunca se sabe. Puede que a la larga nuestra hija haya encontrado la felicidad.

Ese era el deseo que todos los que querían a Samantha formulaban en silencio. Ningún padre podía haberse portado mejor que Jimmy.

—No me ha hecho ninguna gracia que se hayan casado en secreto —dijo Simon—. Pero por el solo hecho de afrontar una situación tan difícil merecen un voto de confianza. Y el niño es muy guapo, ¿verdad, Blaire?

—Es adorable —convino ella sonriente—. ¿Te acuerdas de lo precioso que era Scott de bebé?

—Y Samantha —dijo Simon al recordar los grandes ojos azules de su hija y sus dorados rizos.

Se miraron un instante con ternura. Se habían distanciado mucho últimamente. Y Simon reconocía ser el único culpable.

—Perdona, cariño. Sé que te he hecho pasar un año muy malo.

Blaire guardó silencio. A lo largo de los últimos meses había deambulado a menudo por la casa. Se detenía frente a las fotografías que le recordaban mejores tiempos y las miraba con el corazón encogido. Evocaban los tiempos en que se besaban y abrazaban con pasión y se sentía llena de vida. Ahora, en cambio, estaba como si la hubiesen vaciado por dentro, como muerta. Nunca había imaginado, creído ni aventurado que Simon pudiera herirla tanto.

—He sido un estúpido —musitó él. Se le llenaron los ojos de lágrimas y posó una mano en las de Blaire, que las tenía entrelazadas encima de la mesa.

Sentía remordimientos por lo que le había hecho. Elizabeth había sido como un soplo de aire fresco en su vida, pero no había llegado a amarla, o por lo menos no como a Blaire. Se lo había ocultado para no hacerla sufrir. Pero había sido peor que lo descubriese. No había más que verla para percatarse de que estaba muy triste. Al principio se había enfurecido, asustado y amargado. Pero ahora sólo estaba pesarosa. Y para él su pesar era peor que su ira.

—Ya sé que son cosas que ocurren —dijo ella con tono fatalista. No hacía falta decir de quién hablaban—. Pero una siempre confía en que no le toque. Eso es quizá lo peor, que al principio no lo quería creer. Pero tuve que rendirme a la evidencia de que éramos como tantos otros.

—Para mí, Blaire, nunca has perdido el encanto.

—Sí. Lo perdí cuando se deshizo el nuestro —replicó ella sin acritud, condolida.

—Quizá no lo hayamos perdido. Quizá sólo esté... extraviado —dijo él con un dejo de humor, y enseguida temió que no fuese lo más adecuado en aquel momento.

Blaire le sonrió. Pero no concebía que las cosas pudiesen volver a ser como antes. En apariencia nada había cambiado entre ellos. Seguían tratándose con cortesía, con amabilidad. Individualmente seguían actuando como personas inteligentes y creativas. Daban la impresión de ser una familia feliz, en la que reinaban la cordialidad y el afecto. Pero por dentro todo era distinto. Durante un largo año Blaire se había sentido abandonada por segunda vez en su vida.

—Será estupendo tener a nuestro nieto en casa —dijo Simon, sin conseguir que a su esposa le cambiase la cara. No parecía poder superar su tristeza y abatimiento.

—Abuelos, sí... Pero tú aún podrías ser padre. En cambio para mí se acabó.

—¿No irás a decir que eso te preocupa? —exclamó él sorprendido. Jamás se había planteado nada semejante con Elizabeth. Ni remotamente habían pensado en el matrimonio, y menos aun en tener hijos. Había sido una relación de cama.

—A veces —contestó Blaire asintiendo con la cabeza—. La maternidad ha sido siempre muy importante para mí. Y ahora me siento vieja.

Blaire había pasado aquel año por los meses más duros de la menopausia. Simon no podía haber elegido un momento más inoportuno para serle infiel. Y nada menos que con una mujer a la que le doblaba la edad, poco mayor que Allie.

—No quiero más hijos que los que tengo —dijo con rotundidad Simon—. Y jamás me ha pasado por la cabeza estar casado con nadie que no seas tú. Nunca he pensado dejarte, Blaire. Ya sé que he cometido un grave error, pero... Fue como si necesitase unas vacaciones. Mi única justificación es que soy viejo y estúpido. Me sentí halagado por su juventud. Lo lamento de verdad, Blaire. No te llega ni a los talones. Nadie ha significado nunca tanto para mí como tú.

Simon se inclinó y la besó. Por un instante, Blaire sintió alentar la llama que había estado apagada durante todo un año.

—Ya soy abuela... —Esbozó una sonrisa y lo besó vacilante.

—Pues imagínate cómo me siento yo que soy mayor que tú.

Elizabeth Coleson había rejuvenecido su espíritu. Pero el temor de perder a su esposa lo hacía sentirse como un anciano.

—Anda, lleva a este abuelito arriba —dijo Simon, y de pronto sintió el impulso de abrazarla.

—¡Si vuelves a hacerme una cosa así...! —exclamó Blaire con un renovado brillo en los ojos—. No habrá piedad en esta casa para el viejo Simon Steinberg.

No hacía falta que su esposo dijese nada. No había más que verle la cara para comprender que su arrepentimiento era sincero, tanto como su amor por ella. Se estremecía al pensar que había estado a punto de perderlo.

—No volverá a suceder, cariño. Te lo prometo —le aseguró.

—No, desde luego que no. Porque la próxima vez te mato —le dijo ella con tono cariñoso al entrar en el dormitorio.

—Anda... ven aquí.

Simon la atrajo hacia sí y la besó en los labios. Llevaban meses sin hacer el amor y estaba impaciente. Se dejaron caer en la cama como dos críos. Todo lo ocurrido pasó por la mente de Blaire como en un película. El nacimiento de su nieto había vuelto a bendecir su amor.

20

A medida que agosto avanzaba todo lo importante para la vida de los Steinberg, los Carr y los Mazzoleri parecía encajar de acuerdo a sus deseos. La película de Jeff se rodaba sin contratiempos. El nuevo embarazo de Carmen no había afectado a su trabajo, y ella cumplía a rajatabla con sus obligaciones. Alan parecía un poco inquieto y, cada vez que Carmen tenía que rodar una escena de amor, se las componía para presentarse en el plató, con el consiguiente enfado del director, que se había quejado a Allie. Pero ambas producciones estaban bien encarriladas.

Allie estaba ayudando a Jeannie Morrison a encontrar comprador para su casa de Beverly Hills y a organizar el traslado a su rancho de Colorado. Jeannie quería alejarse lo más posible de la ciudad donde la tragedia se había cebado en su vida, y hacerlo antes de que sus hijos tuviesen que empezar el nuevo curso en septiembre. Seguían teniendo guardaespaldas que vigilaban la casa día y noche. Aunque todo parecía indicar que el asesinato de Bram había sido el acto aislado de un perturbado.

La muerte de Bram Morrison había causado una gran conmoción entre los famosos que vivían en Los Ángeles, soliviantados por la proliferación de lunáticos y la escasa eficacia de las medidas de seguridad. Pero Jeannie no participaba en actos de protesta ni aparecía en los medios haciendo declaraciones lacrimógenas. Lo único que quería era desaparecer de allí con sus hijos.

Allie estaba muy apesadumbrada por ellos y había organizado un concierto en memoria de Bram. Tendría lugar en septiembre, inmediatamente después de su boda. Allie incluso estaba dispuesta a aplazar su luna de miel, pero había llegado a la conclusión de que, aunque sólo fuese por su salud mental, tenía que ponerse unos límites en su dedicación al trabajo. Llamó a Jeannie para decirle que no iría al concierto porque estaría de viaje de novios.

Jeannie se hizo cargo. Allie no podía haberse portado mejor, no sólo en esas circunstancias sino desde el inicio de su relación profesional con Bram.

Samantha y Jimmy habían elegido el nombre de Matthew para su hijo, que era la alegría de la casa de los Steinberg y se criaba rollizo. Samantha le daba el pecho. Jimmy se había convertido en un videoaficionado compulsivo, que no perdía ocasión de inmortalizar a Matthew cuando lo bañaban, cuando jugaba en la cuna e incluso cuando dormía. Ambos llevaban al niño a todas partes y, sólo dos semanas después del parto, Samantha volvía a ser la de siempre. Incluso empezaba a recuperar su estilizada figura.

Los Whitman seguían vendiendo versiones plagadas de infundios a la prensa del corazón y habían vuelto a aparecer en televisión en un programa de entrevistas, tras la noticia del nacimiento de Matthew, «hijo del señor y la señora Mazzoleri (Samantha Steinberg), el 4 de agosto, en la clínica Cedar-Sinai, con un peso de 3,600 kg».

Las informaciones solían incluir el dato de que la señora Mazzoleri era la hija menor de Simon Steinberg y Blaire Scott. Un periódico de Los Ángeles publicaba una bonita fotografía de Samantha y Jimmy con el niño, y George Christy los mencionaba en su columna «La Buena Vida» de la revista *Hollywood Reporter*.

Los Steinberg habían hablado largo y tendido con la madre de Jimmy, molesta porque su hijo se hubiese casado sin decirle nada, aunque comentó que lo entendía, porque era muy típico de él tratar de resolver los problemas por sí mismo. Desde que enviudó, Jimmy había sido para ella un gran apoyo. Era muy maduro. Sin embargo, le preocupaba que los Steinberg esperasen demasiado de él, pues al fin y al cabo era muy joven. Quería que su hijo estudiase en la universidad. Pero en esto coincidían todos.

Simon y Blaire les habían cedido el anexo que tenían para los huéspedes en el jardín. Resultaba perfecto para ellos. Ambos irían a la universidad en otoño, y Simon dijo que estaba dispuesto a mantenerlos a los tres hasta que ambos jóvenes terminasen los estudios. Después, al igual que hizo Allie, tendrían que valerse por sí mismos.

Blaire ya había contratado a una niñera para que cuidase del niño durante el día, cuando ellos no estuviesen en casa. Y la madre de Jimmy les dijo que les estaba muy agradecida.

Las relaciones entre Simon y Blaire habían mejorado mucho. Vivían una segunda luna de miel. Por entonces los únicos problemas eran las obras de la cocina y el jardín, que no iban todo lo adelantadas que a Blaire le hubiese gustado, pues faltaban solo dos semanas para la boda de Allie; y que todavía no les habían entregado los vestidos de Allie y de las damas de honor. Allie temía que no estuviese a punto, y estaba nerviosa. También lo estaba Jeff, que terminaría su película dentro de diez días y rezaba porque no se produjese ningún retraso. Estaba inusualmente irritable.

—Oye, Allie, ¿no podríamos hablarlo en otro momento? —solía decirle cuando ella le expresaba su inquietud por los detalles que faltaban.

Delilah Williams los llamaba a casa a todas horas, con lo que no hacía sino ponerlos más nerviosos. Una de las veces que sonó el teléfono, casi a medianoche, pensaron que sería ella o que Carmen volvía a las andadas. Pero era Charles Stanton, el padre de Allie, telefoneando desde Boston.

—¿Sigues con la idea de casarte? —le preguntó él. Hacía meses que había recibido la carta de Allie y pensaba que podía haber cambiado de opinión.

Hacía siete años que no se veían ni hablaban.

—Por supuesto —contestó Allie crispada.

Jeff acababa de entrar en el dormitorio y, al ver la cara de ella, temió que fuese Brandon, que le había enviado una nota hacía unas semanas diciéndole que, si lo hubiese esperado, se habría casado con ella porque ya se había divorciado de Joannie. Incluso tuvo la desfachatez de decirle que lo llamase para almorzar juntos algún día. Allie le mostró la nota a Jeff y luego la tiró a la basura.

—¿Ocurre algo? —preguntó Jeff.

—No —contestó ella.

—¿Sigues queriendo que asista a tu boda? —preguntó Charles Stanton, pese a que Allie no lo había invitado sino que se había limitado a anunciarle que se casaba, aunque quizá dejase implícita la invitación. No recordaba qué le había dicho exactamente.

—Bueno... no creo que eso pueda significar demasiado para ti. Apenas hemos tenido contacto.

—Pero sigues siendo mi hija. Voy a tomarme unos días libres. De modo que si quieres asistiré a tu boda.

Allie no tenía el menor interés en ello y, de no ser por su madre, ni siquiera le habría escrito para comunicarle que se casaba.

—¿Estás seguro de que no será demasiado trastorno para ti? —dijo Allie.

—En absoluto. Y aunque lo fuese, no es algo que ocurra todos los días llevar a una hija al altar.

Allie se quedó boquiabierta. ¿Había oído bien? ¿Cómo podía pasarle por la cabeza algo semejante? De ninguna manera iba a permitir que «la llevase al altar». Charles Stanton nunca había estado a su lado. Iría al altar del brazo de Simon.

—Pues... —Allie no sabía cómo decírselo.

—Llegaré el viernes por la tarde —dijo Charles Stanton—. Me hospedaré en el hotel Belage.

—Está bien —dijo lacónicamente ella.

Nada más despedirse, Allie llamó a su madre. La presencia de Charles Stanton podía amargarles la boda. Ahora tenía dos padres que aspiraban a llevarla del brazo al altar. ¡No te fastidia!, exclamó Allie para sí.

Fue Simon quien contestó al teléfono y Allie le dijo que quería hablar con su madre.

—Es que en estos momentos está ocupada —dijo Simon—. ¿Quieres que te llame luego?

—No; necesito hablar con ella inmediatamente.

—No puede ponerse ahora —se obstinó Simon en un tono que preocupó a Allie.

—¿Le ocurre algo, papá? ¿Está enferma?

Allie se echaba a temblar ante la sola idea de que su madre pudiese enfermar, sobre todo en vísperas de aquella pesadilla de ceremonia que, con la complicidad de la repelente Delilah, le habían obligado a organizar.

—¿Dónde está mamá?

—Está aquí, Allie —dijo su padre, un poco exasperado por la insistencia—. Pero no se encuentra de muy buen humor —añadió.

Blaire llevaba una hora llorando. Simon arqueó una ceja a modo de pregunta. ¿Se lo decía? Blaire asintió con la cabeza. En realidad casi prefería que fuese él quien se lo dijese a sus hijos.

—Acaban de llamarla de los estudios y Tony García le ha anunciado que van a retirar la serie de la programación. Emitirán unos episodios durante unas semanas a modo de colofón y luego se acabó.

Después de casi nueve años era un duro golpe para Blaire.

—Pobre mamá. ¿Cómo lo ha encajado?

—Bastante mal —reconoció Simon.

—¿Puedo hablar con ella?

Blaire meneó la cabeza al preguntárselo su esposo. No se sentía con ánimo. Que la llamaría ella después, le dijo. Cuando hubieron colgado, Allie se quedó pensativa y triste.

—¿Ocurre algo? —le preguntó Jeff al ver la expresión de su cara. Era obvio que acababan de darle una mala noticia.

—Van a suprimir la serie de mamá.

Aparte de lo que significaba ver suprimida una serie que formaba parte de su vida, Blaire tendría que trabajar contra reloj para escribir los últimos episodios. No podía ser más inoportuno, en vísperas de su boda.

—Lo siento —dijo Jeff—. Hace tiempo que se la veía preocupada por la serie. Quizá ya se lo temiese.

—Pues a mí me ha parecido que desde hace unas semanas estaba de mejor humor —dijo Allie, que ignoraba que se debía a su reconciliación con Simon—. Parece que está muy afectada. Quizá debería ir a verla.

Allie le contó luego lo de la llamada de Charles Stanton, que no sólo se proponía asistir a la boda sino llevarla hasta el altar.

—Increíble, ¿no? No sé cómo se atreve siquiera a decírmelo. Debe de creer que soy imbécil.

—También puedes verlo de otro modo. A lo mejor cree que es lo que tú deseas. Quizá lo haga con buena intención. Piénsalo. Deberías darle esa oportunidad. Habla con él cuando llegue. —Al igual que Simon, Jeff siempre trataba de ser justo con los demás.

—¿Bromeas? ¿Hablar con él para decidir algo así dos días antes de la boda?

—Quizá merezca la pena. Al fin y al cabo es tu padre.

—Mira, Jeff, no merece la pena verlo siquiera. No tenía que haberle hecho caso a mi madre. Si no le hubiese escrito no me vería ahora entre la espada y la pared.

—No seas tan dura —la reconvino Jeff—. Prácticamente lo invitaste. Y él quiere asistir. Quizá está intentando...

—¿Intentar qué? Ya es demasiado tarde, Jeff. Tengo treinta años y no necesito un padre.

—¿Por qué le escribiste entonces? No crees que ya va siendo

hora de normalizar vuestras relaciones? Quizá sea un momento oportuno para hacer borrón y cuenta nueva.

—¡No sabes lo que dices, Jeff! —le espetó Allie—. ¿Borrón y cuenta nueva? —Allie no podía comprender que Jeff pretendiese algo semejante, a sabiendas de cómo se había portado Charles Stanton con ella—. No tienes ni idea de lo que pasamos al morir mi hermano. Le dio por emborracharse continuamente, por pegarle a mi madre, y cuando vinimos a California se desentendió de nosotras por completo. No le perdonó a mi madre que lo abandonase, y volcó su odio en mí, como si yo tuviese la culpa. Daba la impresión de desear que hubiese muerto yo en lugar de Paddy. —Se echó a llorar y Jeff se le acercó para consolarla.

—Puede que precisamente de eso debas hablar con él —le sugirió amablemente—. Pregúntate una cosa: ¿cómo se portó tu padre con vosotros antes de que muriese Paddy?

—Creo que con normalidad, aunque siempre frío. El trabajo no le dejaba mucho tiempo para nosotros. Me recuerda un poco a tu madre: incapaz de darse a los demás. No es muy humano, te lo aseguro.

—Es cierto que mi madre es una persona reservada y distante. Pero es humana, no lo olvides —replicó él.

—De acuerdo. Será todo lo humana que quieras, salvo con los judíos —le espetó ella. No iba a andarse con medias tintas. ¿Acaso lo hacía él? Era el colmo que se pusiera de parte de Stanton.

—Eres injusta. Mi madre tiene más de setenta años. Pertenece a otra generación.

—Precisamente, a la misma generación que llevaba a los judíos a Auschwitz —le recordó ella—. Y no me sorprende. No estuvo precisamente muy cariñosa cuando fuimos a verla. ¿Cómo habría reaccionado si no le llegas a decir que no soy judía sino hija de Charles Stanton? Y te diré más: obraste muy mal al decírselo. Fue una cobardía —añadió fulminándolo con la mirada.

—También es una cobardía que te niegues a hablar con tu padre. Es probable que en estos veinte años el pobre haya pagado con creces lo que hizo. No olvides que no sólo perdió a una esposa y una hija. La muerte de un hijo es una de las desgracias que más afecta a una persona. Tu madre ha tenido otros hijos, otra vida, otra familia y otro esposo. ¿Qué ha tenido él? Según tú, nada.

—No concibo que lo defiendas tanto, ¡por el amor de Dios! Puede que eso sea precisamente lo que merece: nada. Puede que Paddy muriese por su culpa. Si no se hubiese empeñado en tratarlo él y no hubiese estado casi siempre borracho, quizá pudo haberse salvado.

—¿Eso crees? —exclamó Jeff, estupefacto al ver con que virulencia afloraban los demonios que la habían corroído durante veinte años—. ¿O sea que lo culpas incluso de la muerte de tu hermano? —añadió horrorizado. Era muy cruel decir algo así.

—No sé qué decirte —contestó ella con aspereza.

A Jeff le resultaba difícil aceptar que aquella Allie fuese la que él conocía. Y no le gustaba. Era la primera discusión importante que tenían. Bastante peor que las que tenían Carmen y Alan.

—Creo que me debes una disculpa por lo que has dicho de mi madre. No hizo ni dijo nada para herirte. Sólo estuvo cohibida.

—¿*Cohibida*? —casi le gritó Allie—. ¿A eso lo llamas tu estar *cohibida*? ¡Se *ensañó* cruelmente conmigo!

—¿Ensañarse contigo? ¡Pero qué dices!

—¡Odia a los judíos!

—¿Y a ti qué más te da? Tú no eres judía.

¡Vaya por Dios!, pensó Allie. O sea que el odio a los judíos le tiene sin cuidado si no le toca de cerca. Pero optó por no seguir con la discusión. Salió airadamente de la casa dando un portazo y se metió en su coche. No sabía adónde ir, pero quería alejarse de él. Incluso estuvo tentada de volver a entrar y tirarle el anillo de compromiso a la cara. No pensaba casarse con él aunque fuese el último hombre sobre la tierra.

En cuanto llegó a la autopista pisó a fondo. Recorrió el trayecto hasta casa de sus padres a una velocidad suicida.

Al llegar encontró a sus padres en el salón. Blaire se sobresaltó.

—¡Dios mío! —exclamó—. ¿Qué te ha pasado?

Allie tenía un aspecto horroroso. No se había dado cuenta de que iba con chinelas, los *shorts* medio caídos, la camiseta empapada de sudor y el pelo enmarañado.

—¡No hay boda! —gritó fuera de sí.

—No hablarás en serio, ¿verdad? —exclamó su madre, horrorizada—. ¿Qué ha ocurrido?

—Lo odio.

Simon ladeó la cabeza para ocultar una sonrisa. Su madre la miró sin dar crédito a sus oídos. No quería ni pensar que tantos preparativos no hubiesen servido para nada.

—¿Habéis discutido?

—Eso es lo de menos. Lo que ocurre es que su madre es un

monstruo. Y encima, según él, debo darle a Charles Stanton una oportunidad. «El pobre ha tenido muchos problemas», me dijo.

—¿Y qué tiene que ver Charles en todo esto? —preguntó su madre. Hacía siete años que no lo veía y no había vuelto a pensar en él desde que le dijo a Allie que por lo menos lo invitase a la boda.

—Llamó anoche. Pretende llevarme hasta el altar. ¿Te cabe a ti en la cabeza? ¡Venir a mi boda!

—¿Por qué no? —repuso su madre sin alterarse. En aquel momento no pensaba en ella sino sólo en su hija—. Puede que Jeff tenga razón. Quizá haya llegado el momento de hacer las paces con él.

La actitud de su madre exasperó más a Allie.

—¿Os habéis vuelto todos locos o qué? Durante veinticinco años se ha desentendido de mí, ¿y creéis que ahora podemos *hacer las paces*? Estáis chiflados.

—No creo que sea saludable para ti seguir odiándolo toda la vida —dijo su madre—. Hay cosas acerca de lo que ocurrió entonces que tú eras demasiado pequeña para comprender. La muerte de Paddy lo trastornó por completo. Y dudo que lo haya superado. No dudo que esté en sus cabales (parece que en su profesión hace un buen trabajo), pero emocionalmente no me extrañaría que siguiese trastornado. Por lo menos, deberías escucharlo.

Mientras Blaire hablaba oyeron sonar insistentemente el timbre de la puerta. Simon fue a abrir.

Era Jeff, con tan mal aspecto y tan furioso como Allie.

—¿Qué significa esto, Allie? —tronó nada más verla.

Simon y Blaire se miraron y optaron por esfumarse. Allie y Jeff estaban tan furiosos que ni siquiera repararon en ello. Siguieron en el salón, gritándose durante una hora. Blaire se asomó desde arriba a ver cómo terminaba la cosa. No quería ni pensar en que rompiesen de verdad.

—Me parece que hacen buena pareja —ironizó Simon.

Jamás se habían oído semejantes gritos en aquella casa. Y al cabo de unos minutos llegó Samantha con Jimmy. Como las ventanas estaban abiertas a causa del calor, oyeron las voces al cruzar el jardín.

—¿Discutíais tú y mamá? —preguntó Samantha con ceño. Acababa de darle el pecho a Matt.

—No, no éramos nosotros. Es tu hermana con tu futuro cuñado —repuso Simon risueño—. Es decir, si llega a celebrarse la boda. Se lo preguntaremos cuando terminen de tirarse los trastos a la cabeza.

Samantha lo miró intrigada. A juzgar por las voces que se oían, Allie y Jeff seguían enzarzados. Llevaban meses sometidos a una fuerte tensión a causa del trabajo, de lo sucedido con Samantha y Bram Morrison, y de los preparativos para la boda, del horrible fin de semana pasado en casa de la señora Hamilton... Y habían terminado por explotar.

—Llevan así un buen rato. Pero no creo que llegue la sangre al río —dijo Simon.

Blaire y Simon optaron entonces por volver al salón a ver si podían mediar. Allie estaba llorosa y Jeff desencajado. No parecía un buen momento para preguntarles si se iban a casar. Estaba claro que parecían dispuestos a romper.

—Espero que no la toméis conmigo —dijo Simon sin mirarlos—. No iréis a hacerme el desaire de rechazarme una copa, ¿verdad?

Simon sirvió cuatro copas de vino y le tendió una a Jeff, que la aceptó.

—No pasa nada, papá —dijo Allie, aunque sin dejar de sollozar.

—Pues para no pasar nada... no ha estado mal del todo —ironizó Simon.

Blaire fue a sentarse al lado de su hija.

—¿Sabéis qué os digo? Que lo mejor que podéis hacer es salir de fin de semana. Puede que sea el último que os podáis tomar antes de la boda —dijo mirando a Jeff. Quizá puedan arreglárselas sin ti un par de días en los estudios.

Jeff asintió con la cabeza. No era mala idea.

—Siento mucho lo de tu serie —le dijo su futuro yerno.

—Y yo también, mamá —dijo Allie, que se sonó la nariz, más calmada.

Pero estaba muy dolida. Nadie había sido nunca tan injusto con ella como acababa de serlo Jeff. No concebía que le dijese que había sido grosera con su madre, ni que la considerase obligada a darle una oportunidad a Charles Stanton. Se le venía el mundo encima al pensarlo. Con el enorme trabajo que se le había acumulado en el bufete, sólo le faltaba aquella terrible discusión en vísperas de la boda.

—Gracias —dijo Blaire. También ella había llorado mucho la noche anterior. Pero reconocía que el llanto de su hija era mucho más real. Aunque no fuese grave se trataba de su vida, no de un disgusto por ver desaparecer de la pantalla unos episodios de ficción. Era muy consciente de ello.

—Creo que tu madre tiene razón —dijo Jeff, que miró a Allie y apuró la copa de vino—. Quizá nos convendría pasar un par de días tranquilos.

Allie sintió el impulso de decirle que no pensaba ir con él a ninguna parte, pero no quería hacerlo delante de sus padres. Y dijo que bueno, que podían ir el fin de semana a Santa Bárbara.

—Os recomiendo la cala de San Isidro.

Al cabo de dos horas, la tensión se había mitigado y Allie y Jeff se marcharon, cada uno en su coche, preocupados por el precedente que sentaba aquella enconada discusión.

Durante el trayecto ella no dejó de darle vueltas a todo lo que se habían dicho. Era preocupante la perspectiva de convertirse en nuera de la madre de Jeff, y también lo era que Charles Stanton reapareciese en su vida. Pero cuando llegaron a Malibú, Jeff se excusó. Le aseguró no sentir de verdad lo que le había dicho durante la discusión. También ella se excusó. Y ambos se reprocharon el haberse enzarzado de aquella manera. Luego se besaron como si nada hubiese ocurrido y se quedaron dormidos, abrazados.

En su casa de Bel Air los Steinberg se habían acostado también. Pero seguían despiertos y hablaban de Allie y su futuro yerno.

—¿Sabes qué te digo, Simon? Que no sé si me gustaría volver a ser joven.

Llevaban horas hablando de la discusión mantenida por Allie y Jeff; de cómo se habían enfurecido. Se habían quedado agotados sólo de oírlos.

—No sé... quizá tengan su encanto esas peleas. A lo mejor lo hacen a propósito para reconciliarse —bromeó Simon—. Tú nunca me has gritado así. Podríamos probarlo.

—Pues si me lo propongo, puedo aprender. Voy a tener mucho tiempo libre de ahora en adelante.

Aunque le siguiese la corriente a su esposo, la perspectiva de quedarse sin trabajo la tenía preocupada. ¿Qué iba a hacer? No tenía carácter para quedarse en casa a cuidar de su nieto. A los cincuenta y cinco años le quedaba aún mucho por vivir. Pero se le hacía muy cuesta arriba pensar que, tras el último episodio de la serie, su vida profesional se habría terminado.

—Tengo una idea —dijo Simon—. Pero no sé si te gustará —añadió pensativo. La atrajo hacia sí y la besó. Volvían a sentirse unidos; el espectro de Elizabeth Coleson había desaparecido—. Hace una temporada que pienso en la conveniencia de contratar a un coproductor. Estoy cansado de hacerlo todo yo, y a veces el trabajo me desborda. Además, tu eres mucho mejor que yo en los detalles creativos. ¿Qué tal si colaboramos en mi próxima película? En la de la adaptación de la novela de Jeff. ¿Qué te parece?

Blaire lo miró y reflexionó.

—¿Y cómo vamos a llamar a esa colaboración? *¿Asunto de familia?* —ironizó ella, convencida de que Simon trataba de hacerle un favor o simplemente bromeaba.

Pero él hablaba en serio. Al margen de que fuese su esposa, Blaire era una gran profesional.

—Nunca bromeo con estas cosas. Pregúntaselo a Jeff. Te lo hubiese propuesto hace años, pero estabas ocupada. Eres demasiado buena para la televisión. El cine te fascinará.

A Simon le seducía de verdad la idea de trabajar con ella. Formaban un buen equipo en muchos aspectos y sus aptitudes profesionales eran complementarias.

—Bien, por probar no se pierde nada —aceptó ella, titubeante—. Dentro de tres semanas, en cuanto Allie se case, no voy a tener nada que hacer.

Ciertamente, a Blaire le gustaba la idea, y lo besó agradecida.

—La boda... claro. Supongo que no romperán el compromiso.

—Eso espero —dijo Blaire.

—¿De acuerdo entonces en trabajar conmigo?

—Tendré que consultarlo antes con mi representante —bromeó Blaire.

—Los de Hollywood... ¡Sois todos iguales! De acuerdo, tú llama a tu agente, que yo llamaré a mi abogado —repuso él, risueño.

Le besó en el cuello y ella se acurrucó contra él. Aunque el día no pudo haber empezado peor, terminaba bien. La perspectiva de enlazar con un trabajo importante en el cine, y con Simon, era muy atractiva. Estaba impaciente por decírselo a Allie por la mañana.

De pronto reparó en que su marido se había quedado dormido. Era ya muy tarde y las fuertes emociones del día lo habían agotado. Lo miró y sonrió. Simon era un buen hombre y, pese a todo el dolor que le había causado a lo largo del último año, tenía la sensación de volver a reencontrar al Simon joven, totalmente volcado en ella. Quizá saliesen reforzados de aquella crisis.

21

Allie pensó que era una gran idea que sus padres hubiesen decidido trabajar juntos, sobre todo en la película de su futuro esposo.

—Puestos a que todo quede en familia, ¿no podríais darme un papel de protagonista, mamá? —bromeó apenas regresó con Jeff de San Isidro.

Todo volvía a ser normal entre ellos, tan normal como esperaban que fuese la boda. Como decía Delilah, había empezado la cuenta atrás. Faltaban sólo seis días.

Allie ya tenía el traje de novia, el velo y el sombrero. El jardinero aseguraba que el trabajo de remodelación del jardín estaría listo el fin de semana. Las dos damas de honor habían confirmado su llegada, una desde Londres y la otra desde Nueva York, un día antes que la madre de Jeff, que se hospedaría en el hotel Bel Air. Charles Stanton tenía prevista su llegada para el viernes.

—¿Crees que todo saldrá bien, mamá?

Allie estaba asustada ante lo que se le venía encima. Trataba de dejar todo el trabajo del bufete más o menos al día. Jeff terminaba la película el miércoles. El programa era tan ajustado que al menor percance podía venirse todo abajo como un castillo de naipes. Por lo demás, ya había vendido la casa y tendría que dejarla libre dentro de dos días. Pese a la buena organización faltaban muchos detalles.

Después de la llegada de las damas de honor el martes por la noche, estaba prevista una prueba de los trajes para el miércoles por la mañana, al objeto de hacer retoques de última hora. Pero como habían tenido con tiempo las tallas de Nancy y de Jessica, lo más probable es que no hiciese falta.

—Estoy asustada —le susurró Allie a su madre.

Como aquel lunes Jeff trabajaría hasta tarde Allie aprovechó para ir a ver a sus padres, a Samantha y al bebé.

—¿Y por qué estás asustada?

—Por todo. ¿Y si no resulta? ¿Y si me pasa como a ti con Charles Stanton? —Allie seguía negándose a llamar «papá» a su padre natural.

—Bueno... todo puede ocurrir. Pero las circunstancias son muy distintas. Entre otras cosas, yo era mucho más joven que tú cuando me casé. Tú y Jeff tenéis mucha más experiencia de la que teníamos nosotros. Creo que os irá bien.

Ambos eran inteligentes y, aunque llevasen poco tiempo de relaciones, lo habían pensado muy bien. La doctora Green estaba muy satisfecha por el modo en que Allie afrontaba todos sus temores. Pero nadie tenía garantizado el futuro.

—La única defensa ante los imponderables —prosiguió su madre— es tratar de hacer las cosas lo mejor posible.

—Y tener siempre pizza y helados en el congelador —dijo Samantha para aportar su experiencia conyugal.

Jimmy tenía un apetito feroz a todas horas. Eran muy felices y estaban encantados con el bebé, que tenía ya un mes y pesaba cinco kilos. La hermanita de Jimmy los visitaba con frecuencia y pasaban juntos ratos muy agradables en el jardín.

Blaire y Simon tenían más tiempo libre que nunca y hacían planes para la nueva etapa profesional que emprenderían. Pero antes de empezar se proponían tomarse unas vacaciones en Europa.

—Puede que envejecer no sea tan horrible —le había dicho Blaire a Simon aquella mañana.

Él la había sacado literalmente de la ducha para volver a la cama y hacer el amor. Querían aprovechar a fondo la última etapa de su vida. Porque, ciertamente, el tiempo no perdona. Allie y Jeff, en cambio, no hacían más que empezar; igual que Jimmy y Samantha. Para ellos el amor era aún joven. Les esperaban muchos retos y experiencias: los hijos, la convivencia, los éxitos y los fracasos. El mejor consejo que Blaire podía darle a Allie era que conservase siempre la serenidad. Aunque en vísperas de su boda era inevitable que estuviese nerviosa.

—Me alegro de no haber tenido que organizar todo este follón —le había dicho Samantha a su madre, que sentía que su hija pequeña no hubiese tenido una boda normal.

Nancy y Jessica llamaron por teléfono a casa de los Steinberg nada más llegar al hotel el martes por la noche. Allie le había encargado a Alice que hiciese enviar flores, revistas y chocolatinas a sus habitaciones. Ya tenían sus vestidos en el armario y toda la indumentaria. No parecía faltar ningún detalle.

Allie había quedado en almorzar con ellas en el hotel el miércoles con la modista. Había alquilado una suite para las pruebas de última hora. También irían Samantha y Carmen. Allie aprovecharía para pasar por la agencia inmobiliaria y firmar unos documentos. Fue una semana muy movida. Pero Allie estaba contenta, entre otras cosas porque hacía mucho tiempo que no veía a sus íntimas amigas; a Nancy Towers desde hacía cinco años y a Jessica Farnsworth desde sus tiempos en la facultad de derecho. Aun así, no habían perdido el contacto.

Hacía casi un mes que no veía a Carmen y en cuanto apareció en el hotel se llevó las manos a la cabeza. Carmen estaba sólo de dos meses y medio, pero abultaba como de seis.

—¡Madre mía! —exclamó Allie—. No irás a tener mellizos, ¿verdad?

—Menos mal que hemos terminado la película, porque he engordado diez kilos.

—¿Cómo has podido engordar tanto? Samantha ganó sólo doce kilos en todo el embarazo.

No habría manera de embutirla en el vestido que le habían encargado, de modo que algo tendrían que improvisar. Pero Carmen estaba tan contenta por haberse quedado embarazada de nuevo que todo lo demás parecía traerla sin cuidado.

Llamaron a la puerta de la suite y nada más entreabrirla a Allie se le iluminó la cara. Era Nancy Towers, tan emocionada como ella. Se abrazaron efusivamente y se besaron.

Nancy se había divorciado y pensaba volver a Nueva York, donde proyectaba fundar una revista. Desde hacía una temporada tenía relaciones con un alemán de Munich. Un hombre encantador, según ella. Nancy llevaba una vida muy cosmopolita.

Mientras Nancy pasaba a probarse con la modista, Allie se sentó junto a Samantha en el sofá.

—Estoy nerviosísima —admitió.

—Pues debes tranquilizarte —le dijo Samantha. Parecía que hubiesen invertido los papeles y fuese ella la hermana mayor.

—¡Qué horror! ¡Desde que te has casado pareces mi madre! —exclamó Allie risueña. Se inclinó y la besó—. Eres una buena chica. ¿No te lo había dicho?

Estaban más unidas que nunca desde el nacimiento de Matthew.

—Me temo que tus amigas han engordado mucho —musitó Samantha.

Se echaron a reír y justo en ese momento llegó Jessica. Allie ignoraba lo mucho que había cambiado en los últimos cinco años. Iba sin maquillar, llevaba el pelo corto y un traje sastre de Armani. Trabajaba en el mundo editorial pero tenía muchos contactos con el mundo de la moda. Había cambiado tanto que parecía una europea. Pero había algo más que había cambiado en ella. Allie reparó en que miraba con insistencia a Carmen. La estuvo observando y no le cupo duda: Jessica era lesbiana. Jamás lo había sospechado, pero, por lo visto, había decidido no ocultarlo. Ahora se hacía llamar Jess. Le comentó a Allie que el movimiento gay ganaba fuerza en el Oeste pero no en el Este.

—En Portland no hay lesbianas —dijo Carmen mirándola con cara de susto.

—Pues te aseguro que en Londres sí —dijo Nancy riendo.

Nancy era muy simpática y creaba buen ambiente allá donde fuese. Lo único malo era que bebía un poco más de la cuenta.

—¿No has tenido nunca una experiencia homosexual? —le preguntó Jess a Nancy como si tal cosa.

Nancy la miró con expresión reflexiva. Carmen se sonrojó y Samantha miró a Allie como recomendándole calma.

—Pues la verdad es que no recuerdo haberla tenido —repuso Nancy con un dejo de ironía.

—Oh, si la hubieses tenido la recordarías —dijo Jessica, que se percató de que ese tema de conversación no le iba a cundir mucho y se dispuso a probarse el vestido.

Jessica se desnudó con desparpajo. Allie tuvo que reconocer que tenía un tipo impresionante. Pero al saber cuáles eran sus tendencias se sentía incómoda.

Luego, mientras un camarero les servía champán, Jessica bromeó diciéndole que era un grave error casarse con un hombre, que tenía que haberse casado con una mujer. Al reparar Allie en que su amiga llevaba una alianza y dirigirle una mirada inquisitiva, Jessica le dijo que desde hacía dos años vivía con una mujer, una diseñadora de moda japonesa, y que viajaban mucho por Europa y Extremo Oriente. No cabía duda de que Jessica llevaba una vida muy interesante.

Al cabo de un rato llegó Delilah Williams acompañada de un fotógrafo. Nancy ya se había pasado un pelín con el champán y Jess había empezado a tirarle los tejos a Carmen.

—¿Pero no ves la barriga que tengo? —exclamó Carmen muerta de risa.

Pero a Allie no le hacía ninguna gracia, y fulminó a Jessica con la mirada.

—Bueno, bueno, no te enfades. Bromeaba —se excusó Jessica, que decidió comportarse y empezó a hablar con Samantha y hacerle carantoñas a Matthew.

Hacía varios años que Jessica había decidido no ocultar sus preferencias sexuales. No se avergonzaba en absoluto, aunque a veces se pasase de la raya en sus coqueteos.

—¿Por qué no me lo dijiste nunca? —le preguntó por la tarde Allie.

—No lo sé. No son cosas fáciles de explicar. Debí de creer que no lo entenderías.

—Puede que no —dijo con franqueza Allie.

Siguieron hablando de otros temas; de la influencia del sida en la sociedad actual y de los muchos amigos que habían perdido a causa de esa terrible enfermedad, sobre todo en Hollywood y en el mundillo artístico de Londres y París.

A las cinco salieron del hotel. Nancy y Jessica estaban citadas con sus amistades respectivas. Quedaron en verse con Allie al día siguiente en la fiesta de la despedida de solteros.

—Si sobrevivo —dijo Allie al dejar a Samantha y Matthew en casa de sus padres.

Había sido una tarde agotadora pero divertida. Estaba claro que su amistad con Jessica y Nancy se había enfriado, pero eran parte de su historia y estaba muy contenta de que asistiesen a su boda. Seguía un poco perpleja por el descubrimiento que acababa de hacer acerca de Jessica.

Antes de ir a los estudios para recoger a Jeff pasó por el bufete, para ver si tenía mensajes o correspondencia urgente que tuviera que llevarse a Malibú para leerla con tranquilidad.

Llegó a los estudios a tiempo de ver la última toma de la película y de oír la exclamación jubilosa del director.

Jeff y Tony se estrecharon la mano satisfechos y luego se abrazaron. Tony era bajito, fibroso y rubio. No podía ser más distinto de Jeff. Los dos estaban muy contentos porque sabían que habían hecho un buen trabajo.

Cuando regresaron a Malibú Allie estaba exhausta.

—¿Qué tal te ha ido hoy? —le preguntó Jeff al llegar a casa. Había sido un día cargado de emociones para él. Al fin había terminado la película. Faltaba el montaje, que era una labor casi exclusiva del director y el montador. Jeff y Tony apenas iban a intervenir.

—Pues he tenido un día bastante curioso la verdad —contestó Allie, y le contó lo de sus amigas Nancy y Jessica—. Ya ves cómo cambiamos las personas. Parece mentira que ahora tengamos tan poco en común.

—Esa es una de las razones de que yo no haya querido invitar a mis viejos amigos de Nueva York. Al cabo de tanto tiempo uno se lleva una desilusión. Con el único que seguimos cultivando la amistad es con Tony.

—Creo que tienes razón.

Se acostaron enseguida porque Jeff tenía cosas que hacer a primera hora de la mañana, y a mediodía tenía que ir a esperar a su madre al aeropuerto.

Allie hubiese ido también a pesar de todo, pero había quedado en verse con su madre para pasar revista a algunos detalles. La verdad era que organizar una boda tan tradicional resultaba muy complicado. Allie no dejaba de pensar en lo sencilla que había sido la boda de Carmen y Alan en Las Vegas. Y no digamos la de Samantha, aunque las circunstancias eran muy distintas.

Había quedado con Jeff en tomar el té con su madre en el Bel Air. Pero en esta ocasión Allie optó por llevar «refuerzos» y le pidió a su madre que la acompañase.

La señora Hamilton lucía un vestido negro y una blusa blanca de seda. Al llegar Allie paseaba por los jardines.

—Buenas tardes, señora Hamilton. ¿Qué tal el viaje?

—Bien, gracias —repuso la madre de Jeff tan envarada como siempre. Ni siquiera le había pasado por la cabeza que ya iba siendo hora de pedirle a Allie que la llamase Mary o mamá.

Fueron a sentarse al bar del hotel. Allie se esforzó lo indecible por ganársela y, al cabo de una hora, no se habían hecho íntimas amigas pero el talante de ambas cambió. Se notaba que ahora se hablaban con respeto.

Por su parte, las futuras consuegras daban la impresión de haber simpatizado, pues se hablaban con gran cordialidad. Jeff se sentía agradecido por la actitud de Blaire, que trataba a su madre con sumo tacto.

Luego, cuando Jeff acompañó a su madre a su habitación para que descansase un rato, ella le comentó que, «para ser una mujer del mundo del espectáculo, la señora Steinberg es muy inteligente y distinguida».

A Jeff le faltó tiempo para decírselo a Allie en cuanto volvió al bar.

—Parece que tu madre le ha caído bien.

—Y viceversa —dijo Allie.

—¿Y vosotras qué tal? —preguntó él al recordar la horrible experiencia de hacía dos semanas. Lo insultantes que estuvieron acerca de sus respectivas familias; sobre todo su madre.

Jeff se había sentido entonces en la obligación de defenderla, aunque sabiendo que mucho de lo que Allie había dicho era cierto. Mary Hamilton no era una persona fácil de tratar. Pero era ya mayor y procedía de un mundo lleno de prejuicios. Además, Jeff era su único hijo. Y había que ser flexible con ella.

—Pues bastante bien. Pero estoy un poco nerviosa.

—¿Y quién no lo está? —dijo él sonriente.

Por la noche tenían ambos la cena de despedida de solteros. A Allie no le seducían aquellas tradiciones. Simplemente, había que cumplir con el expediente. Ni siquiera los regalos de boda le hacían ilusión. Se habían encontrado con montones de objetos inútiles, muchos de ellos repetidos. Y todo lo que les regalaban había que listarlo, catalogarlo, informatizarlo y, naturalmente, agradecerlo. Daba mucho trabajo y no era nada divertido, sino una auténtica pesadez. De buena gana les hubiese dicho a todos que esperasen y les enviasen los regalos más adelante.

—¿Qué habéis organizado para la despedida de solteros de esta noche? —le preguntó Jeff de camino a Malibú.

Allie apenas hacía nada en su despacho aquellos días, aunque tampoco se había hecho ilusiones de poder trabajar con un mínimo de normalidad. Alice se multiplicaba para suplirla.

—Cenamos en Spago —contestó Allie, recostada en el respaldo y bostezando continuamente.

—Nosotros vamos a The Troy.

—Oh, ¡qué modositos! —exclamó ella—. Por lo menos allí no creo que aparezca nadie con media docena de putones.

Los excesos de las despedidas de soltero nunca le habían hecho mucha gracia a Allie. No parecía un modo muy adecuado de empezar un matrimonio. Pero la despedida de Jeff resultó bastante más casta que la de Allie, gracias a las amigas que Carmen había invitado. En la de Jeff hubo la *stripper* de rigor, pero se limitó a actuar y desaparecer. También hubo canciones procaces y chistes verdes.

En Spago apareció un guaperas haciendo *striptease* que según Jessica no valía nada. Jessica tenía sentido del humor y se dedicó a insinuarse con las demás durante toda la velada, pero de un modo divertido y nada grosero. Las chicas le hicieron a Allie todo tipo de obsequios «escandalosos»: vídeos pornográficos, vibradores y braguitas con ventanilla.

Fue una fiesta divertida. Pero Allie estaba tan cansada que sólo tenía ganas de que terminase para volver a casa, olvidarse de la boda y dormir diez horas seguidas.

—Esto es como los juegos olímpicos, Jeff —musitó medio adormilada ya en la cama.

¿Por qué estaba todo el mundo tan seguro de que había que cumplir con aquellas tradiciones? Para Carmen y Samantha todo había sido mucho más sencillo. Quizá no fuese el agobio de los preparativos de boda lo que la angustiaba, sino *él*.

Los nervios no la dejaron dormir plácidamente. Pasó toda la noche de pesadilla en pesadilla.

22

El viernes fue el día más complicado para Allie Steinberg. Era la última fecha hábil antes de la boda. Ya había firmado la escritura de venta de su casa y cobrado el depósito. Tenía la sensación de no hacer más que atar cabos sueltos. Pero le quedaba un asunto importante por resolver: su padre llegaba por la tarde y había quedado con él en tomar café en el Belage.

Llevaba semanas temiendo el momento de aquella entrevista. No tenía nada que ver con Jeff ni con la boda, sino con ella, con su vida, con sus recuerdos, con su libertad. Había esperado veinticinco años a que llegase aquel momento.

Lo que más detestaba de tantos preparativos era que no le dejaban apenas tiempo para estar con Jeff. Era como luchar por no ahogarse en un mar de sombreros, zapatos, velos, vídeos, fotografías, damas de honor y pasteles de boda.

Había salido de casa aquella mañana antes de que él se levantase. Ni siquiera podrían almorzar juntos. A mediodía Jeff tenía que verse con quienes iban a ser sus testigos y Allie estaba citada con Charles Stanton a las cinco.

El ensayo para la ceremonia se haría a última hora de la tarde y entonces sí se vería con Jeff, aunque enseguida se perderían de vista otra vez. Además, aquella noche Allie dormiría en casa de sus padres, de acuerdo a la tradición, «para no ver al novio antes de la boda». Le apetecía charlar con ellos y con Samantha, que seguramente se acercaría desde el anexo en cuanto Matthew se quedase dormido, o iría con él.

Allie había comentado con su hermana y con Simon que tenía que verse con su padre aquella tarde; y que le repateaba tener que ir del brazo de él en la ceremonia.

—Lo dices de un modo... ¡Cualquiera diría que te va a raptar! —la reconvino Simon.

—Pues más o menos esa es la sensación que tengo.

De camino al hotel Belage, Allie no dejaba de repetirse lo que pensaba decirle a Charles Stanton: que iría a la boda como invitado, no como padre: El papel de padre lo hará Simon Steinberg, no Charles Stanton.

Como si de un mal augurio se tratase, al cruzar el vestíbulo Allie chocó con él sin reconocerlo. Se excusó y siguió adelante para preguntar en recepción. Pero de pronto creyó haber visto a alguien que le resultaba familiar y se dio la vuelta. Era él. No lo había reconocido porque estaba muy avejentado. También él la miraba, y se acercó a ella lentamente.

—¿Allie?

Ella asintió con la cabeza y contuvo el aliento.

—Hola —lo saludó. No le salía nada más.

—¿Vamos al bar? —propuso él.

Ella volvió a asentir con la cabeza y fueron al bar. Se sentaron en una mesa del fondo y, en cuanto el camarero se acercó, él pidió un refresco.

Bueno, quizá ahora ya no beba, pensó Allie. Porque los peores recuerdos que conservaban eran de cuando se emborrachaba y pegaba a su madre.

Durante un rato hablaron de cosas intrascendentes, o no directamente relacionadas con el motivo de la entrevista: de la diferencia de clima entre Boston y Los Ángeles, del trabajo de ambos, etc. Al reparar en que él no le preguntaba por su madre dedujo que seguía guardándole rencor. No le había perdonado que lo abandonase.

Poco a poco fueron entrando en materia. Allie le dijo que Jeff era de Nueva York y que sus dos abuelos habían sido médicos.

—¿Y cómo ha conseguido librarse él? —repuso Stanton tratando de encarrilar la conversación de un modo distendido.

Pero el muro interpuesto entre ellos a lo largo de tantos años no era fácil de superar. Allie estaba sorprendida de verlo tan envejecido y frágil. Tenía setenta y cinco años, veinte más que su madre.

—Jeff es escritor —dijo ella, y se extendió hablándole de sus novelas, que habían sido llevadas al cine—. Tiene talento.

Pero no conseguía concentrarse en lo que decía. Lo único que en realidad le interesaba de aquella conversación era deducir por qué la había odiado tanto su padre, por qué no había querido verla ni la había llamado. Por qué no la había querido. Quería preguntarle qué había sucedido al morir su hermano, pero no acertaba a llevar la conversación hacia aquel terreno. Toda su ira parecía encharcada a sus pies, como un líquido inflamable que no prendería a menos que alguien acercase una cerilla.

No tardó en hacerlo él.

—¿Qué tal está tu madre? —preguntó con sequedad.

—Creía que no ibas a preguntarme por ella —dijo Allie. Preguntaba, sí, pero en un tono que dejaba traslucir que no le importaba lo más mínimo; o, aún peor, que seguía guardándole rencor.

—¿Por qué no iba a hacerlo? —dijo él tratando de enmascarar sus sentimientos—. No albergo ninguna animosidad hacia tu madre —mintió tras beber un sorbo de coca-cola. Charles Stanton era un maestro de la agresión pasiva. Odiaba a Blaire tanto o más que antes.

—No lo niegues. Se te nota que le guardas rencor. Pero es comprensible. Te dejó.

—¿Qué sabes tú? —replicó él, empezando a crisparse—. De eso hace muchos años. Tú eras una niña.

—Pero me acuerdo. Recuerdo vuestras peleas, los gritos, las cosas que os decíais.

—¡Cómo vas a acordarte! Eras casi un bebé.

—Tenía cinco años; seis cuando nos marchamos. Y lo recuerdo como algo horrible.

Charles Stanton asintió con la cabeza. No podía negarlo. Temía que Allie recordase que había pegado a su madre y todo lo demás. Era consciente de haberse portado muy mal con ellas.

Allie decidió ir al fondo de la cuestión. Sabía que era el único modo de superar el muro que los separaba. Tenía que aprovechar esa oportunidad, porque quizá no hubiese otra para librarse y librarlo a él del veneno del odio.

—Lo peor fue la muerte de Paddy —dijo.

Stanton hizo una mueca de dolor, como si lo hubiesen golpeado.

—Fue irremediable —repuso con acritud—. No había cura entonces para la leucemia. Y en muchos casos sigue sin haberla.

347

—Lo sé —dijo ella con delicadeza. Su madre se lo había explicado cientos de veces. Pero también sabía que su padre intentó curarlo con un tratamiento propio, y que nunca se había perdonado no haberlo conseguido. Por eso se dio a la bebida; y las había perdido por darse a la bebida—. Recuerdo que siempre era muy cariñoso conmigo —añadió—. Yo lo quería mucho.

Su padre desvió la mirada.

—Dejemos eso —se limitó a decir.

Por un instante Allie lo compadeció. No había tenido más hijos que pudieran consolarlo. Estaba viejo, cansado y solo. Y probablemente afectado por los achaques de la edad. En cambio ella tenía a Jeff, a sus padres, a Samantha, a Scott, e incluso a Jimmy y Matthew. Charles Stanton no tenía más que remordimientos, fantasmas del pasado; un hijo al que quiso y perdió y una hija a la que había abandonado.

—¿Por qué no has querido verme en todos estos años? —preguntó ella—. ¿Por qué no me llamabas ni contestabas a mis cartas?

—Estaba muy furioso con tu madre —repuso él, incómodo por tener que contestar a esa pregunta después de tantos años. Ninguna respuesta podía satisfacer a Allie.

—Pero ¿y yo?

—Me resultaba demasiado doloroso aferrarme a ti después de que tu madre me abandonase. Sabía que no os iba a recuperar a ninguna de las dos. Era más sencillo y menos doloroso olvidaros.

¿Sería esa la verdad?, se preguntó Allie. ¿Que se había impuesto desterrarla de su pensamiento? ¿Enterrarla como a Paddy? ¿Cortar todos los lazos entre ellos para no sufrir?

—Pero ¿por qué? —dijo—. ¿Por qué no contestabas a mis cartas ni me llamabas por teléfono? Y las pocas veces que hablamos... ¿por qué estabas tan furioso conmigo?

La respuesta la dejó perpleja.

—No te quería en mi vida, Allie. No quería que me quisieras. Puede que te sorprenda. Pero yo os quería mucho a las dos y, al perderos, no quise luchar. Para mí fue como volver a perder a Patrick. Era consciente de no poder acortar la distancia que nos separaba, la que me separaba de vuestra nueva vida. Antes de cumplirse un año de vuestra marcha tenías un padrastro, tres años después un nuevo hermano. Y, como es natural, podían haber más. Tu madre tenía una nueva vida, y tú también. Habría sido una crueldad tratar de aferrarme a ti, una crueldad para ambos. Era más fácil olvidarme de ti, dejar que el tiempo te alejase definitivamente. Así no tendrías que estar siempre mirando hacia atrás. No tendrías pasado, sólo futuro.

—Pero si he tenido pasado. Ha estado siempre conmigo —dijo ella, apenada—. Tú y Paddy siempre habéis estado conmigo. Nunca he podido entender que dejases de quererme. Necesitaba saber por qué. Siempre había creído que me odiabas —añadió mirándolo a los ojos, llorosa, como implorándole que le confirmase sus palabras.

—¿Odiar? —dijo él sonriéndole entristecido—. Nunca te he odiado, pero no tenía nada que aportarte —añadió tocando su mano ligeramente con los dedos—. Estaba destrozado. Es verdad que durante un tiempo odié a tu madre, pero también ese odio acabó disipándose. Ya tenía suficiente con odiar a mis propios demonios. Le apliqué a tu hermano un tratamiento experimental. Habría muerto de todas maneras, pero confié en que sirviese de algo. Y no fue así. Incluso me reproché haberle acortado la vida. Según tu madre, yo maté a Paddy.

—Ella jamás me ha dicho eso.

—Entonces es que quizá me haya perdonado —dijo él compungido.

—Ya hace mucho que te ha perdonado —le aseguró Allie.

No había respuestas fáciles. A ojos de Allie nada podía justificar que la hubiese borrado de su vida. Pero, por lo menos, ahora sabía que fueron sus propios demonios, su remordimiento, su miedo y sus carencias lo que lo indujo a creer que tomaba la decisión acertada. Simplemente, no tenía nada que darle. Era lo que siempre le había dicho la doctora Green. Allie nunca la había creído, pero ahora acababa de oírselo a él casi con las mismas palabras.

—Yo te quería mucho —dijo él.

Allie llevaba años esperando oírselo decir.

—Es posible que entonces no comprendiese hasta qué punto —añadió—. Y todavía te quiero. Por eso he venido. Estoy empezando a comprender que el tiempo es un lujo, y que a veces es mejor gastarlo. A menudo pienso en las cosas que habría podido decirte, que habría podido llamarte, por lo menos en tus cumpleaños. Siempre recuerdo las fechas; el tuyo, el de Paddy, y también el de tu madre. Pero nunca os he llamado. Estuve reflexionando durante mucho tiempo cuando me escribiste. No pensaba contestarte, pero al final me dije que no quería dejar de asistir a tu boda.

Charles Stanton tenía lágrimas en los ojos. Era importante para él estar a su lado en aquel momento, más de lo que Allie pudiera imaginar.

—Gracias —dijo ella sollozando. Le agradecía sus palabras, su honestidad, haberla liberado del rencor—. Me alegro de que hayas venido.

Le besó la mano y él le sonrió, sin atreverse a mostrarse más efusivo, atenazado por las limitaciones de su carácter.

—También yo me alegro —dijo él con voz entrecortada por la emoción.

Pidieron otra coca-cola y hablaron de la boda durante un rato, pero Allie no sacó a relucir el tema de quién iba a conducirla del brazo al altar. Prefería que se lo dijese Delilah, aunque la explicación que su padre acababa de darle la había conmovido. Cambiaba totalmente lo que siempre había pensado.

—¿Nos vamos ya? —dijo ella al mirar el reloj.

Tenían que estar a las seis en el Bistro para el ensayo general de la ceremonia y el banquete. Era más fácil ensayarlo allí que en el jardín de los Steinberg, porque los jardineros aún estaban dándole los últimos toques a su trabajo.

La boda estaba fijada para las cinco de la tarde del día siguiente. Llegaron al Bistro a las seis, exactamente veintitrés horas antes del enlace.

Delilah Williams hablaba con el pastor en un rincón mientras las camareras servían champán. Delilah pidió silencio y el pastor explicó cómo transcurriría la ceremonia. Charles Stanton estaba confuso, sin saber cuál iba a ser su papel. Y Simon lo notó. Se le acercó e hizo un aparte con él. Dijo que tenía que hacerle una sugerencia y, tras una breve conversación, se estrecharon la mano.

Luego, Stanton fue hacia donde estaba su ex esposa.

—Hola, Blaire —la saludó. De haber sido más joven se habría sonrojado. Estaba tan bien conservada que tuvo la sensación de volver al pasado—. Tienes un aspecto magnífico.

—Tú también —correspondió ella.

Se miraron a los ojos y ambos se vieron reflejados en un mar de recuerdos y esperanzas, de sufrimientos y alegrías compartidas (porque también las hubo). Por desgracia, dominaba lo negativo: la tragedia de la muerte de Paddy, su separación. La presencia de él allí añadía una imagen más a los respectivos álbumes de recuerdos.

Hicieron un aparte y, como si alguien los inspirase, se las arreglaron para encauzar la conversación sin mencionar nada hiriente. Pero no se alargaron demasiado. Por más que se dominasen, les resultaba violento.

—Bueno, Blaire, te felicito —dijo él.

—Y yo te agradezco que estés aquí.

Charles Stanton se acercó entonces a Allie, que estaba hablando con la madre de Jeff. Allie los presentó, pero enseguida los dejó solos y fue a saludar a unos amigos.

La señora Hamilton y Charles Stanton entraron enseguida en animada conversación. Descubrieron que no sólo tenían amigos comunes en Boston sino que él había conocido a su padre, que había sido uno de sus profesores en la facultad de medicina. Sólo dejaron de hablar cuando Blaire los urgió a todos a sentarse a la mesa.

El pastor, Delilah Williams y Blaire pronunciaron breves alocuciones para explicar detalles de la ceremonia e indicarles a los invitados dónde se sentarían. Luego brindaron todos e hicieron votos por que todo saliese bien.

Jeff y Allie se miraron. En menos de veinticuatro horas serían marido y mujer y saldrían de viaje de novios a Europa.

—¿Sabes que mi ex padre le está tirando los tejos a tu madre? —dijo Allie risueña, antes de que él se marchase a Malibú—. Te echaré mucho de menos esta noche.

A Allie le parecía una tradición estúpida lo de no poder ver a la novia antes de la boda, ¡cómo si no hiciese tiempo que se «veían»!, por así decirlo.

—¿Qué tal ha ido la entrevista con tu padre? —le preguntó Jeff, porque durante la cena no había tenido ocasión de preguntárselo.

—Bastante bien —contestó ella sonriente—. Creo que ya tengo algunas de las respuestas que siempre he anhelado. Su vida es muy triste ahora. Debe de sentirse muy solo.

—Hay personas que se sienten mejor solas. No puedo imaginarme a tu madre viviendo con él. Son como la noche y el día.

—Sí, desde luego. Por suerte para Simon.

—¿Has decidido ya lo de quién te conducirá al altar? —preguntó él, que no acababa de marcharse. Detestaba pasar aquella noche solo.

—Simon me ha dicho que no me preocupe, que ya ha hablado con él. Para mí es todo un alivio. —Allie había hecho las paces con su padre después de veinte años, pero seguía queriendo que fuese Simon quien la llevase al altar.

Al salir del Bistro se distribuyeron en los coches. Samantha y Jimmy se habían marchado una hora antes, porque ella tenía que amamantar a Matt.

—No olvides las maletas, ¿eh? —le recordó Allie a Jeff desde su coche.

—¡Descuida! —le gritó él asomado a la ventanilla del suyo, siguiendo al de Carmen y Alan, que también iban a Malibú.

Diez minutos después, Allie estaba de nuevo en casa de sus padres.

—Lo mejor que puedes hacer es acostarte y dormir —le recomendó su madre al ver que andaba de un lado para otro inquieta.

—No estoy cansada —mintió con tono quejumbroso, como si por última vez desease sentirse niña.

—Lo estarás mañana.

La verdad era que ya no le quedaba nada más por hacer. De modo que les dio las buenas noches a sus padres y subió a su dormitorio, se desnudó y se metió en la cama. Luego llamó a Jeff, que acababa de llegar a casa. Hablaron durante un rato de la agradable velada y de lo divertidos que eran algunos de sus amigos.

—Te adoro —dijo él, que nunca se había sentido tan feliz.

—Y yo —correspondió ella.

Luego, cuando hubo colgado, Allie siguió despierta durante horas, pensando en él y en lo afortunada que era. Había encontrado a su ideal de hombre. Jeff era el hombre que ella necesitaba; y, tal como siempre soñó, en muchos aspectos le recordaba a Simon.

Cuando al fin logró conciliar el sueño durmió con absoluta placidez. Había conseguido poner orden en su vida: en su trabajo, en sus sentimientos y en su pasado; y también en su futuro y en el de su padre.

23

El sábado 5 de septiembre hizo un tiempo radiante en Los Ángeles. No había niebla ni polución. Soplaba una brisa suave y el cielo estaba despejado. A las cinco de la tarde aún brillaba un sol esplendoroso.

Allie estaba en su dormitorio. El traje de novia le sentaba muy bien; con el sombrero y el velo parecía una princesa de cuento de hadas. Su madre subió a darle el fragante ramo que David Jones había diseñado para ella.

—Oh, Dios mío, Allie... ¡qué preciosa estás! —exclamó Blaire sollozando de alegría.

El diseñador de Dior, Gianfranco Ferre, había hecho una auténtica obra de arte con aquel traje. También Simon se emocionó al verla bajar las escaleras. Jamás olvidarían aquel momento.

Ya se oía la música en el jardín. Los invitados los esperaban. Delilah Williams merodeaba por el salón como un avestruz que tratase de agrupar a sus polluelos. Las damas de honor ya estaban alineadas.

—Ayer hice una cosa, Allie —le dijo Simon—. Hablé con Charles. Y tuve una idea. Pero... no te enfades conmigo. Hicimos una especie de pacto —añadió. Y se lo susurró al oído.

Allie lo miró y arqueó las cejas, reflexionó unos instantes y luego asintió sonriente.

Casi al instante apareció Charles Stanton. Iba muy elegante aunque algo envarado. En cambio Simon era la viva imagen de la desenvoltura y la naturalidad.

Desde el jardín llegaba un murmullo de expectación. Todo el mundo estaba impaciente por ver a la novia. Habían instalado dos hileras de bancos en el jardín separadas por un pasillo, frente a un pequeño altar, como si de una iglesia al aire libre se tratase. Y al fin, a los acordes de la marcha nupcial, apareció Allie del brazo de Charles Stanton.

Su padre había vuelto a ella en el momento más oportuno de su vida. Al llegar a la mitad del pasillo se detuvieron. Él ladeó el cuerpo, la miró, se llevó su mano a los labios y la besó.

—Que Dios te bendiga. Te quiero —musitó.

Allie lo miró perpleja. Al fin se lo había dicho. Luego Stanton se apartó unos pasos y Simon se situó junto a Allie y la condujo al altar. Su idea simbolizaba bastante bien la realidad de la relación de ambos con Allie: sus primeros años con Charles Stanton y el resto con Simon Steinberg, que miró a aquella primera hija suya, la pequeña que Blaire le trajo, tan falta de cariño y tan asustada.

—Te quiero —le dijo lloroso.

Ella se puso de puntillas para besarlo en la frente. Se despedía de él para asumir un nuevo papel como esposa de Jeff.

Al volver Simon a sentarse junto a Blaire, Allie miró con amor y ternura a quien iba a ser su esposo, que había llegado a ella desde muy lejos. Pero estaba convencida de que más lejos aun llegarían los dos juntos. Era como si se hubiesen estado esperando muchos, muchísimos años.

—Estás preciosa —le susurró él apretándole la mano.

—Te amo, Jeff —musitó ella.

Él era la viva imagen de un hombre orgulloso, joven y lleno de esperanzas.

Al llegar frente al altar, el pastor los invitó a prometerse amor y fidelidad. Ambos pronunciaron las palabras de rigor y el pastor los declaró marido y mujer. Luego se besaron y los invitados aplaudieron. Dieron la vuelta y volvieron sobre sus pasos por el pasillo mientras los invitados les lanzaban pétalos de rosas. Fue el momento más dichoso del día más feliz de su vida.

Los invitados se deshacían en elogios de la pareja. Aseguraban que Allie era la novia más bonita que habían visto nunca.

La orquesta empezó su actuación interpretando *Fascination* en su honor, y los esposos bailaron alrededor de la pista. Después Allie bailó con Charles Stanton, que estaba desbordado por la emoción. Luego bailó con Simon, que la hizo reír durante toda la pieza, bromeando sobre los aspectos más absurdos del ceremo-

dad en honor de Samantha y de Jimmy... renovarían sus votos, abetos en el jardín, una carpa, una orquesta de música más moderna, algo que a ellos les gustase.

—¡Para, para! —exclamó Simon riendo—. Aunque, ya puestos, ¿por qué no volvemos a casarnos nosotros?

Puede que en su caso no fuese muy inadecuado. Desde el nacimiento de Matthew era como si su matrimonio hubiese vuelto a empezar.

—Eres incorregible —añadió Simon—. Pero no te corrijas, por favor.

—¿Sabes? Has tenido una gran idea con lo de Charles. Creo que tanto él como Allie se hacían una montaña con lo de quién debía llevarla al altar. Así han quedado todos contentos, aparte de que ha tenido su simbolismo...

—La profesión ayuda. En mis cuarenta años de trabajo con guiones y actores he aprendido que hay una fórmula infalible: compromiso y creatividad. No falla nunca.

—Lo tendré en cuenta cuando empiece a trabajar contigo la semana próxima —dijo Blaire mientras bailaban al compás de *New York, New York*.

Al cabo de unos minutos reapareció Allie con su traje de Valentino. Subió al estrado de la orquesta y, de espaldas a los invitados, lanzó el ramo de flores hacia atrás. El ramo surcó el aire y fue a parar al regazo de Jessica, que meneó la cabeza y volvió a lanzarlo como si de una granada se tratase. Samantha lo atrapó al vuelo y se echó a reír junto a Allie, que, al darle un beso de despedida, le susurró que su madre se proponía organizarle una fiesta en Navidad para celebrar su boda.

—¡Oh no, por favor! —exclamó Samantha, y puso la misma cara que un niño ante un plato de espinacas—. No podría... Jimmy me mata... o me muero yo sola.

Samantha era sincera. La boda de Allie le había parecido estupenda pero en su opinión requería demasiado esfuerzo.

—Bueno, pues díselo a mamá —repuso Allie, y se despidió de todos saludando con la mano y fue al coche que los llevaría al hotel.

Blaire y Simon los siguieron con la mirada. Dentro de tres semanas regresarían de su viaje de novios a Europa. Mientras los recién casados se alejaban, Jimmy y Samantha salieron a bailar; Scott desapareció con Nancy y subieron a su dormitorio; y Simon atrajo a su esposa hacia sí y la besó en los labios.

nial. Simon siempre había tenido la virtud de levantarle el ánimo, de hacerla reír.

También bailó con Alan, con su hermano, con su cuñado, con Tony y varios de sus amigos, y después de nuevo con Jeff. No paró de bailar hasta que anunciaron la cena.

El banquete fue tan espléndido como cabía esperar y, pese a que al final Blaire se había salido con la suya y eran más de doscientos cincuenta invitados, el servicio era tan nutrido y su sincronización tan impecable que, desde el aperitivo a los postres, nadie tuvo que esperar más que en cualquier buen restaurante.

El pastel de bodas fue recibido con una ovación, como si de una estrella de cine se tratase. El chef del hotel Bel Air había hecho una verdadera obra de arte.

Luego hubo más baile y Allie se acercó a darles las gracias a su madre y a Simon por haberle organizado una boda tan maravillosa. Incluso Mary Hamilton parecía estar pasándolo estupendamente (quizá porque Stanton no se había separado de su lado).

Allie subió un momento a su dormitorio, a cambiarse y ponerse el traje sastre de Valentino que había encargado para la ocasión. Simon y Blaire salieron a bailar por enésima vez para saborear los últimos momentos de la boda. También Jimmy y Samantha bailaban y, al mirarlos, Blaire tuvo de pronto mala conciencia.

—¿No has caído en la cuenta de que, en el último mes y medio, nuestra niña ha dado a luz a un hijo y se ha casado, sin haber celebrado una boda como es debido? Creo que deberíamos organizar algo cuando terminen los arreglos de la cocina.

—¡Ni hablar! —exclamó Simon echándose a reír—. ¡Ni se te ocurra! Prefiero darles un cheque y que se vayan de luna de miel. Pero, por favor, ¡otra boda no!

Simon miró a Samantha, tan joven y ya convertida en madre y esposa. Se la veía tan feliz que al mirar de nuevo a Blaire cambió de opinión.

—Bueno... a menos que ella lo desee. Se lo preguntaremos —dijo. Porque, al reparar en todo lo que Samantha había pasado pensó que no era justo negarle una fiesta para celebrar su boda.

—Quizá podríamos hacerlo coincidir con Navidad —dijo Blaire, que empezaba a ponerse en situación: una fiesta de Navi-